MANGA

Step by Step

Schritt für Schritt

Pas à pas

Stap voor stap

F K G

Publisher: **Paco Asensio**

Illustrations and texts: **Ikari Studio (Daniel Vendrell, Santiago Casas, David López) and Estudio Joso (Laura Casulleras, Cristina Sánchez, Sandra Cardona, Carlos Morilla, Sergi Brosa, Jaime Castaño)**

Text edition: **Bridget Vranckx**

Art direction: **Emma Termes Parera**

Layout: **Raquel Marín Álvarez**

French translation: **Marion Westerhoff**

German translation: **Susanne Pospiech**

Dutch translation: **Frank Graftdijk, BasF**

English copyediting: **Rebeca Collier, Lynda Trevitt**

French copyediting: **Éditions Place des Victoires**

German copyediting: **Katrin Münster, Katrin Kügler**

Dutch copyediting: **Henk Meyer, Elke Doelman**

Editorial Project:
maomao publications
Via Laietana, 32, 4th fl, of. 104
08003 Barcelona, Spain
Tel.: +34 93 268 80 88
Fax: +34 93 317 42 08
www.maomaopublications.com

Created and distributed in cooperation with Frechmann Kolón GmbH
www.frechmann.com

ISBN 978-84-96805-27-9
Printed in China

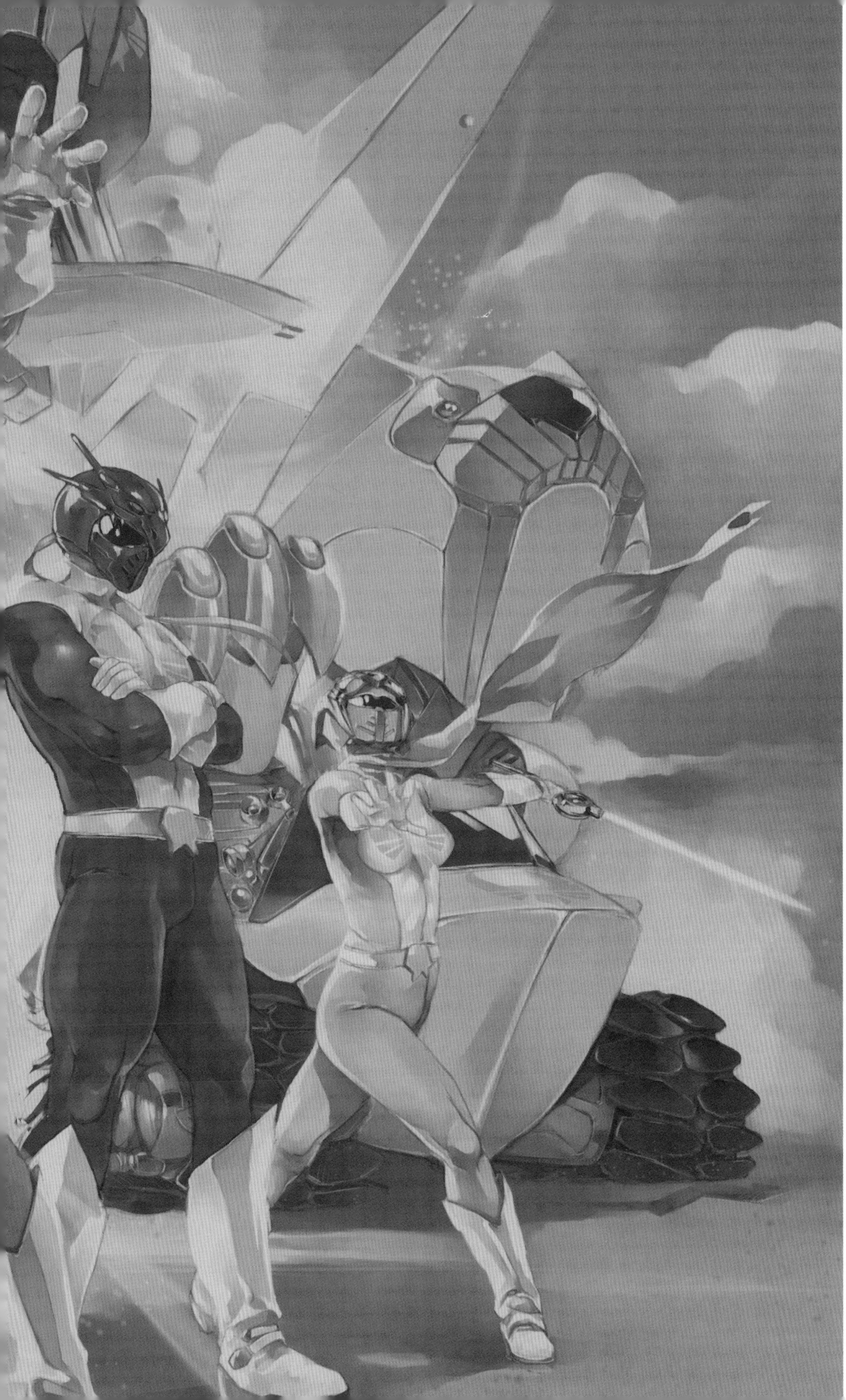

Introduction_Einleitung_Introduction_Inleiding

Introduction_Einleitung_Introduction_Inleiding

These days it's impossible to talk about comics without mentioning Japan. After all, it's been the birthplace for a whole new wave of styles, genres and characters that have revolutionized the comic-strip world.

Welcome to the vast and fantastic world of *manga* the origin of which can be found in *Ukyo-e*, one of the most important artistic movements in Japanese history. *Ukyo-e* is, without a doubt, where *manga's* roots are.

Over time, and thanks to the influence European illustrators had on the Japanese tradition, the first precursors to modern *manga* began appearing in the early 20th century in publications like *Tokyo Puck*.

But it was only after World War II that the leisure industry began to expand throughout Japan. Back then, a young medical student who was a big fan of Walt Disney and Max Fleischer, revolutionized the industry with his first *red book* (a 200-page volume published with very poor print quality). That book was *New Treasure Island* and its author was the young Osamu Tezuka, whose success paved the way for the development of epic tales in the form of comic book series. Tezuka diversified the genre and extended his idea of a comic strip across the whole nation.

Magazines then solidified in their role as the definitive form for spreading *manga*. Among all the magazines published, the one that stood out the most was the innovative *Manga Shonen* (1947), where Tezuka published his legendary *Astroboy*. With the country's economic boom, the demand for *manga* began to rise. Kodansha, one of the leading Japanese publishing houses, entered the magazine market in 1959 with *Shonen Magazine*, which went from being a monthly to becoming a weekly. After Kodansha other publishers began to follow suit, such as Shueisha and Shogakukan. This is how the *manga* industry became the country's most important form of audiovisual communication.

In the 80s, *anime* became the medium for introducing *manga* to the whole world. Since the 60s lots of Japanese series were emitted on television channels all over the world. Animated adaptations of the most popular *mangas* were devoured by generations of Western children, nurturing the beginning of what would eventually develop into a resounding success. But it wasn't until the 90s that *manga* begun to take off internationally with Katsuhiro Otomo's *Akira*. Otomo's success, and its film adaptation, became the latest in a line of phenomenona to win over markets around the world. Others were, for example, *Dragon Ball* by Akira Toriyama, and *Grendizer* (also known as *Goldorak*) by Go Nagai, who also created *Mazinger Z* and is one of the forefathers of the gigantic robot genre.

Nowadays, *manga's* influence is not only visible in the comic industry but also in animation, videogames, cinema and even fashion. One of the factors that make *manga* a universal graphic and narrative style is its use of imagery. The story, text, dialogue and action depend on the image, making its reading extremely simple and direct. In fact, it can take just a few seconds to read a page of *manga*. Its graphic style is always flashy, full of impact and intense.

This is the cocktail that makes *manga* the number one superpower in the contemporary comic industry.

Es ist heute unmöglich, von Comics zu sprechen, ohne dabei Japan zu erwähnen. Schließlich war das Land der Geburtsort einer neuen Welle von Stilen, Genres und Charakteren, die die Welt des Comicstrips revolutioniert haben.

Willkommen in der weiten und fantastischen Welt des Mangas, dessen Ursprung man im *Ukiyo-e*, einer der bedeutendsten künstlerischen Bewegungen in der japanischen Geschichte, findet. Im *Ukiyo-e* liegen zweifellos die Wurzeln des Mangas.

Im Laufe der Zeit und dank dem Einfluss europäischer Illustratoren auf die japanische Tradition erschienen die ersten Vorreiter des modernen Mangas im frühen 20. Jh. in Veröffentlichungen wie *Tokyo Puck*.

Aber erst nach dem 2. Weltkrieg begann die Unterhaltungsindustrie, sich ganz Japan auszubreiten. Damals revolutionierte ein junger Medizinstudent, der ein großer Fan von Walt Disney und Max Fleischer war, die Industrie mit seinem ersten *Red book* (ein 200 Seiten langes Werk mit einer sehr schlechten Druckqualität). Das Buch hieß „Die neue Schatzinsel" und sein Autor war der junge Osamu Tezuka, dessen Erfolg den Weg bereitete für die Entstehung von Heldengeschichten in Form von Comicbuchserien. Tezuka diversifizierte das Genre und breitete seine Idee der Comicstrips auf die ganze Nation aus.

Die Magazine verfestigten dann ihre Rolle als definitive Form, Manga in Umlauf zu bringen. Von allen veröffentlichten Magazinen war das herausragendste das innovative *Manga Shonen* (1947), in dem Tezuka seinen legendären *Astroboy* herausbrachte. Mit dem Wirtschaftsboom im Land begann die Nachfrage nach Manga zu steigen. Kodansha, eins der führenden japanischen Verlagshäuser, drängte 1959 auf den Heftmarkt mit dem *Shonen Magazine*, das zuerst wöchentlich, dann monatlich herausgegeben wurde. Nach Kodansha fingen andere Verleger an, dem Beispiel zu folgen, zum Beispiel *Shueisha* und *Shogakukan*. So kam es, dass die Manga-Industrie die wichtigste Form der audiovisuellen Kommunikation des Landes wurde.

In den 80er Jahren wurden *Anime* zum Sprungbrett für die weltweite Verbreitung von Manga. Seit den 60ern laufen viele japanische Serien Fernsehsendern der ganzen Welt. Bewegte Adaptationen der populärsten Manga wurden von Generationen von Jugendlichen der westlichen Welt verschlungen und nährten damit den Beginn von dem, was heute ein Riesenerfolg ist. Aber erst in den 90er Jahren kam der internationale Aufbruch von Manga mit Katsuhiro Otomos *Akira*. Otomos Erfolg und seine Filmadaptation waren die letzten einer Reihe von Phänomenen, die die Unterhaltungsmärkte der Welt eroberten. Andere waren zum Beispiel *Dragonball* von Akira Toriyama und *Grendizer* (auch bekannt als Goldorak) von Go Nagai, der außerdem *Mazinger Z* schuf und einer der Urväter des gigantischen Robotergenres ist.

Heute hat der Manga nicht nur Einfluss auf die Comicindustrie, sondern auch auf Animationen, Videospiele, Kino und sogar Mode. Einer der Faktoren, die Manga zu einem universalen Graphik- und Erzählstil machen, ist die Verwendung der Bildersprache. Die Geschichte, der Text, die Dialoge und die Aktion stehen in direktem Zusammenhang mit den Bildern, sodass das Lesen extrem einfach und unmittelbar ist. Tatsächlich liest sich eine Seite eines Mangas in wenigen Sekunden. Sein graphischer Stil ist immer grell, wirkungsvoll und intensiv.

Das ist der Cocktail, den Manga zur Supermacht Nummer eins der modernen Comicindustrie macht.

Aujourd'hui, le Japon est incontournable en matière de bandes dessinées. Le pays du Soleil-Levant est, en effet, à l'origine des nouvelles tendances qui ont révolutionné le monde de la BD.

Bienvenue dans le vaste et merveilleux monde des mangas dont l'origine remonte à l'*Ukyo-e*, un des mouvements artistiques les plus importants de l'histoire du Japon.

Progressivement, l'influence des illustrateurs européens a pris le pas sur la tradition japonaise. Ainsi les précurseurs des mangas modernes apparaissent au début du xxᵉ siècle, dans certaines revues, comme *Tokyo Puck*.

Mais il faut attendre la fin de la Seconde Guerre mondiale pour que l'industrie des loisirs se développe dans tout le Japon. À l'époque, un jeune étudiant en médecine, Osamu Tezuka, grand fan de Walt Disney et Max Fleischer, va révolutionner l'industrie avec son premier livre (un volume de 200 pages, dont la qualité d'impression était très mauvaise). Le succès de cet ouvrage, *La Nouvelle Île au trésor*, va ouvrir la voie au développement de contes épiques sous forme de séries de livres de bandes dessinées. Tezuka a diversifié le genre et a démocratisé la BD au Japon.

Par la suite, les magazines deviendront les véritables moyens de diffusion des mangas. Parmi eux, *Shonen* (1947), dans lequel Tezuka a publié son légendaire *Astroboy*, sort du lot par son style novateur.

La fièvre des mangas gagne le pays, lui-même en pleine croissance économique. Kodansha, l'une des plus grandes maisons d'édition japonaises, fait son entrée sur le marché des magazines en 1959 avec le *Shonen Magazine*, dont la publication initialement mensuelle deviendra hebdomadaire. Dans la foulée de Kodansha, d'autres éditeurs suivront, à l'instar de Shueisha et Shogakukan. C'est ainsi que l'industrie des mangas va s'emparer du marché de l'audiovisuel japonais.

Dès les années 1960, de nombreuses séries japonaises sont diffusées sur les chaînes de télévision mondiales. Les adaptations animées des mangas les plus populaires sont dévorées par des générations d'enfants occidentaux : c'est le début d'un succès retentissant. Dans les années 1980, le dessin animé devient le moyen de faire connaître les mangas au monde entier. Mais il faudra attendre les années 1990 pour que le genre manga prenne son envol international, avec *Akira*, de Katsuhiro Otomo. Le succès de ce manga, avec son adaptation au cinéma, est le dernier phénomène du genre à décrocher les marchés dans le monde entier. Citons quelques autres, comme « Dragon Ball » d'Akira Toriyama et « Grendizer » (connu aussi sous le nom de Goldorak) de Go Nagai, le créateur de « Mazinguer Z » et l'un des ancêtres du genre robot géant.

À l'heure actuelle, l'influence du manga ne se limite pas à la seule bande dessinée. Le phénomène envahit également le monde des jeux vidéo et du cinéma. Il va même jusqu'à influencer la mode. L'un des facteurs qui fait du manga un style graphique et narratif universel est la prééminence de l'image. L'histoire, les dialogues et l'action dépendent de l'image, rendant sa lecture extrêmement simple et directe. Quelques secondes suffisent pour lire une page de manga. Son graphisme est toujours criard, marquant et puissant.

C'est ce cocktail qui rend indétrônable le genre manga dans l'industrie contemporaine de la bande dessinée.

Als je het vandaag de dag over strips hebt, kun je niet om Japan heen. Dat is tenslotte de geboorteplaats van een heel nieuwe reeks van stijlen, genres en figuren die de stripboekenwereld op zijn kop heeft gezet.

Welkom in de enorme en fantastische wereld van *manga*, waarvan de bakermat te vinden is in *Ukyo-e*, een van de belangrijkste artistieke bewegingen uit de Japanse geschiedenis. Zonder twijfel heeft *manga* zijn wortels in *Ukyo-e*.

In de loop der tijd, door de invloed die Europese illustratoren hadden op de Japanse traditie, verschenen de voorlopers van de moderne *manga* aan het begin van de twintigste eeuw in publicaties zoals *Tokyo Puck*.

Het was echter pas na de Tweede Wereldoorlog dat de vrijetijdsindustrie zich over heel Japan begon uit te breiden. Die industrie werd op zijn kop gezet door het eerste rode boek (200 pagina's met een slechte drukkwaliteit) van een jonge student geneeskunde die een grote fan was van Walt Disney en Max Fleischer. Dat boek was *New Treasure Island* en de schrijver was de jonge Osamu Tezuka, wiens succes de weg plaveide voor de ontwikkeling van epische verhalen in stripvorm. Tezuka gaf meer variatie aan het genre en verspreidde zijn idee van een stripverhaal door het hele land.

Tijdschriften verstevigden toen hun rol als dé verspreiders van *manga*. Het tijdschrift dat er tussen alle andere uitsprong, was het innovatieve *Manga Shonen* (1947), waarin Tezuka zijn legendarische *Astroboy* publiceerde.

Met het opleven van de economie in Japan begon ook de vraag naar *manga* toe te nemen. Kodansha, een van de toonaangevende Japanse uitgevers, stapte in 1959 in de tijdschriftenmarkt met *Shonen Magazine*, dat als maandelijkse uitgave begon en later wekelijks verscheen. Na Kodansha volgden andere uitgeverijen zoals Shueisha en Shogakukan. Zo werd de *manga*-industrie de belangrijkste vorm van audiovisuele communicatie van het land.

In de jaren tachtig werd *anime* het medium om de hele wereld kennis te laten maken met *manga*. Sinds de jaren zestig werden er veel Japanse televisieseries uitgezonden door zenders in de hele wereld. Geanimeerde aanpassingen van de populairste *manga's* werden verslonden door hele generaties van westerse kinderen. Het was het begin van wat zich uiteindelijk zou ontwikkelen tot een daverend succes. Het duurde echter tot de jaren negentig voordat *manga* echt internationaal zijn opmars maakte met Katsuhiro Otomo's *Akira*. Het succes van Otomo, samen met de filmversie, was de laatste in een serie fenomenen die overal ter wereld de markt zouden veroveren. Enkele andere waren bijvoorbeeld *Dragon Ball* door Akira Toriyama en *Grendizer* (ook bekend als *Goldorak*) door Go Nagai, die ook *Mazinger Z* creëerde en een van de voorlopers is van het gigantische robotgenre.

Tegenwoordig is de invloed van *manga* niet alleen zichtbaar in de stripindustrie maar ook in animaties, videospelletjes, films en zelfs mode.

Een van de factoren die *manga* tot een universele beeld- en vertelstijl maken, is het gebruik van beeldtaal. Het verhaal, de tekst, de dialogen en de actie worden gedragen door het beeld, waardoor het uiterst gemakkelijk en direct te lezen is. Het is zelfs zo dat men een pagina met *manga* in slechts een paar tellen kan lezen. De grafische stijl is altijd flitsend, pakkend en intens.

Dit alles vormt de mix die *manga* tot de grootmacht van de hedendaagse stripindustrie heeft gemaakt.

Basic materials_Grundmaterial_Matériel de base_Basismateriaal

Pencils_Bleistifte_Crayons_Potloden

Pencils are classified by their hardness. The softer ones, which are called number one pencils, give a greater range of shades of gray and draw darker without applying much pressure. The hardest ones, number three or number four pencils, produce a light gray and you have to press harder on the paper. In the middle we can find number two pencils, which are as good for sketching as they are for drawing details.

Bleistifte werden nach ihrer Härte klassifiziert. Die weicheren, die den Buchstaben B tragen, ergeben eine breitere Palette von Grautönen und zeichnen dunkler, ohne dass man hart aufdrücken muss. Die härteren, mit dem Buchstaben H, ergeben ein helles Grau und man muss stärker auf das Papier drücken. Dazwischen findet man HB-Bleistifte, die sich gut zum Skizzieren, aber auch zum Zeichnen von Details eignen.

Les crayons sont classés en fonction de leur dureté. Les plus tendres (9B maximum) permettent d'obtenir un plus grand éventail de nuances de gris et marquent davantage, sans trop appuyer. Les plus durs (9H) donnent un gris léger, mais il faut appuyer plus fort sur le papier. Le crayon HB, intermédiaire, est utilisé tant pour les esquisses que pour les dessins détaillés.

Potloden zijn ingedeeld naar hardheid. De zachte potloden, die nummer 1 potloden genoemd worden, leveren een groter gebied van grijstinten op en tekenen donkerder zonder hard te hoeven drukken. De hardste potloden, nummer 3 of 4 potloden, maken een lichtgrijze kleur en je moet er harder mee op het papier drukken. Daartussenin zitten de nummer 2 potloden, die even goed zijn voor schetsen als voor detailtekenen.

Color pencils_Buntstifte_Crayons de couleur_ Kleurpotloden

Generally used to color illustrations, they are also very useful for sketching. In animation we usually use different colors to mark the different stages of movement, and especially blue pencil since it doesn't mark very much and is very comfortable for sketching. Blue pencil also remains hidden when we use black ink.

Sie werden normalerweise benutzt, um Illustrationen zu kolorieren, eignen sich aber auch sehr gut zum Skizzieren. In der Animation verwenden wir oft verschiedene Farben, um die unterschiedlichen Stadien der Bewegung herauszuheben, insbesondere blaue Stifte, da sie nicht stark markieren und man damit bequem skizzieren kann. Blaue Farbe wird auch verdeckt, wenn wir schwarze Tinte benutzen.

Généralement utilisés pour colorier les illustrations, ils sont aussi très utiles pour réaliser les croquis. Dans le dessin animé, on utilise plusieurs couleurs pour marquer les différents stades du mouvement, et surtout le crayon bleu, car son trait n'est pas trop fort : il est donc très pratique pour les croquis. Il offre aussi l'avantage de disparaître sous l'encre de Chine.

Hoewel deze over het algemeen gebruikt worden om tekeningen in te kleuren, zijn ze ook zeer geschikt om mee te schetsen. In een animatie gebruiken we de verschillende kleuren gewoonlijk om de verschillende stappen van beweging te markeren, ven dan met name blauwe potloden, omdat die niet overdadig markeren en zeer gemakkelijk zijn om mee te schetsen. Blauw blijft ook verborgen als we zwarte inkt gebruiken.

Erasers_Radiergummis_Gommes_Gummetjes

They are used to correct mistakes, erase pencil marks after working with ink, or to lessen a drawing's intensity. The most common are made of cork. They vary in their hardness, and nowadays ink erasers also exist.

Sie dienen zum Korrigieren von Fehlern, entfernen Bleistiftstriche nach dem Auftragen von Tinte und schwächen die Zeichenintensität ab. Die gebräuchlichsten sind aus Kork. Man erhält sie in unterschiedlichen Härtegraden und es gibt sogar schon Tintenradiergummis.

Elles sont utilisées pour rectifier les erreurs, effacer les marques de crayon après avoir travaillé à l'encre, ou pour atténuer l'intensité d'un dessin. Les plus répandues sont fabriquées à base de caoutchouc ou de vinyle. Les gommes « mie de pain » s'utilisent pour les crayons graphites, le fusain, la sanguine. Il existe également des gommes à encre.

Die zijn er om fouten te herstellen, om potlood te verwijderen na het werken met inkt of om de tekening minder intens te maken. De meest gebruikte zijn gemaakt van kurk. Ze variëren in hardheid en tegenwoordig bestaan er ook gummetjes die inkt kunnen uitgummen.

Rulers_Lineale_Règles_Linialen

These prove to be the best tool for drawing straight lines correctly. We also have curved rulers and templates with different stencils for circles and ovals. All of them will help us draw precise lines.

Sie sind das beste Arbeitsmittel zum Ziehen von präzisen geraden Strichen. Es gibt auch gebogene Lineale und Schablonen mit unterschiedlichen Vorlagen für Kreise und ovale Formen. Alle helfen uns beim Zeichnen von präzisen Linien.

Ce sont les meilleurs outils pour tirer correctement des droites. Il y a aussi des règles incurvées et des pochoirs pour les cercles et ovales. Ils permettent tous de tracer des lignes précises.

Een liniaal is onmiskenbaar het beste gereedschap om goed rechte lijnen te trekken. Er bestaan ook gebogen linialen en sjablonen met verschillende uitsparingen voor cirkels en ovalen. Deze zullen ons allemaal helpen om de juiste lijnen te trekken.

Paper_Papier_Papier_Papier

Just as with the other materials we've mentioned, we can find a wide variety of drawing paper, and even specific paper for each technique. It's advisable to have a medium quality paper for sketches and a heavier paper for the final drawing. We differentiate paper based on its weight or thickness. In addition, it'll be more or less glossy depending on the amount of cellulose it has.

Genau wie bei den anderen beschriebenen Materialien findet man auch eine große Auswahl an Zeichenpapier und sogar spezifisches Papier für jede Technik. Es ist ratsam, ein mittleres Qualitätspapier für Skizzen und ein schwereres Papier für die Endzeichnung zu nehmen. Man unterscheidet zwischen Papier je nach Gewicht oder Dicke. Außerdem ist es mehr oder weniger glänzend, je nachdem, wie viel Zelluloseanteil es hat.

À l'instar du matériel décrit ci-dessus, on trouve une grande variété de papier à dessin, et même du papier spécifique à chaque technique. Il est conseillé d'utiliser un papier de qualité moyenne pour les esquisses et un papier plus fort pour le dessin final. On différencie le papier selon son poids et son épaisseur. En outre, il sera plus ou moins glacé selon la quantité de cellulose contenue.

Net als met de andere materialen die we genoemd hebben, bestaat er een grote verscheidenheid aan tekenpapier en is er zelfs voor elke techniek een speciaal soort papier. Het is aan te raden om papier van mediumkwaliteit te nemen voor de schetsen en zwaarder papier voor de uiteindelijke tekening. We delen papier in naar gewicht en dikte. Daarnaast is papier, afhankelijk van de hoeveelheid cellulose erin, meer of minder glanzend.

The ink_Tinte_L'encre_De inkt

Chinese ink is the most common and is ideal for working with fountain pens and paintbrushes. It doesn't dry as quickly as marker ink, but it's more intense and of better quality.

Chinatinte ist die gebräuchlichste Tinte und eignet sich ideal zum Arbeiten mit Füllern und Pinseln. Sie trocknet nicht so schnell wie Filzstifttinte, ist aber dafür intensiver und hat eine bessere Qualität.

Paintbrushes

Pinsel
Pinceaux
Penselen

Tinte
Encre
Inkt

Ink

All illustrators should have the most basic material at hand in order to work comfortably. We're going to make a list of the most common tools we might find on a drawing table. Don't take long in getting yours because we're going to be starting... right away!

Alle Zeichner sollten die Grundmaterialien zur Hand haben, um bequem arbeiten zu können. Wir stellen eine Liste der gebräuchlichsten Arbeitsgeräte auf, die man auf einem Zeichentisch findet. Besorg' sie Dir schnell, denn wir fangen sofort an!

Tout illustrateur doit se munir du matériel de base afin de travailler dans les bonnes conditions. Nous allons établir la liste des ustensiles indispensables sur une table à dessin.

Alle illustratoren moeten het voornaamste materiaal binnen handbereik hebben om gemakkelijk te kunnen werken. We gaan een lijst maken met de gereedschappen die je normaal gesproken op een tekentafel vindt.

Little by little we'll learn how to use each of these materials and tools. Pay attention to our advice. It will come in very handy.

Nach und nach lernen wir, wie man die einzelnen Materialien bzw. Werkzeuge benutzt. Beacht unsere Hinweise. Sie werden Euch sehr nützlich sein!

Nous apprendrons ensemble, au fil des pages, à utiliser ce matériel. Suivez nos conseils et vous serez surpris de vos progrès.

Stap voor stap zullen we je leren hoe je elk van deze materialen en gereedschappen kunt gebruiken. Volg onze adviezen op. Ze zullen zeer goed van pas komen!

Pencils

Bleistifte
Crayons
Potloden

Markers

Filzstifte
Marqueurs
Stiften

Color pencils

Buntstifte
Crayons de couleur
Kleurpotloden

Paper

Papier
Papier
Papier

Rulers

Lineale
Règles
Linialen

Erasers

Radiergummies
Gommes
Gummetjes

IKARI STUDIO

supablack

@studier

L'encre de Chine, la plus commune, est idéale pour travailler avec les stylos à plume et les pinceaux. Elle ne sèche pas aussi vite que le marqueur à encre, mais elle est plus intense et de meilleure qualité.

Chinese inkt wordt het meest gebruikt en is ideaal voor het werken met de vulpen en het penseel. Het droogt niet zo snel op als de inkt van een stift, maar het is intenser en van betere kwaliteit.

Fountain pens_Füller_Stylos à plume_ Vulpennen

They are made of metal. We can find calligraphy fountain pens and others that are more specific for drawing, and are of greater or lesser hardness.

Sie bestehen aus Metall. Es gibt Kalligraphie-Füller und andere, die sich besser zum Zeichnen eigenen. Diese gibt es härter oder weicher.

Ils sont en métal. Il y a les stylos à plume de calligraphie et d'autres plus appropriés au dessin, plus ou moins durs.

Deze zijn gemaakt van metaal. Er zijn kalligrafeervulpennen en er zijn er die geschikter zijn om mee te tekenen, en die zijn er in verschillende hardheden.

Paintbrushes_Pinsel_Pinceaux_Penselen

These are another indispensable tool for illustrators. They're not only used for inking but also for coloring techniques, for correcting, etc. There are many different kinds, made from different materials, each of them especially made and designed for a special technique.

Sie sind ein weiteres unentbehrliches Werkzeug für den Illustrator. Sie werden nicht nur zum Auftragen von Tinte benutzt, sondern auch für Farbtechniken, zum Korrigieren, usw. Es gibt unterschiedliche Typen aus verschiedenen Materialien und jeder von ihnen wurde für eine spezielle Maltechnik entwickelt.

Les pinceaux sont aussi des outils indispensables aux illustrateurs. Ils ne sont pas uniquement utilisés pour appliquer l'encre, mais également pour les techniques de coloriage, pour corriger, etc. Ils sont de différentes sortes, fabriqués en divers matériaux, chacun étant spécialement conçu pour une technique donnée.

Penselen zijn onmisbaar gereedschap voor illustratoren. Ze worden niet alleen gebruikt om te inkten, maar ook voor kleurtechnieken, correcties, etc. Er zijn veel verschillende soorten penselen, gemaakt van verschillende materialen, en elke soort is speciaal ontworpen voor een speciale techniek.

Markers_Filzstifte_Marqueurs_Stiften

They are a useful instrument for inking. They make it much easier for us to do precision work with rulers. They are the perfect complement to the paintbrush and fountain pen.
Other tools that can be useful at a given moment are a compass, box cutters, correction fluid, a drawing table, etc.

Sie sind ein nützliches Instrument zum Kolorieren. Sie machen die Arbeit mit dem Lineal einfacher und präziser und sind ein perfektes Zusatzmittel zum Pinsel und zum Füller. Weitere Arbeitsmittel, die an bestimmten Stellen nützlich sind, sind Zirkel, Teppichmesser, Korrekturweiß, ein Zeichentisch, u.v.m.

Ce sont des instruments particulièrement pratiques pour dessiner à l'encre. Ils facilitent le travail de précision tout comme les règles. Ils complètent parfaitement le pinceau et le stylo à plume.
Voici d'autres outils très pratiques selon les cas de figure : le compas, le cutter, l'effaceur, la table à dessin, etc.

Dit zijn nuttige instrumenten voor het inkleuren. Ze maken het ons veel gemakkelijker om precisiewerk te verrichten met een liniaal. De stift is de perfecte aanvulling op het penseel en de vulpen.
Andere gereedschappen die op een gegeven moment nuttig kunnen zijn, zijn een passer, stanleymes, correctievloeistof, een tekentafel, etc.

Lines and volumes_Linien und Volumen_Lignes et volumes_Lijnen en ruimtelijke vormen

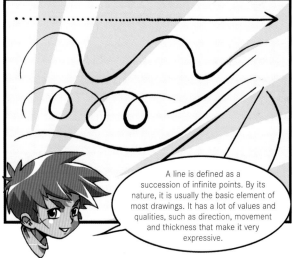

Der Punkt ist die kleinste Einheit einer Zeichnung. Er ist der erste Bezugspunkt zum Kennzeichnen von Raum und übt eine starke Wirkung auf den Betrachter aus. Probier's selber aus: Wenn Du auf ein leeres Blatt Papier einen Punkt malst, werden Deine Augen immer direkt dorthin sehen. Nahe aneinander platzierte Punkte ziehen die Aufmerksamkeit des Betrachters auf sich, der dazu neigt, sie zusammenzufügen, um eine konkrete Form zu bilden.

Le point est la plus petite unité de dessin. C'est la première référence qui marque l'espace et qui attire fortement le regard. Essayez vous-même ! Si vous dessinez un seul point sur une feuille de papier vierge, vos yeux se porteront immédiatement dans sa direction. Les points disposés côte à côte s'unissent et attirent le regard du lecteur, qui tend à les relier pour créer des formes concrètes.

De punt is de kleinste tekeneenheid. Het is de eerste referentie voor het aangeven van ruimte en heeft een sterke aantrekkingskracht op de kijker. Probeer het maar: als je één punt op een schoon wit papier zet, zullen je ogen meteen in die richting gaan. Punten in de buurt van elkaar gaan een verbinding met elkaar aan en trekken de aandacht van de lezer, die de neiging heeft om ze te verbinden en zo concrete vormen te maken.

Eine Linie wird definiert als eine Aufeinanderfolge von unendlich vielen Punkten. Sie ist gewöhnlich das Grundelement der meisten Zeichnungen. Die Linie hat eine Menge Werte und Eigenschaften, wie Richtung, Bewegung und Dicke, die sie sehr ausdrucksstark machen.

Une ligne se définit par une succession de points infinis. De par sa nature, c'est en principe l'élément de base de tout dessin. Elle possède de nombreuses valeurs et qualités, comme la direction, le mouvement et l'épaisseur qui la rendent très expressive.

Een lijn is gedefinieerd als een opeenvolging van een oneindig aantal punten. Vanwege zijn kenmerken is de lijn gewoonlijk het basiselement van de meeste tekeningen. Een lijn heeft veel waarden en eigenschappen die hem heel sprekend maken, zoals richting, beweging en dikte.

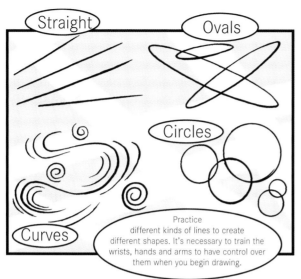

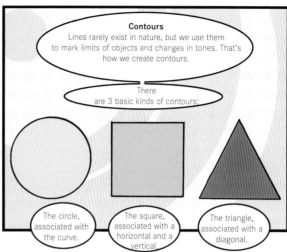

Gerade Linien_Ovale_Kreise_Kurven

Übe verschiedene Arten von Linien zum Schaffen von unterschiedlichen Formen. Man muss unbedingt die Handgelenke, Hände und Arme trainieren, um eine Kontrolle über sie zu bekommen, wenn man mit dem Zeichnen beginnt.

Droite_Ovale_Cercle_Courbe

Tracez différentes sortes de lignes pour créer diverses formes. Entraînez votre poignet, votre main et votre bras pour les contrôler lorsque vous commencerez à dessiner.

Recht_Ovalen_Cirkels_Krommen

Oefen met verschillende soorten lijnen om verschillende vormen te maken. Het is noodzakelijk om de polsen, handen en armen te trainen zodat je ze onder controle hebt als je begint met tekenen.

Konturen_ Linien existieren in der Natur nur selten, aber wir benutzen sie zum Begrenzen von Objekten und zum Abstufen der Farbtöne. So schaffen wir Konturen. Es gibt 3 Grundarten von Konturen: den Kreis, gefertigt aus einer gebogenen Linie; das Viereck, hergestellt aus einer Waagerechten und einer Senkrechten; das Dreieck, gezeichnet mithilfe einer Diagonalen.

Contours_ Il y a très peu de lignes droites dans la nature, mais on les utilise pour limiter les objets et les variations de teintes. C'est ainsi que sont créés les contours. Il existe trois sortes de contours de base. Le cercle associé à la courbe. Le carré associé à l'horizontale et la verticale. Le triangle associé à la diagonale.

Contouren_ Lijnen komen bijna niet voor in de natuur, maar we gebruiken ze om de begrenzingen van objecten en kleurovergangen aan te geven. Zo maken we contouren. Er zijn 3 basiscontouren: De cirkel, verwant aan de kromme. Het vierkant, verwant aan horizontaal en verticaal. De driehoek, verwant aan de diagonaal.

Mithilfe von Perspektive und Färbung kann man die Dreidimensionalität unserer Welt perfekt darstellen. Verbindet man zwei Quadrate mit Parallellinien, erhält man einen Würfel.

Par le biais de la perspective et des couleurs, on peut parfaitement représenter notre monde en trois dimensions. En reliant deux carrés par des lignes parallèles, vous obtiendrez un cube.

Met behulp van perspectief en schakeringen kunnen we op een perfecte manier de driedimensionaliteit van onze wereld uitbeelden. Verbind twee vierkanten met parallelle lijnen en je hebt een kubus.

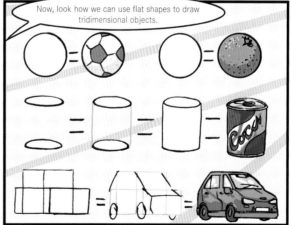

Hier sieht man, wie man mit flachen Formen dreidimensionale Objekte zeichnet.

Maintenant, regardez comment utiliser des formes plates pour dessiner des objets tridimensionnels.

Kijk nu hoe we platte vormen kunnen gebruiken om driedimensionale objecten te tekenen.

Basic volumes_Basisvolumen_Volumes basiques_Ruimtelijke basisvormen

Basic volumes are those with pure shapes. For example, the cube and the sphere. These can be used in drawing to decompose much more complex shapes and make them easier to understand. In other words, we can reduce any complex shape into more basic and simpler volumes that will help us shape and develop our sketch.

Basisvolumen sind reine Formen, z. B. Würfel und Kugeln. Sie können dazu benutzt werden, wesentlich komplexere Formen zu zerlegen, um diese leichter zu verstehen. Mit anderen Worten, man kann jede komplexe Gestalt auf grundlegendere und einfachere Basisvolumen reduzieren; das hilft uns beim Anfertigen der Skizze und später bei den Details.

Les volumes de base sont ceux qui ont des formes pures, comme le cube et la sphère. On peut les utiliser en dessin pour décomposer des formes plus complexes et les rendre plus lisibles. Autrement dit, on peut réduire toute forme complexe en volumes plus basiques et simples pour nous aider à former et développer notre croquis.

Ruimtelijke basisvormen zijn degene met de zuivere vormen, zoals de kubus en de bol. Deze kunnen bij het tekenen worden gebruikt om de veel ingewikkelder vormen te ontleden en begrijpelijker te maken. Met andere woorden, we kunnen elke complexe vorm terugbrengen tot simpelere en meer elementaire ruimtelijke vormen, wat ons helpt om onze schetsen te vormen en te ontwikkelen.

THESE BASIC VOLUMES ARE:

DIESE BASISVOLUMEN SIND:

VOICI LES VOLUMES DE BASE :

DEZE BASISVORMEN ZIJN:

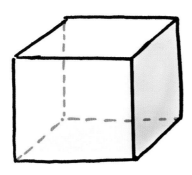

**THE CUBE_DER WÜRFEL_
LE CUBE_DE KUBUS**

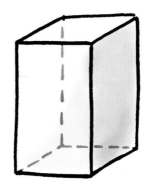

**THE PRISM_DAS PRISMA_
LE PRISME_HET PRISMA**

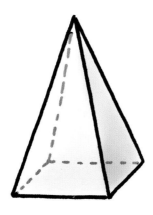

**THE PYRAMID_DYE PYRAMIDE_
LA PYRAMIDE_DE PIRAMIDE**

**THE CYLINDER_DER ZYLINDER_
LE CYLINDRE_DE CILINDER**

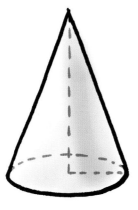

**THE CONE_DER KEGEL_
LE CÔNE_DE KEGEL**

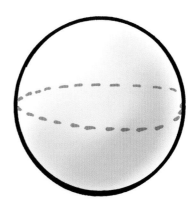

**THE SPHERE_DIE KUGEL_
LA SPHÈRE_DE BOL**

The human male body_Der menschliche männliche Körper_
Le corps masculin_Het mannelijk menselijk lichaam

Begin by drawing a long enough vertical line. This will be the drawing's axis of symmetry. We'll draw our character's back over it. The axis of symmetry divides the figure in half. On each side of the axis we find identical elements: eyes, ears, arms, legs, etc.

Next we'll draw an oval at the top of the axis of symmetry: this oval will be the base for our character's head. We'll use head size to divide the axis in eight equal parts. We'll draw an H just above the axis' half-way point: this is where the hips are located.

We'll continue drawing the legs, which will continue up to the last of the eight divisions we've made in the axis of symmetry. We'll differentiate boys and girls when we draw the thoracic box and shoulders. Boys have wider backs, while girls have backs that are slightly smaller or about as wide as their hips.

Finally, we'll draw our figure's arms. The hands extend below the hips. This completes the construction of our mannequin, which will allow us to shape the human body. Shape is the bare-bones skeleton of any drawing. You can't build a house without a foundation.

Zeichne zuerst eine lange senkrechte Linie. Sie ist die Symmetrieachse der Zeichnung. Wir werden unsere Figur mit dem Rücken daran anlehnen. Die Symmetrieachse teilt die Figur in zwei Hälften. Auf jeder Seite der Achse befinden sich identische Elemente: Augen, Ohren, Arme, Beine, usw.

Als Nächstes zeichnen wir ein Oval oben auf die Symmetrieachse: Dieses wird die Basis für den Kopf unserer Figur werden. Wir benutzen die Größe des Kopfes, um die Achse in acht gleiche Teile aufzuteilen. An der Mitte der Achse zeichnen wir ein H ein: An dieser Stelle befinden sich die Hüften.

Wir fahren mit den Beinen fort; sie reichen bis zur unteren der acht Querlinien auf der Symmetrieachse. Beim Zeichnen des Rumpfes und der Schultern machen wir eine Unterscheidung zwischen Jungen und Mädchen. Die Rücken der Jungen sind breiter und die der Mädchen so breit wie ihre Hüften oder etwas schmaler.

Am Ende zeichnen wir die Arme unserer Figur. Die Hände reichen bis unter die Hüften. Jetzt haben wir ein erstes Modell konstruiert, auf dessen Grundlage wir den menschlichen Körper gestalten werden. Der Umriss ist das Knochengerüst einer jeder Zeichnung. Genauso wie jedes Haus auf einem Fundament gebaut ist.

Commencez par dessiner une verticale assez longue. Ce sera l'axe de la symétrie, divisant le personnage en deux. On y dessinera le dos de notre homme. De chaque côté de l'axe, vous trouvez les éléments identiques : yeux, oreilles, bras, jambes, etc.

Ensuite, nous dessinons un ovale en haut de l'axe de symétrie : cet ovale sera la base de la tête du personnage. La taille de la tête est l'unité utilisée pour diviser l'axe en huit parties égales. Dessinons un H à mi-hauteur du point pour l'emplacement des hanches.

Continuons à dessiner les jambes, qui se prolongeront jusqu'à la huitième division faite sur l'axe de symétrie. On fait la différence entre filles et garçons, en dessinant la cage thoracique et les épaules. Les garçons ont le dos plus large, alors que celui des filles est légèrement plus étroit ou à peu près aussi large que leurs hanches.

Enfin, on dessinera les bras de notre personnage. Les mains descendent jusqu'en dessous des hanches. Nous avons terminé la construction de notre mannequin qui nous permet de former le corps humain. La forme est l'ossature de tout dessin. On ne peut construire de maison sans fondations !

Begin met het trekken van een verticale lijn die lang genoeg is. Dit zal de symmetrieas van de tekening zijn. Hierover tekenen we de rug van ons figuur. De symmetrieas verdeelt het figuur in twee helften. Aan elke kant van de as zien we gelijke elementen: ogen, oren, armen, benen, etc.

Vervolgens tekenen we aan de bovenkant van de symmetrieas een ovaal: dit ovaal zal de basis zijn voor het hoofd van ons figuur. We nemen de maat van het hoofd om de as in acht gelijke stukken te verdelen. We tekenen een H net boven de helft van de as: hier zitten de heupen.

We gaan door met het tekenen van de benen, die doorlopen tot het laatste deel van de acht stukken waarin we de symmetrieas hebben verdeeld. Er is een verschil tussen het tekenen van jongens en meisjes wat betreft de borstkas en de schouders. Jongens hebben een bredere rug, terwijl meisjes ruggen hebben die net iets kleiner of net zo breed zijn als hun heupen.

Tot slot tekenen we de armen van ons figuur. Nu zijn we klaar met het model waarmee we het menselijk lichaam vorm kunnen geven. Hiermee zijn we klaar met het maken van ons model waarmee we het menselijke lichaam vorm kunnen geven. De omtrek is het skelet voor elke tekening. Je kunt geen huis bouwen zonder fundering.

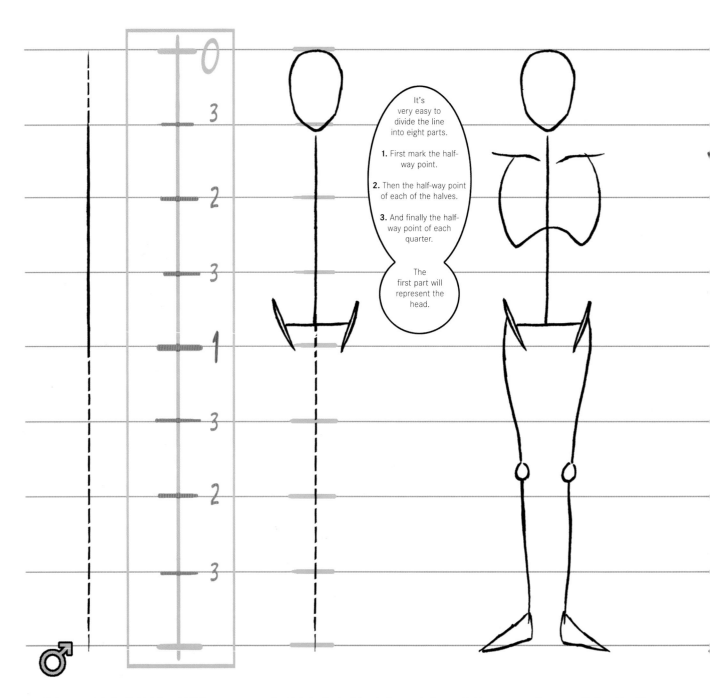

It's very easy to divide the line into eight parts.

1. First mark the half-way point.

2. Then the half-way point of each of the halves.

3. And finally the half-way point of each quarter.

The first part will represent the head.

Es ist ganz einfach, die Linie in acht Teile zu unterteilen.

1. Kennzeichne zuerst die Mitte auf der Senkrechten.

2. Zeichne dann jeweils die Mitte der Hälften ein.

3. Markiere am Ende jeweils die Mitte jedes Viertels. Der erste Abschnitt stellt den Kopf dar.

Il est très facile de diviser la ligne en huit parties.

1. Marquez d'abord le milieu.

2. Ensuite, le milieu de chacune des moitiés.

3. Enfin, le milieu de chaque quart. La première partie représentera la tête.

Het is erg eenvoudig om een lijn in acht gelijke stukken te verdelen:

1. Deel de lijn eerst precies in twee.

2. Deel die twee lijnhelften weer door twee.

3. En tot slot deel je elk van die vier kwartstukken weer door twee. Het eerste deel is voor het hoofd.

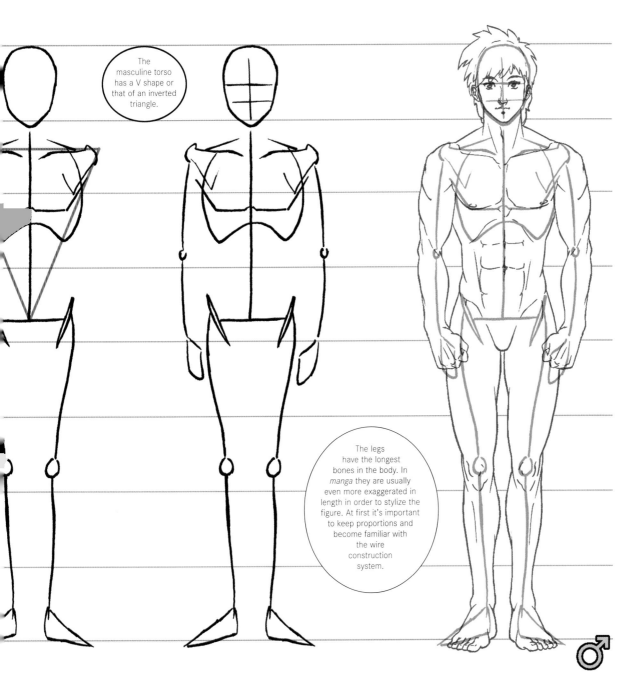

The masculine torso has a V shape or that of an inverted triangle.

The legs have the longest bones in the body. In *manga* they are usually even more exaggerated in length in order to stylize the figure. At first it's important to keep proportions and become familiar with the wire construction system.

Der männliche Rumpf hat die Form eines V bzw. eines umgekehrten Dreiecks.

Le torse masculin a la forme d'un V ou d'un triangle inversé.

De mannelijke romp is in de vorm van een V of een omgekeerde drie-hoek.

Die Beine haben die längsten Knochen des ganzen Körpers. Beim Manga sind sie normalerweise noch länger, um die Figur zu stilisieren. Zuerst ist es wichtig, die Proportionen einzuhalten und sich an diese Drahtbauweise zu gewöhnen.

Les jambes sont les membres les plus longs du corps. Cette caractéristique est, en général, plus accentuée dans les mangas, pour styliser le personnage. Au début, il est important de garder les proportions, afin de se familiariser avec les proportions.

De benen hebben de langste botten in het lichaam. Bij *manga* zijn ze gewoonlijk overdreven lang om het figuur te sti-leren. Maar eerst is het van belang om je te houden aan de normale proporties om bekend te raken met het draad-model.

The human female body_Der menschliche weibliche Körper_
Le corps féminin_Het vrouwelijk menselijk lichaam

We'll begin as we did with the male proportions, dividing the space into eight equal parts along the vertical line that will serve our axis of symmetry. If we draw the girl beside a male figure we can use smaller proportions, since they are usually shorter in height. However, it's not always like that, obviously, and it depends on the type of character we are dealing with. Nonetheless, as a general rule, keep in mind that girls are usually shorter than boys.

In the next step we'll draw the differentiating traits of the female structure. The hips are wider than those of boys and their shoulders are usually narrower. Their thoracic box is also usually narrower. These differences in shape make their appearance similar to that of an hourglass. There are those who simplify the entire female body with a shape resembling two opposite triangles facing each other at their vertex.

When drawing a woman's shape it's a good idea to use smooth, rounded lines that accentuate the female body.

Wir fangen genauso an wie beim männlichen Körper, indem wir den Raum in acht gleiche Teile entlang der senkrechten Linie, die uns als Symmetrieachse dient, aufteilen. Wenn wir die weibliche Figur neben die männliche zeichnen, können wir kleinere Proportionen nehmen, da Mädchen normalerweise kleiner sind als Jungen. Natürlich ist das nicht immer so und es kommt auf den Charakter an, den wir darstellen wollen. Als Faustregel kann aber gelten, dass Mädchen kleiner sind als Jungen.

Im nächsten Schritt zeichnen wir die unterscheidenden Merkmale der weiblichen Figur. Die Hüften sind breiter als die der männlichen Körper und ihre Schultern sind üblicherweise schmaler. Ihr Rumpf ist in den meisten Fällen auch schmaler. Durch diese Differenzen sieht ihre Gestalt wie eine Sanduhr aus. Manche Zeichner simplifizieren den gesamten weiblichen Körper so, dass sie zwei gleiche Dreiecke an einem Scheitelpunkt spiegelverkehrt gegenüber setzen.

Beim Zeichnen von Frauenkörpern empfiehlt es sich, sanfte, abgerundete Linien zu verwenden, die den weiblichen Körper betonen.

Nous procéderons de la même manière que pour les proportions masculines, en divisant l'espace en huit parties égales le long d'une ligne verticale qui nous servira d'axe de symétrie. Si l'on dessine la femme à côté de l'homme, on peut dessiner des proportions plus petites, vu qu'elles sont, en général, de moindre taille. Toutefois, ce n'est pas toujours le cas, et cela dépend du type de personnage qui nous intéresse.

La prochaine étape est de dessiner les traits qui différencient l'ossature féminine. Les hanches sont plus larges que celles des garçons et les épaules sont généralement plus étroites, ainsi que la cage thoracique. Ces différences de forme assimilent le corps féminin à un sablier. Certains le simplifient en traçant une forme constituée de deux triangles opposés qui se font face sur leur vertex.

Pour dessiner les formes d'une femme, il est conseillé d'utiliser des lignes douces, arrondies qui accentuent le corps féminin.

We beginnen, op dezelfde manier als bij het mannelijke model, met het verdelen van de symmetrieas in acht gelijke stukken. Als we het meisje naast het mannelijke model tekenen, kunnen we kleinere delen maken, omdat vrouwen over het algemeen kleiner zijn dan mannen. Het is echter duidelijk dat dit niet altijd het geval hoeft te zijn. Het hangt er van af met welk figuur we te maken hebben. Maar houd toch in gedachten dat meisjes over het algemeen kleiner zijn dan jongens.

Bij de volgende stap gaan we de onderscheidende trekken tekenen van de vrouwelijke structuur. De heupen zijn breder dan bij de jongens en de schouders gewoonlijk smaller. Den borstkas is meestal ook smaller. Door deze verschillen in vorm komt de vrouwelijke verschijning overeen met een zandloper. Soms wordt het hele vrouwelijk lichaam zeer simpel weergegeven als twee driehoeken met de toppen tegen elkaar aan.

Als je de vorm van een vrouw tekent is het aan te raden om zachte, ronde lijnen te gebruiken die het vrouwelijk lichaam accentueren.

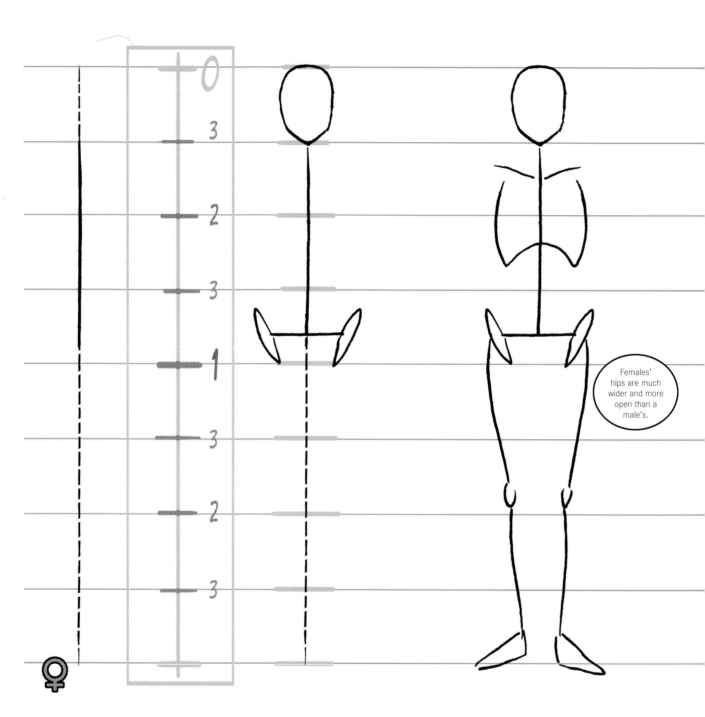

Females' hips are much wider and more open than a male's.

Die weiblichen Hüften sind viel breiter und offener als die männlichen.

Les hanches de la femme sont beaucoup plus larges que celles de l'homme.

De heupen van een vrouw zijn breder en meer open dan die van een man.

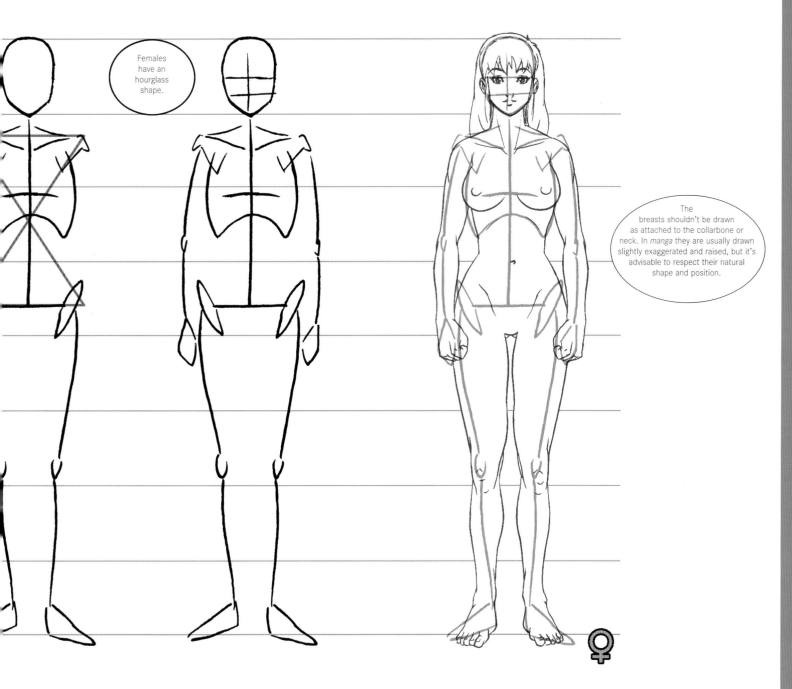

Females have an hourglass shape.

The breasts shouldn't be drawn as attached to the collarbone or neck. In *manga* they are usually drawn slightly exaggerated and raised, but it's advisable to respect their natural shape and position.

Frauen haben den Umriss einer Sanduhr.

Les femmes ont une forme de sablier.

Vrouwen hebben de vorm van een zandloper.

Die Brüste sollten nicht so gezeichnet werden, als seien sie am Schlüsselbein oder Nacken angebracht. Beim Manga werden sie normalerweise leicht übertrieben und angehoben gezeichnet, aber man sollte immer ihre natürliche Form und Position beibehalten.

Ne dessinez pas les seins comme s'ils étaient attachés à la clavicule ou au cou. Dans la silhouette du manga, ils sont légèrement accentués et redressés, mais il est conseillé de respecter leur forme et leur position naturelles.

Teken eerst de draadvorm, die nuttig is voor proporties en beweging, en pas later de volumes.

Shaping the figure_Formgebung der Figur_La formation du personnage_Het figuur vormgeven

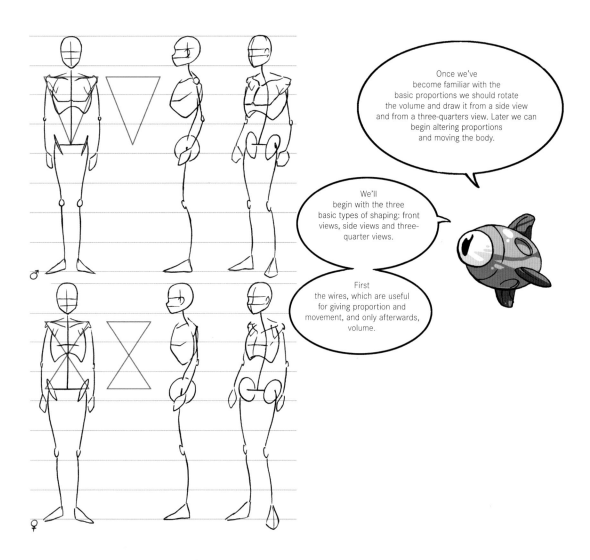

Once we've become familiar with the basic proportions we should rotate the volume and draw it from a side view and from a three-quarters view. Later we can begin altering proportions and moving the body.

We'll begin with the three basic types of shaping: front views, side views and three-quarter views.

First the wires, which are useful for giving proportion and movement, and only afterwards, volume.

Wenn man sich einmal mit den Basisproportionen vertraut gemacht hat, kann man die Figur drehen und sie von der Seite und in einer Dreiviertelansicht zeichnen. Später kann man die Proportionen verändern und den Körper bewegen.

Wir beginnen mit den drei Basistypen der Formgestaltung: Vorderansicht, Seitenansicht und Dreiviertelansicht.

Zuerst skizzieren wir die Drahtformen, um die Proportionen und die Bewegung festzulegen, und erst danach das Volumen.

Une fois que vous vous êtes familiarisé avec les proportions de base, tournez le volume et dessinez-le vu sur le côté et de trois quarts. Ensuite, commencez à modifier les proportions et à bouger le corps. Abordons maintenant les trois angles de vue pour former le corps : vue de face, vue latérale et vue des trois quarts. Tracez d'abord les lignes, utiles pour définir les proportions et le mouvement, et seulement ensuite, le volume.

Als we eenmaal bekend zijn geraakt met de basisproporties moeten we het figuur draaien en het zijaanzicht en het driekwartaanzicht gaan tekenen. Later kunnen we de proporties gaan veranderen en het lichaam laten bewegen.

We beginnen met de drie basissoorten van vormgeven: vooraanzicht, zijaanzicht en driekwartaanzicht.

Eerst de draden, die nuttig zijn voor proportie en beweging, en alleen naderhand, de ruimtelijke vorm.

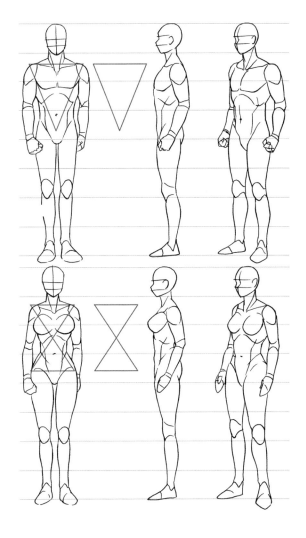

The next step is to develop volume, which we'll draw using simple geometric shapes.

WORDS OF ADVICE:

Pay close attention to the following section, where you'll see examples of how to use geometric shapes and volume.

Der nächste Schritt besteht in der Entwicklung des Volumens, wozu wir einfache geometrische Formen verwenden.
EIN PAAR TIPPS: Achte im folgenden Abschnitt genau auf die Anleitungen, denn hier findest Du Beispiele dafür, wie man geometrische Formen und Volumen einsetzt.

La prochaine étape consiste à développer le volume, que nous dessinerons en utilisant des formes géométriques simples.
CONSEILS : Soyez particulièrement attentif au prochain chapitre qui, exemples à l'appui, explique comment utiliser les formes et les volumes géométriques.

De volgende stap is het ontwikkelen van de vorm, die we zullen tekenen door gebruik te maken van eenvoudige geometrische figuren.
TIPS: Let goed op bij het volgende onderdeel, waar je voorbeelden ziet van het gebruik van geometrische figuren en ruimtelijke vormen.

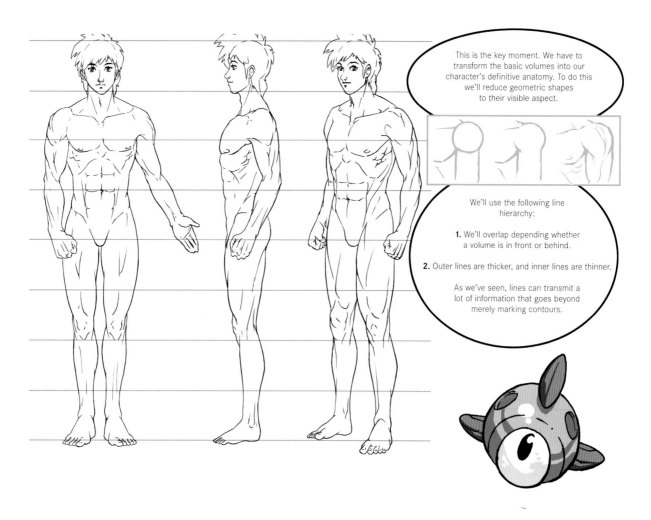

This is the key moment. We have to transform the basic volumes into our character's definitive anatomy. To do this we'll reduce geometric shapes to their visible aspect.

We'll use the following line hierarchy:

1. We'll overlap depending whether a volume is in front or behind.

2. Outer lines are thicker, and inner lines are thinner.

As we've seen, lines can transmit a lot of information that goes beyond merely marking contours.

Das ist das Schlüsselmoment. Wir müssen aus den Basisvolumen die definitive Anatomie unserer Figur entwickeln. Dazu reduzieren wir die geometrischen Formen auf ihre sichtbaren Formen.
Wir benutzen die folgende Linienhierarchie:

1. Wir lassen die Volumen überlappen, je nachdem, ob sie vorne oder hinten liegen.
2. Außenlinien werden dicker und Innenlinien dünner gezeichnet.

Wie wir gesehen haben, können Linien viel Information geben und beschränken sich nicht nur auf die Kennzeichnung von Umrissen.

C'est le moment décisif, celui où les volumes de base vont être transformés pour créer l'anatomie définitive de notre personnage. Pour ce faire, nous réduirons les formes géométriques à leur aspect visible.
Voici l'ordre à suivre :

1. Superposez les formes selon l'emplacement du volume, devant ou derrière.
2. Les lignes extérieures sont plus épaisses et les lignes intérieures plus minces.

Les lignes peuvent transmettre beaucoup d'informations, au-delà de la création de simples contours.

Dit is een cruciaal moment. We moeten de ruimtelijke basisvormen transformeren naar de definitieve lichaamsbouw van ons tekenfiguur. Om dit te doen brengen we het geometrische figuur terug tot wat vanbuiten zichtbaar is.
We gebruiken de volgende hiërarchie:

1. We laten de ruimtelijke vormen overlappen, afhankelijk van de vraag of ze op de voor- of achtergrond zitten.
2. Buitenlijnen zijn dikker en binnenlijnen zijn dunner.

Zoals we al gezien hebben, kunnen lijnen veel meer laten zien dan alleen de contouren.

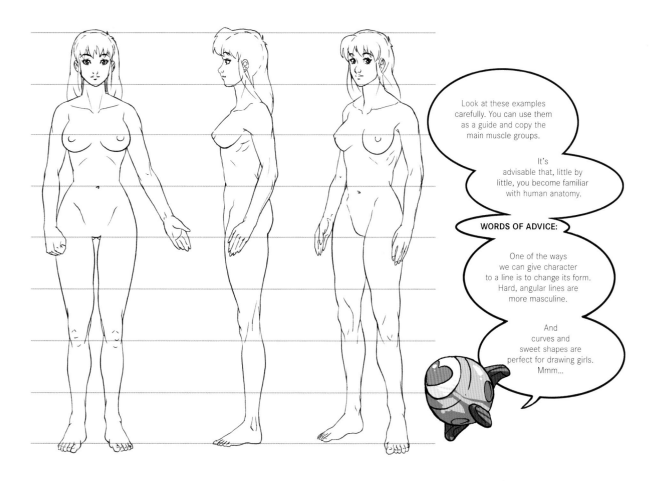

Sieh' Dir diese Beispiele genau an. Du kannst sie als Vorlage nehmen und die wichtigsten Muskelgruppen kopieren. Wir empfehlen Dir, dass Du Dich nach und nach mit der menschlichen Anatomie vertraut machst.

EIN PAAR TIPPS: Eine der Möglichkeiten, einer Linie Charakter zu verleihen, besteht darin, ihre Form zu verändern. Harte, kantige Linien sind maskuliner.
Kurven und zarte Formen eigenen sich perfekt zum Zeichnen von Mädchen. Mmm...

Étudiez ces exemples de près pour vous en inspirer et copier les groupes de muscles. Il est important de se familiariser progressivement avec l'anatomie humaine.

CONSEILS : Une façon de donner du caractère à une ligne est d'en modifier la forme. Les lignes dures et angulaires sont plus masculines. Les lignes courbes et douces sont parfaites pour dessiner les filles.

Kijk goed naar de voorbeelden. Je kunt ze gebruiken als richtlijn en je kunt de belangrijkste spiergroepen kopiëren.
Het is aan te raden om, stapje voor stapje, bekend te raken met de menselijke anatomie.

TIPS: De vorm van een lijn veranderen is een manier om een lijn karakter te geven. Harde, hoekige lijnen zijn mannelijker. En krommingen en zachte vormen zijn ideaal om meisjes te tekenen. Mmm...

Body parts_Körperteile_Les différentes parties du corps_Lichaamsdelen

In order to draw different body parts we'll make use of simple geometric shapes and volumes. This can make it much easier to draw complex shapes, such as that of the hands.
In these examples, simple shapes like the circle, triangle or square evolve until they become different points of view of a hand in action.

Zum Zeichnen verschiedener Körperteile benutzen wir einfache geometrische Formen und Volumen. Dadurch wird es leichter, komplexe Formen zu zeichnen, wie beispielsweise Hände.
In diesen Beispielen entwickeln sich simple Formen wie Kreise, Dreiecke oder Vierecke zu detailliert gezeichneten Händen in Bewegung aus unterschiedlichen Blickwinkeln.

Les différentes parties du corps se dessinent en utilisant des formes et des volumes géométriques simples. Cela simplifie la tâche pour dessiner les formes complexes, telles que les mains.
Dans ces exemples, les formes simples, comme le cercle, le triangle ou le carré, évoluent pour devenir des angles de vue d'une main en action.

Om verschillende lichaamsdelen te tekenen, maken we gebruik van eenvoudige geometrische figuren en ruimtelijke vormen. Dat kan het veel gemakkelijker maken om ingewikkelde vormen, zoals handen, te tekenen. In de volgende voorbeelden worden simpele figuren zoals de cirkel, de driehoek en het vierkant gebruikt om deze te laten uitgroeien naar verschillende gezichtspunten van een hand in actie.

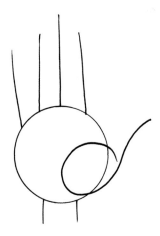 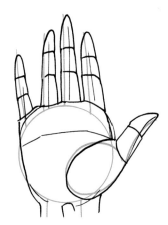 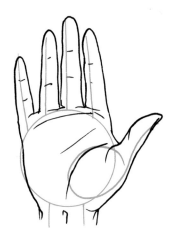

The circumference is associated with a front view of the palm of an open hand. The thumb is always drawn separately because it has its own joint.

Ein Kreis ist die Basis für die Innenfläche einer geöffneten Hand von vorn gesehen. Der Daumen wird immer separat gezeichnet, da er ein eigenes Gelenk hat.

Le cercle correspond à la paume de la main ouverte vue de face. On dessine toujours le pouce séparément car il possède un mouvement propre.

De cirkelomtrek wordt gebruikt voor het vooraanzicht van de palm van een open hand. De duim wordt altijd apart getekend, omdat die zijn eigen gewricht heeft.

When drawing fingers, all of them should fit into just over a quarter of the circumference. The fingers are shaped with small cylinders, with the thumb being slightly larger.

Wenn man Finger zeichnet, müssen alle in etwa einem Viertel des Umfangs Platz finden. Die Finger werden mit kleinen Zylindern gezeichnet, der Daumen wird etwas länger.

Lorsque l'on dessine des doigts, tous devraient tenir dans un peu plus d'un quart de la circonférence. Les doigts sont formés par des petits cylindres, le pouce étant légèrement plus large.

Bij het tekenen van de vingers zorg je ervoor dat ze alle vier samen net passen op iets meer dan een kwartlengte van de cirkelomtrek. De vingers worden vormgegeven door kleine cilinders, de duim door een iets grotere.

It's good not to draw too many lines in the hands as these will make them look older.

Es ist besser, nicht zu viele Linien in die Hände zu zeichnen, da sie sonst älter aussehen.

Il est bon de ne pas dessiner trop de lignes dans les mains, au risque de les vieillir.

Het is goed om niet al te veel lijnen in de handen te tekenen, omdat ze er daardoor oud uit gaan zien.

The triangle or half teardrop will help us shape the side-view of the hand.

Ein Dreieck oder halber Tropfen hilft beim Zeichnen einer von der Seite betrachteten Hand.

Le triangle ou la moitié d'une larme nous permettra de former la vue latérale de la main.

De driehoek of de halve traan is een hulpje bij het vormgeven van het zijaanzicht van de hand.

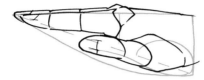

The greater half of the triangle is for the palm of the hand, and the smaller half for the fingers.

Die größere Hälfte des Dreiecks wird von der Handfläche eingenommen und die kleinere Hälfte von den Fingern.

La plus grande moitié du triangle est pour la paume de la main, et la plus petite moitié pour les doigts.

De lange schuine zijde van de driehoek is voor de palm van de hand en de rechte zijde is voor de vingers.

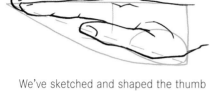

We've sketched and shaped the thumb independently.

Wir haben den Daumen separat skizziert und gezeichnet.

Esquissez et formez le pouce séparément.

We hebben de duim afzonderlijk geschetst en vormgegeven.

The square is associated with the shape of a clenched fist.

Für eine geballte Faust nehmen wir ein Viereck zu Hilfe.

Le carré correspond à la forme d'un poignet serré.

Het vierkant wordt gebruikt voor de vorm van een gebalde vuist.

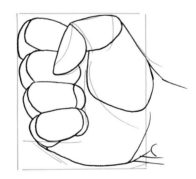

Square or angular geometric shapes transmit rigidity and tension.

Vierecke und kantige geometrische Formen vermitteln den Eindruck von Starrheit und Spannung.

Le carré ou les formes géométriques angulaires transmettent rigidité et tension.

Vierkante of hoekige geometrische vormen stralen starheid en spanning uit.

In this case the fingers will be foreshortened. We'll use cylinders in order to draw them correctly.

In diesem Fall werden die Finger perspektivisch gezeichnet. Wir benutzen Zylinder, um sie korrekt zu Papier zu bringen.

Dans ce cas, les doigts seront raccourcis. On utilisera des cylindres pour bien les dessiner.

In dit geval worden de vingers weggebogen. We gebruiken cilinders om ze correct te tekenen.

The face, with all its elements, can also be broken down into much simpler shapes that will make it easier for us to give each element its proper proportions.

Das Gesicht und alle seine Elemente kann man ebenfalls in wesentlich einfachere Formen zerlegen, die es uns leichter machen, jedem Element seine eigenen Proportionen zu geben.

Le visage, avec tous ses détails, peut être décomposé en formes plus simples, qui nous permettront de donner facilement à chaque élément ses bonnes proportions.

Het gezicht, met al zijn elementen, kan ook opgedeeld worden in eenvoudigere vormen zodat het voor ons veel gemakkelijker wordt om elk deel zijn juiste proportie te geven.

1-2

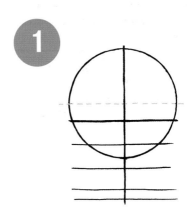

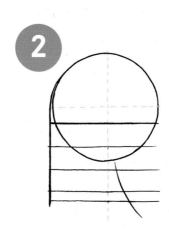

1. In the first place we'll draw a vertical line serving as the axis of symmetry, as we did with the complete figures. Next we'll distribute the areas where we'll draw each facial element. We'll mark the line where we'll begin drawing the eyes just below the horizontal axis of the circumference. Below that line, and shortly before reaching the lowest point of the circumference, we'll draw another line which will mark the lower limit of the eyes.
2. Now observe the distance between these two lines (the height of the eyes) which we will call the "eye width". Beginning at the line marking the bottom of the eyes, we'll move down two and a half of the eye widths and draw the chin. We'll mark the nose in the top segment, the mouth in the middle, and the chin in the bottom segment.

1. An erster Stelle zeichnen wir eine vertikale Linie, die als Symmetrieachse dient, genau wie bei den Körpern. Als Nächstes bestimmen wir die Bereiche, in die die einzelnen Gesichtselemente kommen. Die Linie, an der wir beginnen werden, die Augen zu zeichnen, kennzeichnen wir genau unter der horizontalen Achse des Umfangs.
2. Darunter, kurz vor dem niedrigsten Punkt des Umfangs, zeichnen wir eine weitere Linie, die die untere Grenze der Augen sein wird. Den Abstand zwischen den beiden Linien (die Höhe der Augen) bezeichnen wir als „Augenbreite". An der unteren Linie der Augen bewegen wir uns zweieinhalb Augenbreiten nach unten und zeichnen dort das Kinn. Wir markieren die Nase im oberen Segment, den Mund in der Mitte und das Kinn im unteren Segment.

1. Dessinez d'abord une ligne verticale servant d'axe de symétrie, comme pour les personnages entiers. Ensuite, nous délimitons les zones où chaque élément de la face sera dessiné. Faites partir une ligne juste sous l'axe horizontal de la circonférence, qui marque le haut des yeux. Sous cette ligne, et juste avant d'atteindre le point le plus bas du cercle, nous tirons un autre trait qui délimitera le bas des yeux.
2. Observons maintenant la distance entre ces deux lignes (la hauteur des yeux) que nous appellerons la « largeur de l'œil ». À partir de la ligne marquant le bas des yeux, descendez en comptant deux fois et demie la largeur de l'œil pour dessiner le menton. Dessinez le nez en haut du segment, la bouche au milieu, et le menton en bas.

1. In de eerste plaats tekenen we weer, net als bij de hele figuren, een verticale as die dienst gaat doen als symmetrieas. Vervolgens verdelen we de gebieden waar we elk onderdeel van het gezicht gaan tekenen. We trekken een stukje onder de horizontale middellijn van de cirkel een lijn waar we de ogen gaan tekenen.
2. Onder die lijn, vlak bij het laagste punt van de cirkel, trekken we nog een lijn waar de onderkant van de ogen zal komen. Bekijk de afstand tussen die twee lijnen (de hoogte van de ogen). Die afstand noemen we de "oogbreedte". Vanaf de lijn die de onderkant van de ogen aangeeft, gaan we tweeënhalf keer die oogbreedte naar beneden en tekenen daar de kin. We zetten de neus in het bovenste deel, de mond in het middelste en de kin in het onderste.

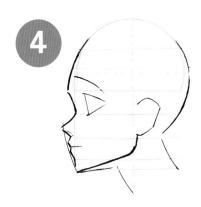

3-4

3. Once we've divided the space, we'll put each element on its corresponding line. The eyes are separated by an eye's distance. And the ears belong at the height of the nose, between the eyes and mouth.
4. When drawing from a side-view the eyes are much more triangular.

3. Nachdem wir den Raum aufgeteilt haben, platzieren wir jedes Element auf der entsprechenden Linie. Der Abstand zwischen den Augen beträgt eine Augenbreite und die Ohren liegen auf der Höhe der Nase, zwischen Augen und Mund.
4. Von der Seite gezeichnet sind die Augen viel dreieckiger.

3. Après avoir divisé l'espace, placez chaque élément sur la ligne correspondante. Les yeux sont séparés d'une distance représentant la largeur de l'œil. Les oreilles sont placées à hauteur du nez.
4. En dessinant de profil, les yeux sont beaucoup plus triangulaires.

3. Als we eenmaal de ruimte hebben verdeeld, zetten we elk onderdeel op zijn overeenkomstige lijn. De ogen worden gescheiden door de oogafstand en de oren zitten ter hoogte van de neus, tussen de ogen en de mond.
4. Bij het tekenen van het zijaanzicht hebben de ogen veel meer de vorm van een driehoek.

5-6

5. Finally we'll draw each element with great detail, following the way we shaped the volumes and the simple geometric shapes.
6. It's important to give the hair volume and separate it from the line of the cranium. We'll achieve this by using lines conveying movement.

5. Am Ende zeichnen wir jedes Element mit in seinen Details, nachdem wir die Volumen und die einfachen geometrischen Formen definiert haben.
6. Es ist wichtig, dem Haar Fülle zu geben und es von der Schädellinie zu trennen. Wir erreichen das, indem wir den Linien Bewegung geben.

5. Enfin, nous dessinerons chaque élément de manière très détaillée, selon la forme des volumes et des formes géométriques simples.
6. Il est important de donner du volume aux cheveux et de les séparer de la ligne du crâne. Pour y parvenir, dessiner des lignes qui donnent du mouvement.

5. Tot slot tekenen we elk onderdeel veel meer in detail, op dezelfde manier als waarop we de ruimtelijke vormen en de eenvoudige geometrische vormen hebben getekend.
6. Het is van belang om het haar volume te geven en het los te koppelen van de schedellijn. We bereiken dit door lijnen te gebruiken die beweging weergeven.

Facial expression_Der Gesichtsausdruck_ Les expressions du visage_Gezichtsuitdrukkingen

Facial expressions transmit emotions and moods. When drawing we use facial expressions to emphasize our characters' personality and reveal their inner world. In manga, expression is one of the most important areas of a drawing. Especially important are facial expressions, which explore a wide variety of graphic resources and visual metaphors.
Let's learn how to draw the most common expressions by playing with different facial elements.

Gesichtsausdrücke stellen Emotionen und Launen dar. Beim Zeichnen benutzen wir diese Expressionen, um die Persönlichkeiten unserer Figuren hervorzuheben und ihre innere Welt zum Vorschein kommen zu lassen. Beim Manga gehören die Ausdrucksformen zu den wichtigsten Zeichenaspekten. Besonders wichtig sind dabei die Gesichtsausdrücke, bei denen eine Menge grafischer Mittel und visueller Metaphern zum Einsatz kommen.
Lernen wir nun, wie man die wichtigsten Ausdrucksformen zeichnet, indem man mit den verschiedenen Gesichtselementen spielt.

Les expressions transmettent les émotions et les humeurs. En dessinant, nous utiliserons ces expressions pour accentuer la personnalité de nos personnages et révéler leur monde intérieur. Dans un manga, les expressions sont l'un des éléments majeurs du dessin. Elles déploient un grand éventail de ressources graphiques et de métaphores visuelles.
Apprenons à dessiner les expressions les plus courantes en jouant avec divers éléments du visage.

Gezichtsuitdrukkingen laten emoties en stemmingen zien. Als we tekenen, gebruiken we ze om het karakter van ons tekenfiguur te benadrukken en het innerlijk ervan weer te geven.
Bij manga is de gelaatsuitdrukking een van de belangrijkste onderdelen van een tekening. Met name gelaatsuitdrukkingen die een grote variatie in grafische inventiviteit en visuele metaforen tonen, zijn belangrijk.
Nu gaan we leren hoe we de gebruikelijke gelaatsuitdrukkingen kunnen tekenen door te spelen met de verschillende onderdelen van het gezicht.

Happiness_Heiterkeit_ Joie_Blijdschap

Characterized by smiles and wide-open eyes.

Dargestellt durch Lachen und weit geöffnete Augen.

Caractérisée par les sourires et les yeux grands ouverts.

Gekenmerkt door een glimlach en de ogen wijd open.

Fear_Angst_ Peur_Angst

Eyes open and the mouth might open to scream.

Die Augen sind aufgerissen und der Mund kann zum Schreien geöffnet sein. Die ganze Figur zittert.

Les yeux sont ouverts et la bouche semble s'ouvrir pour crier. Tremblement généralisé.

Ogen open en de mond zou open kunnen gaan om te gillen. Algehele beverigheid.

**Sadness_Trauer_
Tristesse_Droefheid**

We'll curve the ends of the mouth downwards.
The facial features fall.

Die Mundwinkel zeigen nach unten.
Die Gesichtszüge sind leicht abfallend.

Courbez les commissures des lèvres et la bouche vers le
bas. Les traits de la face tombent.

We buigen de mondhoeken naar beneden. De
gelaatstrekken zakken.

**Anger_Wut_
Colère_Boosheid**

A fixed gaze on the subject who has caused the anger. The
eyebrows frown and the teeth are clenched.

Ein starrer Blick auf das Objekt, das die Wut auslöst.
Stirnrunzeln und fletschende Zähne.

Le regard est fixé sur l'objet de la colère. Les sourcils sont
froncés et les dents serrées.

Een strakke blik op wat de boosheid heeft opgewekt. De
wenkbrauwen fronsen en de tanden zijn op elkaar geklemd.

**Disgust_Ekel_
Dégoût_Walging**

The eyes tend to close, the mouth frowns and the nose wrinkles.
The head usually turns to avoid looking at whatever it is that is not liked.

Die Augen tendieren zum Schließen, die Mundwinkel sind nach unten
gezogen und die Nase faltig. Der Kopf dreht sich oft von dem weg, was
den Ekel auslöst.

Les yeux ont tendance à se fermer, la bouche et le nez sont plissés.
La tête est plutôt tournée pour éviter de regarder l'objet de dégoût.

De ogen hebben de neiging om te sluiten, de mond staat afkeurend en
de neus rimpelt. Gewoonlijk keert het hoofd zich af om niet te hoeven
kijken naar wat walgelijk gevonden wordt.

**Interest_Interesse_
Intérêt_Belangstelling**

Eyes open wider than usual. The head leans towards the
object of interest.

Die Augen sind weiter geöffnet als gewöhnlich. Der Kopf neigt
sich zu dem, was das Interesse weckt.

Les yeux sont ouverts plus grands que d'habitude. La tête est
penchée vers l'objet qui suscite l'intérêt.

Ogen staan wijder open dan normaal. Het hoofd buigt in de
richting van hetgeen waar belangstelling voor is.

Human feelings are much more complex than the six basic expressions we just mentioned. Hybrid expressions stem from the need to faithfully represent the nuances of expression that result when we mix two or more basic expressions.
Let's look at some examples where we combine characteristics from the basic expressions we've already looked at:

Menschliche Gefühle sind wesentlich komplexer als die sechs Grundexpressionen, die wir erwähnt haben. Um alle Nuancen einer Expression naturgetreu wiederzugeben, werden hybride Ausdrucksformen geschaffen, die das Ergebnis einer Mischung aus zwei oder mehr Grundexpressionen sind.
Hier einige Beispiele, in denen Charakteristika der bereits beschriebenen Grundexpressionen miteinander kombiniert werden:

Les sentiments humains sont beaucoup plus complexes que les six expressions de base mentionnées ci-dessus. Les expressions hybrides naissent du besoin de présenter très exactement les nuances d'expression qui résultent lorsque l'on mélange une ou plusieurs expressions basiques.
Voici quelques exemples qui combinent les caractéristiques des expressions de base que nous avons étudiées.

Menselijke emoties zijn veel complexer dan de zes basisuitdrukkingen die we net genoemd hebben. Gemengde gezichtsuitdrukkingen komen voort uit de behoefte om getrouw de nuances weer te geven die ontstaan als we twee of meer basisuitdrukkingen vermengen.
Laten we een paar voorbeelden bekijken waarin we de kenmerken combineren van die zes basisuitdrukkingen die we net behandeld hebben.

INTEREST + HAPPINESS = SURPRISE

INTERESSE + HEITERKEIT = ÜBERRASCHUNG

INTÉRÊT + JOIE = SURPRISE

BELANGSTELLING + BLIJDSCHAP = VERRASSING

SADNESS + INTEREST = BOREDOM

TRAUER + INTERESSE = LANGEWEILE

TRISTESSE + INTÉRÊT = ENNUI

DROEFHEID + BELANGSTELLING = VERVELING

Hybrid expressionss_Gemischte Ausdrucksformen_Expressions hybrides_Gemengde gezichtsuitdrukkingen

HAPPINESS + INTEREST = ADMIRATION

HEITERKEIT + INTERESSE = BEWUNDERUNG

JOIE + INTÉRÊT = ADMIRATION

BLIJDSCHAP + BELANGSTELLING = BEWONDERING

INTEREST + SADNESS = DISBELIEF

INTERESSE + TRAUER = ZWEIFEL

INTÉRÊT + TRISTESSE = INCRÉDULITÉ

BELANGSTELLING + DROEFHEID = ONGELOOF

HAPPINESS + ANGER = SADISM

HEITERKEIT + WUT = SADISMUS

JOIE + COLÈRE = MÉCHANCETÉ

BLIJDSCHAP + BOOSHEID = SADISME

SADNESS + DISGUST = REMORSE

TRAUER + EKEL = ZERKNIRSCHTHEIT

TRISTESSE + DÉGOÛT = REMORDS

DROEFHEID + WALGING = BEROUW

Proportions_Proportionen_Les proportions_Proporties

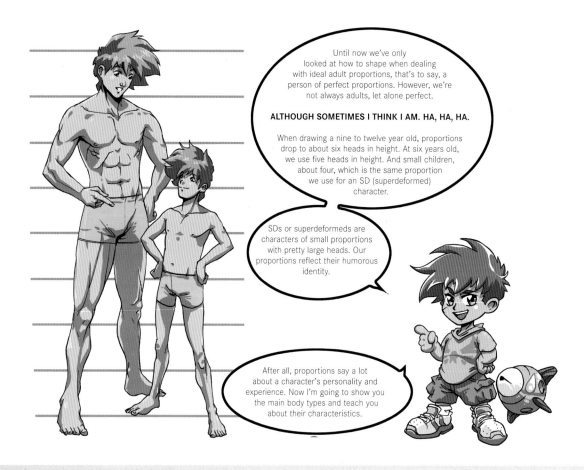

Until now we've only looked at how to shape when dealing with ideal adult proportions, that's to say, a person of perfect proportions. However, we're not always adults, let alone perfect.

ALTHOUGH SOMETIMES I THINK I AM. HA, HA, HA.

When drawing a nine to twelve year old, proportions drop to about six heads in height. At six years old, we use five heads in height. And small children, about four, which is the same proportion we use for an SD (superdeformed) character.

SDs or superdeformeds are characters of small proportions with pretty large heads. Our proportions reflect their humorous identity.

After all, proportions say a lot about a character's personality and experience. Now I'm going to show you the main body types and teach you about their characteristics.

Bisher haben wir nur gesehen, wie man bei idealen Proportionen von Erwachsenen vorgeht, also bei Personen mit perfekten Körpermaßen. Wir sind aber nicht alle immer erwachsen und noch weniger sehen wir alle perfekt aus. **OBWOHL ICH MANCHMAL VON MIR SELBER GLAUBE, DASS ICH ES BIN. HA, HA, HA.** Wenn man ein neun- bis zwölfjähriges Kind zeichnet, werden die Proportionen auf die Höhe von sechs Köpfen reduziert. Ein sechsjähriges Kind misst etwa fünf Kopfhöhen und ein kleineres vier. Das ist dieselbe Proportion wie bei einer SD-Figur (Superdeformed). Wir SDs bzw. *Superdeformed* sind Charaktere mit kleinen Proportionen und ziemlich großen Köpfen. Unsere Proportionen sind ein Spiegel unseres komischen Charakters. Proportionen sagen eine Menge über die Persönlichkeit und Geschichte einer Figur aus. Ich zeige nun die wichtigsten Körpertypen und erzähle Euch etwas über Ihre Eigenschaften.

Jusqu'à présent, nous nous sommes essentiellement concentrés sur la manière de former un adulte aux proportions idéales, c'est-à-dire une personne aux proportions parfaites. Tout en sachant que ce n'est pas toujours le cas. **BIEN QUE PARFOIS JE PENSE QUE JE LE SUIS QUAND MÊME. HA, HA, HA.** Lorsque l'on dessine un enfant de neuf à douze ans, les proportions diminuent à peu près de six têtes en hauteur. Pour un enfant de six ans, on utilise une hauteur de cinq têtes. Et pour les tout-petits, environ quatre têtes, proportions identiques à celles du personnage SD (*superdeformed*) ou super déformé. Les SD sont petits avec d'assez grosses têtes. Ces proportions leur confèrent une allure rigolote. En fait, les proportions en disent long sur le caractère et l'expérience d'un personnage. Maintenant, nous allons aborder les principaux types de corps et en découvrir les caractéristiques.

Tot nu toe hebben we alleen maar bekeken hoe je vormgeeft aan volwassenen met een ideale lichaamsbouw, oftewel met een perfecte lichaamsbouw. Maar we zijn niet altijd volwassen, laat staan perfect. **ALHOEWEL, SOMS DENK IK DAT IK DAT WEL BEN. HA, HA, HA.** Als je een kind tekent tussen de negen en twaalf jaar oud is de lengte ongeveer zes hoofden. Bij kinderen van zes jaar oud worden het vijf hoofden en bij kleuters ongeveer vier hoofden, wat ook zo is bij een *SD* (*superdeformed*, oftewel uiterst misvormd) figuur. *SD's* (*superdeformed*, oftewel uiterst misvormden) zijn figuren die klein van stuk zijn met vrij grote hoofden. Onze proporties weerspiegelen onze grappige identiteit. Tenslotte zeggen proporties een hoop over het karakter en de ervaring van een stripfiguur. Nu ga ik je de belangrijkste lichaamstypen laten zien en je wat leren over hun kenmerken.

An erster Stelle sehen wir uns die muskulösen Typen an, unter denen wir den athletischen Typen mit den idealen Proportionen, den Muskelprotz mit Muskeln aus reinem Dynamit und den Thoraxtypen mit dem breiten Brustkorb finden. Ich möchte ein Mädchen in die Gruppe nehmen, denn es gibt auch weibliche athletische Schönheiten unter so vielen scharfen Jungs.

Le premier type qui nous intéresse est celui qui est bien charpenté, le type athlétique aux proportions idéales : Monsieur Muscle, de la pure dynamite, le type aux pectoraux développés, à l'imposante cage thoracique.
Nous pouvons ajouter une fille au groupe, puisque l'on peut réellement trouver de vraies beautés athlétiques parmi tous ces gars costauds.

Het eerste type waar we naar kijken is die met een stevige bouw. Hier vinden we het atletische type met de ideale proporties; de gespierde vriend wiens spieren puur dynamiet zijn; de jongen met longen en een grote borstkas.
En laten we er nog een meisje bij doen, want tussen zoveel stoere kerels kunnen we ook altijd wel een atletische schoonheid vinden.

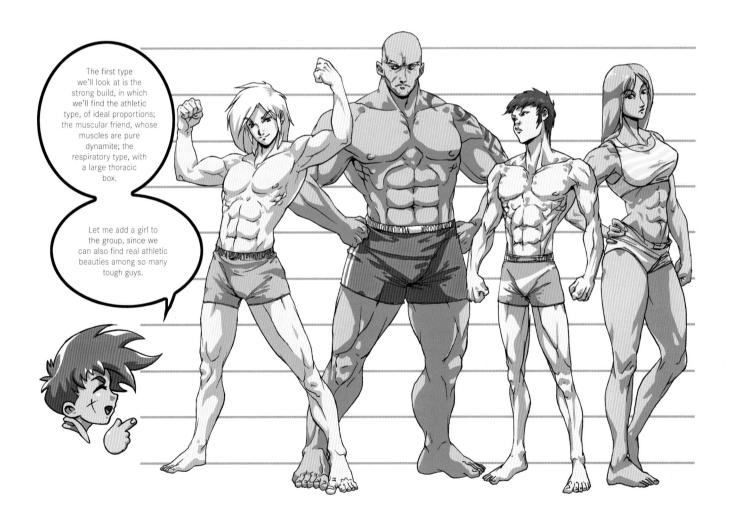

The first type we'll look at is the strong build, in which we'll find the athletic type, of ideal proportions; the muscular friend, whose muscles are pure dynamite; the respiratory type, with a large thoracic box.

Let me add a girl to the group, since we can also find real athletic beauties among so many tough guys.

Du hast sicher schon Hunderte von Malen gesehen, wie der Junge mit den Muskeln zum Helden der Geschichte wird. Wir alle (naja, ich nicht, weil ich sowieso schon ein Crack bin) wären gerne so tolle Helden. Aber Muskeln sind nicht alles im Leben. Es gibt vieles andere und für jeden ist etwas dabei. Bei Bauchtypen sind der Bauch und die Körpermasse die herausragendsten Elemente.

Genau wie bei den vorigen Beispielen gibt es auch in dieser Gruppe verschiedene Typen. Beim Skizzieren dieser Körpertypen müssen wir einen großen Bereich für den Bauch einplanen.

EIN PAAR TIPPS: Nimm weiche und abgerundete Linien für die Anatomie. Interessante Ergebnisse erreicht man durch Variation der Körpergröße. Mädchen haben gewöhnlich mehr angesammeltes Körperfett rund um die Hüften, die Brust und den Bauch.

Vous avez sans doute vu des milliers de fois ce genre d'homme musclé devenir « la vedette » de l'histoire. Et la vérité, c'est que chacun d'entre nous aimerait s'identifier à ce super héros. Mais il faut de tout pour faire un monde…

Mais il n'y a pas que les muscles dans la vie ! Il y a aussi la personnalité de chacun.

Les types « ventrus » sont ceux où l'estomac et la masse corporelle sont les éléments les plus mis en valeur.

Comme dans l'exemple précédent, il y a une grande variété de types.

En ébauchant ce type de corps, assurez-vous de dessiner un grand volume pour l'estomac.

CONSEILS : Utilisez des lignes arrondies et douces pour l'anatomie.

Rendez vos personnages plus intéressants en variant les tailles.

En général, les filles accumulent plus de rondeurs autour de la taille, de la poitrine et du ventre.

Vast en zeker heb je honderden keren gezien hoe de jongen met de spieren de ster van het verhaal werd. De waarheid is dat we allemaal (ik natuurlijk niet, ik weet dat ik geweldig ben) wensen dat wij die geweldige held waren. Spieren zijn echter niet alles in het leven, er is veel meer en voor ieder wat wils. Bij types met een dikke buik vallen de buik en de lichaamsmassa het meest opvallen. Net als in het vorige voorbeeld is er in deze groep een grote verscheidenheid van types. Als we zo'n type schetsen, moeten we de buik een grote omvang geven.

TIPS: Gebruik zachte en ronde lijnen voor de anatomie. Je figuren worden kleurrijker als je ze van verschillende lengte maakt. Meiden verzamelen meestal meer lichaamsvet rond de taille, borsten en buik.

And finally, let's look at the cerebral type. These are normally intelligent characters with weaker builds. This body type is associated with wise-guys and intellectuals. When drawing these characters we should narrow their shoulders.

You can also give these characters more dimensions. Put some glasses on a large head and you'll immediately have a nerd.

Lastly, a little challenge: try to combine them to create even more varied characters.

These characters are ideal for giving psionic powers, supernatural mental abilities and a talent for technology.

Sehen wir uns nun noch die Kopftypen an. Dabei handelt es sich um intelligente Typen mit einem schmächtigeren Körper. Damit werden schlaue und intellektuelle Charaktere assoziiert. Beim Zeichnen kann man die Schultern etwas schmaler setzen. Man kann ihnen aber noch andere Eigenschaften zuordnen. Setze einem großen Kopf eine Brille auf und schon hast Du einen Streber. Versuch's zum Schluss mit dieser Herausforderung: Kombiniere die Charaktere miteinander und schaffe neue Figurtypen.
Diese Menschenklassen eignen sich gut, um ihnen psionische Kräfte, mentale Fähigkeiten und technologische Begabungen zu verleihen.

Abordons, enfin, le type « cérébral ». Ce sont, en général, des personnages intelligents dotés de constitutions plus fragiles. On associe ce type de corps à des types sérieux et intellectuels. En dessinant ces personnages, faites-leur des épaules plus étroites.
Accentuez le caractère de ces personnages : en ajoutant des lunettes sur une grosse tête, vous aurez tout de suite un binoclard boutonneux !
Pour finir, un défi : essayez de les combiner pour créer des personnages encore plus variés.
Ces personnages sont idéaux pour donner des pouvoirs « psioniques », des capacités mentales surnaturelles et un don pour la technologie.

En om af te sluiten nemen we nog eên kijkje bij het type met hersens. Dat zijn normale intelligente figuren met een zwakkere lichaamsbouw. Dit lichaamstype hoort bij wijsneuzen en intellectuelen. Als we dit soort figuren tekenen moeten we ze smalle schouders geven. Deze figuren kun je ook wat meer kanten geven. Zet een bril op een groot hoofd en je hebt meteen een nerd.Tot slot een kleine uitdaging: probeer allerlei aspecten te combineren om zodoende nog meer verschillende figuren te scheppen.
Deze figuren zijn uiterst geschikt om te voorzien van paranormale krachten, bovennatuurlijke mentale gaven en talent voor technologie.

Perspective_Die Perspektive_La perspective_Perspectief

When we try to draw space, we can use different systems of representation. Perspective is the technique that allows us to represent spatial depth on a flat surface, in addition to being the art of representing objects on a surface the way they look to the eye.

There are different ways of representing, depending on the number of vanishing points we use to represent a given point of view.

The horizon is the most important element. We know how objects should be seen just by correctly placing the drawing's horizon. So, if we raise the horizon we'll have a high-angle perspective. But if the horizon is at eye level we'll have an eye-level perspective. Finally, if we lower the horizon to the ground we'll achieve a low-angle perspective.

Zur Darstellung von Raum stehen verschiedene Systeme zur Verfügung. Perspektive ist die Technik, räumliche Tiefe auf einer flachen Oberfläche darzustellen, aber auch die Kunst, Gegenstände so auf einer Fläche zu repräsentieren, wie sie das Auge aufnimmt.

Dabei gibt es unterschiedliche Möglichkeiten, je nach Anzahl der Fluchtpunkte, die wir benutzen, um eine bestimmte Ansicht darzustellen.

Der Horizont ist ein wichtiges Element, denn er kennzeichnet die Augenhöhe des Betrachters. Durch Versetzen der Höhe des Zeichenhorizonts kann man ein Objekt von oben oder von unten betrachtet zeichnen. Wenn man ihn höher setzt, erhält man eine Vogelperspektive. Wenn er sich auf Augenhöhe befindet, haben wir eine Zentralperspektive. Wenn der Horizont noch weiter nach unten rutscht, bekommen wir eine Froschperspektive.

Pour essayer de dessiner l'espace, on peut utiliser différents systèmes. La perspective est la technique qui nous permet de représenter la profondeur spatiale sur une surface plane. C'est aussi l'art de représenter les objets sur une surface comme ils sont perçus par l'œil.

Il existe différentes sortes de représentations en fonction du nombre de points fuyants utilisés pour représenter un point de vue donné.

La ligne d'horizon est l'élément le plus important. Nous savons comment voir les objets en plaçant correctement cette ligne. Donc, en élevant la ligne d'horizon, on obtient une perspective en plongée. Mais si cette ligne est au niveau de l'œil, on obtient une perspective au niveau de l'œil. Enfin, en baissant la ligne d'horizon vers le sol, on obtient une perspective en contre-plongée.

Om ruimte te tekenen kunnen we gebruikmaken van verschillende methodes van uitbeelding. Perspectief is de techniek die ons in staat stelt om ruimtelijke diepte uit te beelden op een plat vlak. Bovendien is het de kunst van het weergeven van objecten op een vlak op de manier zoals het er in werkelijkheid voor het oog uitziet.

Er zijn verschillende manieren van uitbeelden, afhankelijk van het aantal verdwijnpunten dat we gebruiken om een gegeven gezichtspunt te laten zien.

De horizon is het belangrijkste element. We weten hoe objecten gezien zouden moeten worden door de getekende horizon correct te plaatsen. Als we de horizon verhogen, hebben we een vogelvluchtperspectief, en als de horizon op ooghoogte is, hebben we een centraalperspectief. Tot slot, als we de horizon verlagen naar de grond bereiken we een kikvorsperspectief.

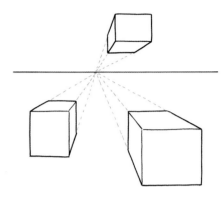

Eye-level perspective is good for representing objects that are placed parallel to the horizon, and is enough to create simple scenarios. In this case, the vanishing point is placed in the middle of the horizon. We'll look at the cube parallel to one of its sides.

Die Zentralperspektive eignet sich gut zum Zeichnen von Objekten, die sich parallel zum Horizont befinden, und ist ausreichend, wenn man einfache Szenarien darstellen möchte. Dabei liegt der Fluchtpunkt auf der Mitte des Horizonts. Wir betrachten den Würfel parallel zu einer seiner Seiten.

La perspective au niveau de l'œil est parfaite pour représenter des objets placés parallèlement à l'horizon, et suffisante pour créer de simples scénarios. Dans ce cas, le point fuyant se place au milieu de la ligne d'horizon. Nous regarderons le cube en parallèle à l'un de ses côtés.

Centraalperspectief is goed voor het uitbeelden van objecten die parallel aan de horizon geplaatst zijn en volstaat om eenvoudige scenario's te creëren. In dit geval is het verdwijnpunt in het midden van de horizon geplaatst. We kijken naar de kubus parallel aan een van zijn kanten.

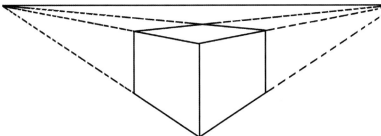

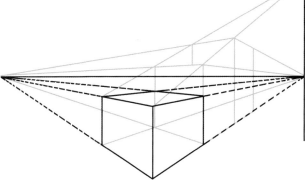

When representing objects that are not parallel to the horizon, i.e., objects placed obliquely in front of the viewer, we'll use a perspective with two vanishing points. In this case we won't position ourselves on a plane parallel to the cube, so there will be one vanishing point for each of the two visible sides. These vanishing points are located outside the field of vision, on the horizon, from left to right.

Wenn man Objekte darstellen will, die sich nicht parallel zum Horizont befinden, also schräg zum Betrachter angeordnet sind, verwenden wir eine Perspektive mit zwei Fluchtpunkten. Dabei positionieren wir uns nicht auf einer Ebene parallel zum Würfel, und deshalb gibt es je einen Fluchtpunkt für die beiden sichtbaren Seiten. Diese Fluchtpunkte befinden sich außerhalb des Blickfeldes, auf dem Horizont jeweils links und rechts.

Lorsque l'on représente des objets qui ne sont pas placés parallèlement à l'horizon, en d'autres termes, des objets placés à l'oblique en face de l'observateur, on utilisera une perspective avec deux points fuyants. Dans ce cas, on ne se positionnera pas sur un plan parallèle au cube, et il y aura donc un point fuyant pour chacun des côtés visibles. Ces points fuyants sont localisés en dehors du champ de vision, sur la ligne d'horizon, de gauche à droite.

Voor het uitbeelden van objecten die niet parallel zijn aan de horizon, met andere woorden, objecten die scheef voor de waarnemer geplaatst zijn, gebruiken we een perspectief met twee verdwijnpunten. In dit geval plaatsen we onszelf niet in een vlak dat parallel is aan de kubus en zijn er dus twee verdwijnpunten. Een voor elk van de twee zichtbare kanten. Deze verdwijnpunten liggen buiten het gezichtsveld, op de horizon, van links naar rechts.

In the case of inclined planes, such as ramps and stairs, we can move the vanishing point along a vertical perpendicular to the horizon in the vanishing points.

Bei schrägen Ebenen, wie Rampen und Treppen, können wir den Fluchtpunkt auf einer Senkrechten quer zum Horizont auf den Fluchtpunkten anordnen.

Dans le cas de plans inclinés, comme les rampes et les escaliers, nous pouvons déplacer le point fuyant le long d'une verticale perpendiculaire à l'horizon sur les points fuyants.

In het geval van hellende vlakken, zoals hellingen en trappen, kunnen we het verdwijnpunt verplaatsen langs een verticale loodlijn naar de horizon in de verdwijnpunten.

Color_Die Farben_La couleur_Kleur

Once we've finished drawing an illustration, the next step is to color it. There are lots of ways of coloring and none of them is exclusive to the world of manga, although the anime look and esthetic, with its flat color techniques, is very typical.

It's a good idea to study a bit of color theory in order to master the relationship between different colors. Color theory is a set of basic rules for mixing and obtaining colors.

There are two basic types of color:

1. Light colors (for example, those we see on a computer screen). These use the primary colors: RGB (red, green and blue). White light is made by mixing these three colors. Partial mixes, or additive synthesis, of these colors create the majority of visible colors in the color spectrum.

1. Die additive Farbmischung (z. B. die Farben des Computerbildschirms). Sie benutzt die Grundfarben RGB (rot, grün und blau). Weißes Licht erhält man durch Mischen dieser drei Farben. Durch Teilmischungen dieser Farben, oder additive Synthese, erhält man die meisten Farben des sichtbaren Farbspektrums.

2. Pigment colors are those made by subtractive synthesis. These are colors based on the light reflected off pigments applied to surfaces. The base colors are magenta, cyan and yellow. The mix of the three primary pigment colors should produce black, but the color obtained is not intense enough which is why black is added to printing systems, thus creating the color space known as CMYK.

2. Die subtraktive Farbmischung beruht auf der Absorption von Teilen des Lichtspektrums durch die Körperoberfläche. Die Grundfarben sind Magentarot, Cyanblau und Gelb. Die Mischung dieser drei Pigmentgrundfarben müsste eigentlich schwarz ergeben, aber die erhaltene Farbe ist nicht kräftig genug, und aus diesem Grund wird bei Drucksystemen schwarz hinzugefügt. Daraus ergibt sich ein Farbspektrum, das als CMYK-Farben bezeichnet wird.

Wenn die Illustration fertig ist, möchten wir sie natürlich kolorieren. Es gibt etliche Möglichkeiten der Farbgebung und keine von ihnen ist exklusiv für den Manga, obwohl der Look und die Ästhetik des Animes mit seinen Flachfarbtechniken sehr typisch ist.

Am besten wir sehen uns zuerst mal die Farbentheorie an, um eine Vorstellung von dem Verhältnis der Farben zueinander zu bekommen. Bei der Farbenlehre handelt es sich um nichts anderes als Grundregeln zum Mischen von Farben.

Es gibt zwei Grundtypen von Farbe:

1. Les couleurs légères (par exemple, celles que nous voyons sur un écran d'ordinateur). Elles utilisent les couleurs primaires : RVB (rouge, vert et bleu). La lumière blanche est créée en mélangeant ces trois couleurs. Des mélanges partiels ou des synthèses supplémentaires de ces couleurs créent la majorité des couleurs visibles dans le spectre des couleurs.

1. Lichtkleuren (zoals de kleuren die we op het computerscherm zien). Daar wordt gebruik gemaakt van de primaire kleuren: RGB (rood, groen en blauw). Wit licht is gemaakt door het mengen van deze drie kleuren. Gedeeltelijk mengen, of additieve menging, van deze kleuren creëren de meeste zichtbare kleuren in het kleurenspectrum.

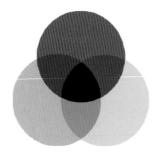

2. Les couleurs à base de pigments sont celles réalisées par synthèse soustractive. Ce sont des couleurs basées sur la lumière réfléchie sur des pigments appliqués à des surfaces. Les couleurs de base sont le magenta, le cyan et le jaune. Le mélange des trois pigments de couleurs primaires devrait produire le noir, mais la couleur obtenue n'est pas assez intense. Pour ce faire, on ajoute du noir aux systèmes d'impressions, créant ainsi un espace de couleur appelé CMYK (cyan, magenta, yellow, key black).

2. Pigmentkleuren zijn de kleuren gemaakt door substractieve menging. Deze kleuren zijn gebaseerd op het licht dat reflecteert van pigmenten die op een oppervlak zijn aangebracht. De basiskleuren zijn magenta, cyaan en geel. De mix van deze drie pigmentkleuren zou zwart op moeten leveren, maar de verkregen kleur is niet intens genoeg, reden waarom zwart wordt toegevoegd aan druksystemen. Zo is de kleurenkubus die bekendstaat als CMYK ontstaan.

Après avoir réalisé une illustration, l'étape suivante est celle du coloriage. Il y a de nombreuses façons de colorier et aucune n'est l'exclusivité du genre manga, mais l'aspect animé et esthétique, avec ses techniques de couleurs primaires en est très caractéristique.

Il est utile d'étudier un peu la théorie des couleurs pour maîtriser la relation entre elles. Cette théorie est un ensemble de règles de bases pour mélanger et obtenir des couleurs.

Il existe deux types de base de couleurs.

Als we eenmaal klaar zijn met het tekenen van een illustratie is de volgende stap het inkleuren. Er zijn heel veel manieren van inkleuren en geen enkele daarvan is uitsluitend en alleen van de mangawereld, hoewel het aanzien en de esthetiek van *anime*, met zijn effen kleurentechniek, kenmerkend is.

Het is geen slecht idee om wat kleurentheorie te bestuderen om zo de verhouding tussen de verschillende kleuren onder de knie te krijgen. Kleurentheorie is een pakket van basisregels voor het mengen en verkrijgen van kleuren. Er zijn twee basistypes kleuren:

One of the basic aspects of color theory is color harmony. Harmonic colors are those which produce attractive colors to the sight. The chromatic color wheel is a valuable tool for determining color harmony. Complementary colors are those positioned at opposite ends of the color wheel. Combinations of these colors produce the strongest contrasts.

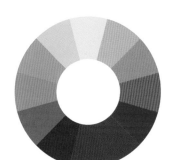

L'harmonie des couleurs est l'un des principaux aspects de la théorie des couleurs.

On appelle couleurs harmonieuses, celles qui sont agréables à regarder. La roue chromatique des couleurs est un outil pratique pour harmoniser les couleurs. Les couleurs complémentaires sont diamétralement opposées sur le cercle. Les combinaisons de ces couleurs créent les contrastes les plus forts.

Einer der Grundaspekte der Farbentheorie ist die Farbharmonie. Harmonische Farben sind für das menschliche Auge attraktive Farben. Der Farbkreis ist ein nützliches Werkzeug zur Bestimmung der Farbharmonie. Die Komplementärfarben liegen auf dem Farbkreis auf der gegenüberliegenden Seite. Kombinationen dieser Farben ergeben die stärksten Kontraste.

Een van de basisaspecten van kleurentheorie is kleurenharmonie. Harmonieuze kleuren zijn die kleuren die aantrekkelijk zijn voor het oog. Het chromatische kleurenwiel is een waardevol werktuig om de kleurenharmonie te bepalen. Complementaire kleuren zijn die kleuren die tegenover elkaar staan op het kleurenwiel. Combinaties van die kleuren geven de sterkste contrasten.

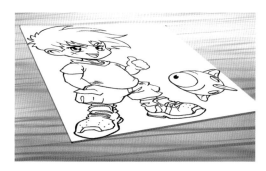

WORDS OF ADVICE...
Before we begin coloring or painting an illustration it's a good idea to carefully finish detailing the lines of the drawing.

EIN PAAR TIPPS...
Bevor man beginnt, die Illustration auszumalen, sollte man die einzelnen Linien sorgfältig nachziehen.

CONSEILS...
Avant de commencer à colorier ou à peindre une illustration, il est judicieux de peaufiner soigneusement les contours du dessin.

TIPS...
Voordat we beginnen met het inkleuren of schilderen van een illustratie is het handig om eerst zorgvuldig de lijnen van de tekening tot in detail af te maken.

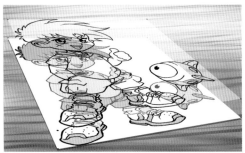 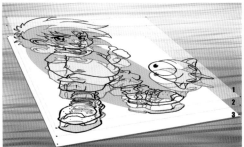

When we digitally color an illustration we can use different layers, just as they do in animation. Illustrators who work with animation use different sheets of acetate known as CEL. One of these CELs is used for the drawing, another for the color, and another for the background. When they are superimposed, the different CELs form a single, completely integrated image. We can also use this layer system when using digital coloring programs.

WORDS OF ADVICE: With the drawing "saved" on a separate layer, we can rest assured that we won't destroy it when coloring. Now the steps to follow are easy:

Wenn man eine Zeichnung digital koloriert, kann man unterschiedliche Schichten verwenden, genau, wie es in der Animation gemacht wird. Illustratoren, die mit Animation arbeiten, benutzen verschiedene Azetatfolien, bekannt als CEL. Eine dieser CELs dient der Zeichnung, eine andere der Farbe und eine dritte dem Hintergrund. Beim Übereinanderlegen der CELs ergibt sich ein einziges, vollständig integriertes Bild. Man kann dieses Schichtensystem auch bei digitalen Kolorierprogrammen benutzen.

EIN PAAR TIPPS: Wenn wir die Zeichnung auf einer separaten Schicht abspeichern, können wir beruhigt sein, dass wir sie beim Kolorieren nicht zerstören. Die jetzt folgenden Schritte sind ganz einfach:

Pour colorier une illustration numériquement, on utilise différentes couches, comme dans le dessin animé. Les illustrateurs qui travaillent à la réalisation de dessins animés se servent de feuilles d'acétate de cellulose, appelées cell ou cellulo. Une première est utilisée pour le dessin, une seconde pour la couleur, et enfin, une dernière pour le fond. Une fois superposées, elles forment une image unique, complètement intégrée. On peut aussi utiliser ce système de superposition de couches dans les programmes de coloriage numérique.

CONSEILS : En « sauvegardant » le dessin sur une couche séparée, on est sûr de ne pas le détruire en le coloriant. Les étapes à suivre sont faciles.

Als we het inkleuren van een illustratie digitaal doen, kunnen we verschillende lagen gebruiken, net als in een tekenfilm. Illustratoren van een tekenfilm gebruiken verschillende vellen celluloseacetaat, genaamd CEL. Een van deze CEL's wordt gebruikt voor het tekenen, een andere voor de kleur en weer een andere voor de achtergrond. Als ze op elkaar worden gelegd vormen de verschillende CEL's samen één enkel volledig geïntegreerd beeld. Dit systeem met lagen kunnen we ook gebruiken als we digitale kleurenprogramma's gebruiken.

TIPS: Met de tekening opgeslagen op een afzonderlijke laag zijn we ervan verzekerd dat deze niet verloren gaat bij het inkleuren. De volgende stappen zijn gemakkelijk:

We'll save one of the CEL sheets for the drawing. The lines on this one should be as clean as possible.

Sauvegardez une des feuilles pour le dessin. Les lignes doivent y être aussi nettes que possible.

1

Wir speichern eine der CELs für die Zeichnung ab. Die Linien dieser Zeichnung sollten so sauber wie möglich sein.

We slaan een van de CEL vellen op voor de tekening. De lijnen op dit vel moeten zo schoon mogelijk zijn.

We'll paint each area of the drawing with its flat color.

Peignez chaque zone du dessin avec une couleur sans effet.

2

Wir malen jeden Bereich der Zeichnung mit der gewünschten Farbe aus.

We beschilderen elk deelgebied van de tekening met de bijbehorende effen kleur.

Here we'll use shading to shape the character and give it volume.

Utilisez ensuite les nuances et les ombres pour donner du volume au personnage.

3

Danach geben wir noch ein paar Lichteffekte hinzu, besonders bei glänzenden Oberflächen.

De volgende stap is het toevoegen van licht, in het bijzonder op glanzende vlakken.

The next step is to adjust lighting, especially on shiny surfaces.

La prochaine étape consiste à régler la lumière, surtout sur les surfaces brillantes.

4

Dann schattieren wie die Figur und verleihen ihr dadurch Volumen.

Hier gebruiken we schaduw om het figuur vorm en volume te geven.

Finally, we can add details, which should always respect the shape of our shadows.

Enfin, ajoutez les détails, qui doivent toujours respecter les ombres.

5

Am Ende können wir noch Details hinzufügen, wobei wir aber immer die Schatten berücksichtigen müssen.

Tot slot kunnen we details toevoegen, waarbij we altijd rekening moeten houden met de vorm van de schaduwen.

6

The contrast between the flat color and its shaded tones is greater when coloring shiny objects such as metals.

Der Kontrast zwischen der Untergrundfarbe und der schattierten Farbe ist bei glänzenden Objekten, z. B. aus Metall, größer.

Le contraste entre la couleur de base et ses nuances est plus intense lorsque l'on colorie des objets brillants comme le métal.

Het contrast tussen de effen kleur en de schaduwschakeringen is groter als het op glanzende objecten zoals metaal toegepast wordt.

 **7**

This is the final result after projecting shadows on the floor.

So sieht das Bild am Ende aus, wenn wir auch noch den Schatten auf den Boden projiziert haben.

Le résultat final est obtenu après avoir projeté les ombres sur le sol.

Dit is het eindresultaat na het toevoegen van schaduw op de vloer.

 **8**

If we want to draw a background afterwards we can use the same layer system to draw it separately.

Wenn wir danach noch einen Hintergrund malen wollen, können wir dasselbe Schichtsystem verwenden und den Hintergrund separat entwickeln.

Pour dessiner ensuite un arrière-fond, on peut utiliser le même système de couches, séparément.

Als we later een achtergrond willen tekenen kunnen we hetzelfde lagensysteem toepassen om hem afzonderlijk te tekenen.

Girls_Mädchen_Filles_Meisjes

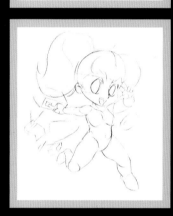

SD Girl

One of the most typical (and most popular) *manga* and *anime* elements is the sailor's outfit or *seera fuku*, as worn by lots of Japanese school girls. These uniforms, also known as *kon* usually consist of a blouse with a typical marine collar, a handkerchief tied in front and a pleated skirt that matches the collar. The student in our composition is wearing this popular outfit with some typical trendy accessories such as her long socks and mobile phone.

Eins der typischsten und beliebtesten Elemente des *Mangas* und *Animes* ist der Matrosenlook oder *Seera fuku*, wie er von vielen japanischen Schulmädchen getragen wird. Diese Uniformen, die auch als Kon bezeichnet werden, bestehen meistens aus einer Bluse mit einem typischen Matrosenkragen, einem vorne gebundenen Halstuch und einem Faltenrock passend zum Kragen. Das Schulmädchen auf unserem Bild trägt dieses beliebte Outfit mit ein paar typischen Modeaccessoires, wie den langen Socken und dem Handy.

L'un des éléments les plus typiques (et populaires) des mangas et de l'*anime* est le costume de marin ou *seera fuku*, semblable à celui que portent de nombreuses écolières japonaises. Ces uniformes, également appelés *kon*, sont souvent constitués d'une chemise avec un col marin, d'un foulard noué autour du cou et d'une jupe bleu marine plissée, assortie au col. Sur cette illustration, l'écolière porte l'uniforme traditionnel, assorti d'accessoires de mode comme de hautes chaussettes, un sac à main et un téléphone portable.

Een van de meest kenmerkende (en populairste) elementen van *manga* en *anime* is de matrozenoutfit oftewel *seera fuku*, die veel Japanse schoolmeisjes dragen. Deze uniformen, die ook bekendstaan als *kon*, bestaan gewoonlijk uit een bloes met zo'n typisch matrozenkraagje, een zakdoek vastgeknoopt aan de voorkant en een plooirok die bij het kraagje past. De scholier in onze compositie draagt deze populaire outfit samen met wat typische trendy accessoires zoals haar kousen en een mobieltje.

Shape_Form_Forme_Vorm

It is important to maintain the correct proportions for a superdeformed character. The figure is about three-heads in height, which creates the effect of a big-headed child.

Es ist wichtig, die richtigen Proportionen für eine *Superdeformed* Figur beizubehalten. Die Figur ist ca. drei Köpfe groß, wodurch sie wie ein Kind mit einem großen Kopf wirkt.

Il est primordial de conserver les bonnes proportions pour un personnage super déformé. La taille du personnage correspond environ à trois têtes, ce qui crée l'effet d'un enfant à grosse tête.

Het handhaven van de juiste proporties van een *superdeformed* stripfiguur is belangrijk. Het figuurtje is ongeveer drie hoofden hoog, wat het effect geeft van een kind met een groot hoofd.

Volume_Volumen_Volume_Ruimtelijke vorm

Define the character's volumes using rounded shapes. The use of simple geometric shapes makes it easier for foreshortening areas, such as her right leg which stretches out behind her.

Beim Definieren des Volumens der Figur sind abgerundete Formen ratsam. Der Einsatz von einfachen geometrischen Formen erleichtert das Zeichnen von perspektivisch verkürzten Körperteilen, wie hier z. B. das rechte Bein, das nach hinten abgewinkelt ist.

Définissez les volumes du personnage en utilisant des formes arrondies. L'emploi de formes géométriques simples facilite le dessin des zones réduites, comme sa jambe droite tendue derrière elle.

Gebruik ronde vormen om de volumes van het figuurtje neer te zetten. Het gebruik van eenvoudige geometrische figuren maakt het tekenen van de gebieden die in perspectief moeten makkelijker, zoals het rechterbeen dat zich naar achteren uitstrekt.

Anatomy_Anatomie_Anatomie_Anatomie

The body is extremely small compared to the head. Her fingers and toes also keep these comical proportions. Her face is very baby-like; a tiny nose and mouth help give her that sweet appearance.

Der Körper ist im Vergleich zum Kopf extrem klein. Die Finger und Zehen haben ebenfalls diese unnatürlichen Proportionen. Das Gesicht ist sehr babyhaft; die winzige Nase und der kleine Mund unterstreichen das niedliche Aussehen.

Le corps est extrêmement petit comparé à la tête. Ses doigts et ses pieds affichent également ces proportions cocasses. Son visage rappelle celui d'un bébé : la petitesse du nez et de la bouche contribue à lui donner ce petit côté « craquant ».

In verhouding met de grootte van het hoofd is het lichaam van het figuurtje extreem klein. Haar vingers en tenen hebben ook diezelfde komische proporties. Ze heeft een kinderlijk gezicht; een klein neusje en mondje geven haar een schattig uiterlijk.

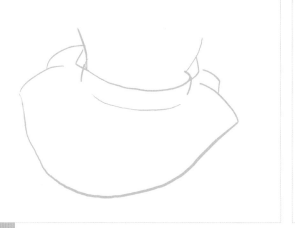

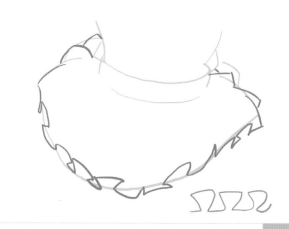

1. Draw the volume of her skirt with simple lines.

1. Zeichne das Volumen des Rockes mit einfachen Linien.

1. Dessinez le volume de la jupe à l'aide de lignes simples.

1. Teken de ruimtelijke vorm van haar rok met eenvoudige lijnen.

2. Then draw the pleats.

2. Zeichne dann die Falten.

2. Dessinez ensuite les plis.

2. Teken dan de plooien.

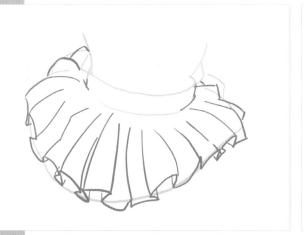

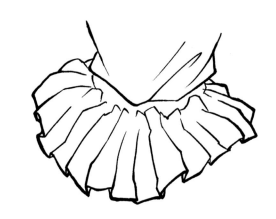

3. Connect the pleats with the waist, giving the lines some volume.

3. Verbinde die Falten mit der Taille und gib den Linien etwas Volumen.

3. Rattachez les plis à la taille par la ceinture, en accentuant légèrement le volume des lignes.

3. Verbind de plooien met de taille, waardoor de lijnen ruimtelijker worden.

4. Finish by drawing the fabric.

4. Am Ende wird der Stoff gezeichnet.

4. Terminez en affinant le dessin du tissu.

4. Eindig met het tekenen van het weefsel.

Final sketch_Endskizze_Esquisse définitive_Uiteindelijke schets

Draw the fabric and wrinkles of the *seera fuku* in tune with the tension expressed in the character's gesture. Use slightly more angular lines to differentiate the clothes from the girl's flesh.

Zeichne den Stoff und die Falten des *Seera fuku* entsprechend der Bewegung der Figur. Benutze leicht eckige Linien für die Kleidung, um sie von den Körperlinien des Mädchens abzuheben.

Dessinez le tissu et les plis du *seera fuku* en harmonie avec la tension exprimée par les gestes du personnage. Utilisez des lignes plus angulaires pour différencier les habits de la peau de la fille.

Teken het weefsel en de rimpels van de *seera fuku* in overeenstemming met de spanning die de houding van het figuurtje creëert. Gebruik iets hoekigere lijnen om de kleren los te laten komen van het lichaam.

Lighting_Licht_Éclairage_Lichtval

Lighting allows us to develop volume and lend texture. Shadows projected by the bag, hair and skirt help separate the different planes of the figure. Use smooth, rounded lines to shape the shadows.

Durch Lichtgebung kann man das Volumen entwickeln und ihm eine Textur geben. Schatten, die von der Tasche, dem Haar und dem Rock geworfen werden, helfen, die verschiedenen Ebenen der Figur voneinander zu trennen. Verwende zarte, abgerundete Linien für die Schatten.

L'étude de la lumière nous permet de développer le volume et de donner de la texture. Les ombres projetées par le sac, les cheveux et la jupe permettent de séparer les différents plans de la silhouette. Utilisez des lignes douces et courbes pour former les ombres.

Lichtval maakt het mogelijk om de ruimtelijke vorm te ontwikkelen en het meer structuur te geven. Schaduwen veroorzaakt door tas, haar en rok helpen om de verschillende vlakken van het figuurtje te scheiden. Gebruik zachte, ronde lijnen om de schaduwen vorm te geven.

Flat colors_Basisfarben_Couleurs simples_Effen kleuren

So as not to get lost in experiments with color, choose typical colors – blue and white. This combination is common and "safe" from the drawer's perspective and leaves little room for mistakes.

Um keine großen Experimente mit den Farben zu machen, nehmen wir „typische Farben", wie blau und weiß. Das ist eine übliche und für den Zeichner „risikolose" Farbkombination, die wenig Platz lässt für Fehler.

Pour un début, essayons-nous aux couleurs simples, en l'occurrence le bleu et le blanc. Cette combinaison traditionnelle est « sûre » du point de vue du dessinateur, laissant peu de place à l'improvisation.

Om niet te verdwalen in kleurexperimenten, kies je de kenmerkende kleuren – blauw en wit. Deze combinatie wordt veel gebruikt en is "veilig" voor de tekenaar, zodat er weinig fout kan gaan.

Shading_Schatten_Ombres_Arcering

Use color to shape the character's main volumes. Shadows are obtained by saturating the tone slightly to create more brightness within the drawing. Accentuate the shadows closer to the lower areas.

Wir verwenden Farbe, um die Hauptvolumen der Figur zu schaffen. Beim Malen von Schatten sättigen wir den Ton etwas ab und erreichen so, dass die Zeichnung mehr Glanz erhält. In den unteren Bereichen müssen die Schatten stärker markiert werden.

Utilisez la couleur pour former les volumes principaux du personnage. Les ombres sont obtenues en saturant légèrement la teinte pour illuminer davantage le dessin. Accentuez les ombres à l'approche des parties inférieures.

Gebruik kleur om de ruimtelijke vormen van ons figuurtje naar voren te laten komen. Schaduwen krijg je door de schakering iets meer te verzadigen en zo meer helderheid binnen de tekening te brengen. Accentueer de schaduwen meer en meer naarmate je lager komt.

Finishing touches_Letzte Details_Touches finales_Afwerking

Lighten up her skin and hair and add highlights to her eyes. Project her shadow to define the position of the floor, so she's not floating in space. A visual metaphor rounds out the illustration.

Wir hellen die Haut und die Haare auf und lassen die Augen stärker glänzen. Auch muss der Schatten, den die Figur auf den Boden wirft, hinzugefügt werden, damit sie nicht in der Luft schwebt. Eine optische „Metapher" (kleines Herz) rundet das Bild ab.

Ajoutez des touches de lumière à la peau et aux cheveux et des reflets dans les yeux. Projetez l'ombre de la fillette pour définir la position au sol, afin qu'elle ne flotte pas dans l'espace. Un petit détail, comme le cœur sautillant à droite, peaufinera l'illustration.

Laat het haar en de huid oplichten en voeg ook wat lichtpuntjes toe aan haar ogen. Teken dan de schaduw van het meisje om te laten zien waar de vloer zich bevindt, zodat het niet lijkt alsof ze los in de ruimte zweeft. De visuele metafoor van het hartje maakt het geheel af.

High School Girl

Without a doubt the biggest stars in the *shojo* genre. In *manga* in general, female characters play a bigger part than in any other style of comic. As a result, girls the world over are *manga* fans. The high school prototype has changed over time, taking great strides and gaining in strength, independence and prominence, similar to the process of women in Japanese society. These characters dress up in the typical Japanese schoolgirl uniform and aim to portray the average student.

Sie sind die klaren Stars des *Shojo-Manga*. Beim *Manga* spielen weibliche Charaktere generell eine wichtigere Rolle als in allen anderen Comicarten. Deshalb sind Mädchen auf der ganzen Welt große *Manga*-Fans. Der Prototyp des „Highschoolgirls" hat sich im Laufe der Zeit verändert, weiterentwickelt und an Kraft, Unabhängigkeit und Bedeutung gewonnen – ganz ähnlich wie die Frauen in der japanischen Gesellschaft. Diese Charaktere kleiden sich in der typischen japanischen Schuluniform und sollen das Durchschnittsmädchen porträtieren.

Elles sont les stars du genre *shojo* (« adolescente » en japonais). Dans les mangas, les personnages féminins jouent un rôle plus important que dans les autres types de bandes dessinées. C'est pourquoi les filles du monde entier en raffolent. Le profil de la lycéenne-type a évolué au fil du temps, progressant à grands pas et gagnant en force, indépendance et importance, à l'image de l'évolution de la femme dans la société japonaise. Ces personnages, portant l'uniforme classique, sont le reflet de l'étudiante lambda.

Zonder twijfel de supersterren in het *shojo* genre. Over het algemeen spelen vrouwelijke stripfiguren in *manga* een grotere rol dan in enig ander stripgenre, wat verklaart waarom meisjes over de hele wereld fan van *manga* zijn. In de loop der tijd is het prototype middelbare-schoolmeisje veranderd. Ze is in hoog tempo sterker en onafhankelijker geworden en treedt meer op de voorgrond, net als de vrouw in de Japanse maatschappij. Deze stripfiguren dragen het typische Japanse schooluniform en proberen de gemiddelde scholier te verbeelden.

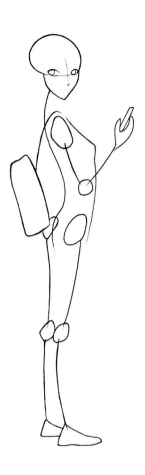

Shape_Form_Forme_Vorm

A simple shape lets us see the main characteristics at first glance. A side-view of the body and a three-quarter view of the face let us quickly see all the fashion accessories and full facial expression.

Wir zeichnen eine einfache Skizze, die die Haupteigenschaften sofort erfasst. Durch eine Seitenansicht des Körpers und eine Dreiviertelansicht des Gesichts erkennt man besser die Modeaccessoires und den Gesichtsausdruck.

Une forme simple permet de souligner les caractéristiques principales du personnage au premier coup d'œil. La vue de profil du corps et une vue de trois quarts du visage nous dévoilent immédiatement les accessoires de mode et l'expression du visage dans sa totalité.

Een simpele vorm laat ons bij de eerste aanblik de voornaamste karakteristieken zien. Een zijaanzicht van het lichaam en een driekwartaanzicht van het hoofd laten ons in één oogopslag alle modeaccessoires en gelaatstrekken zien.

Volume_Volumen_Volume_Ruimtelijke vorm

As seen before, the figure's basic structure is drawn using simple volumes. Here we can visualize how they will interact. With this type of pose, it's also important to mark the twisting of the trunk.

Wie vorhin bereits gesehen, wird die Grundstruktur der Figur anhand von simplen Volumen gezeichnet. Wir können hier erkennen, wie sich die einzelnen Volumen zueinander verhalten. In einer derartigen Haltung ist es auch wichtig, die Verdrehung des Rucksacks gut zu kennzeichnen.

Comme nous l'avons évoqué précédemment, le dessin de la structure de base du personnage est réalisé à base de volumes simples. Ici, nous pouvons visualiser leur interaction. Dans ce genre de pose, il est également important de marquer la torsion du tronc.

Zoals we al eerder zagen, tekenen we de basisstructuur van het figuur door eenvoudige ruimtelijke vormen te gebruiken. Hier kunnen we visualiseren hoe die een wisselwerking met elkaar aangaan. Bij een dergelijke houding is het ook belangrijk om de verdraaiing van de romp goed aan te geven.

Anatomy_Anatomie_Anatomie_Anatomie

Now we can give our figure's body some character.
She's not yet a fully-fledged woman, so don't
exaggerate her feminine attributes. Use looser lines
to clearly differentiate her hair from her body.

Nun können wir unserer Figur etwas mehr
Persönlichkeit verleihen. Sie ist noch keine
ausgewachsene Frau, übertreibe also ihre
weiblichen Attribute nicht zu sehr. Verwende
lockere Striche, um ihre Haare eindeutig vom
Körper abzuheben.

Maintenant, donnons du caractère au corps de
notre personnage. Ce n'est pas encore une
femme, il ne faut donc pas souligner exagérément
ses attributs féminins. Dessinez des lignes plus
souples pour différencier nettement ses cheveux
du corps.

Nu kunnen we het lichaam van ons stripfiguur wat
karakter geven. Ze is nog geen volgroeide vrouw,
dus gaan we de vrouwelijke vormen niet
overdrijven. Gebruik lossere lijnen om het haar
duidelijk van het lichaam te scheiden.

Final sketch_Endskizze_Esquisse définitive_Uiteindelijke schets

Designing her costume is crucial here as the uniform identifies the girls with their school. Use different types of lines and wrinkles to treat each item of clothing according to its material and shape.

Das Design des Kostüms ist ganz wichtig, da die Uniformen die Mädchen mit ihrer Schule identifizieren. Zeichne die einzelnen Kleidungsstücke entsprechend ihrer Materialien und Form unterschiedlich.

À ce stade, il est essentiel de définir sa tenue, sachant que l'uniforme identifie les filles à leur école. Utilisez différentes sortes de lignes et de plis pour traiter chaque élément vestimentaire selon le tissu et la forme.

Het ontwerpen van haar kostuum is nu cruciaal, omdat het uniform de meisjes in verband brengt met school. Gebruik verschillende soorten lijnen en plooien om elk deel van de kleren te behandelen, al naargelang het materiaal en de vorm.

Lighting_Licht_Éclairage_Lichtval

To correctly define a character, it's best to use natural zenithal lighting. Sometimes in *manga* the same line economy that forces one to draw simplified faces also applies when drawing shadows.

Um die Figur korrekt zu definieren, verwendet man am besten natürliches Oberlicht. Beim *Manga* tendiert man dazu, die Linien zu simplifizieren, z. B. im Gesicht, und auch beim Zeichnen von Schatten wird sparsam mit den Linien umgegangen.

Pour bien définir un personnage, l'idéal est d'utiliser l'éclairage zénithal. Pour dessiner les ombres dans l'illustration d'un manga, il est parfois judicieux d'appliquer la même économie de lignes qui force à dessiner des visages simplifiés.

Om de stripfiguur duidelijk neer te zetten, kan het best natuurlijk licht van bovenaf worden gebruikt. In *manga* wordt soms dezelfde zuinigheid met lijnen die je ertoe dwingt om versimpelde gezichten te tekenen, ook toegepast om schaduwen tekenen.

Flat colors_Basisfarben_Couleurs simples_Effen kleuren

For our character's school uniform we'll generally choose color combinations that aren't too colorful or exaggerated: opt for typical navy blue or greenish shades and earthy colors.

Für die Schuluniformen sollte man nicht zu bunte oder übertriebene Farbkombinationen wählen: Nimm also lieber typische Blau- oder Grüntöne und Erdfarben.

Pour l'uniforme scolaire de notre personnage, nous choisirons surtout des combinaisons de couleurs ni trop criardes ni trop exagérées : optez pour le bleu marine classique, les nuances vertes et les tons ocre.

Voor het schooluniform van ons figuurtje kiezen we over het algemeen kleurencombinaties die niet te kleurrijk of overdreven zijn: kies klassiek marineblauw of groene schakeringen en aardkleuren.

Shading_Schatten_Ombres_Arcering

Here we'll mark the volumes of our character. When shading, it's important to use different contours for each surface and treat each fabric differently. The doll lightens up the composition.

An dieser Stelle werden die Volumen unseres Charakters gezeichnet. Beim Schattieren ist es wichtig, für jede Fläche verschiedene Konturen zu verwenden und jeden Stoff anders zu behandeln. Die Puppe ist ein Farbklecks innerhalb der Komposition.

Délimitez ici les volumes de notre personnage. Pour ombrer, il est important d'utiliser différents contours pour chaque surface et de traiter chaque tissu différemment. La peluche du téléphone rehaussera la composition.

Nu gaan we de ruimtelijke vormen van ons figuur markeren. Bij het arceren is het belangrijk om voor elk oppervlak verschillende contouren te gebruiken en elk weefsel verschillend te behandelen. Het poppetje verluchtigt de compositie.

1. To add pattern to the skirt, shape the shadows following each volume.

1. Bevor man den Rock mit einem Muster versieht, muss man die Schatten kennzeichnen und dabei die einzelnen Volumen berücksichtigen.

1. Pour ajouter les motifs de la jupe, créez les ombres en fonction de chaque volume.

1. Om de rok van een patroontje te voorzien geef je de schaduwen vorm aan de hand van de ruimtelijke vorm.

2. Draw the pattern following the creases.

2. Zeichne das Stoffmuster im Einklang mit den Falten.

2. Dessinez les motifs en suivant les plis.

2. Teken het patroon en volg hierbij de plooien.

3. Add shading, following the same guidelines as her skirt.

3. Schattiere auch das Muster nach demselben Schema wie beim restlichen Rock.

3. Ajoutez des ombres, selon le même principe que pour la jupe.

3. Voeg schakeringen toe volgens dezelfde richtlijnen als bij haar rok.

Finishing touches_Letzte Details_Touches finales_Afwerking

The circumference forces the viewer's attention on a particular part of the drawing. To not take over the character, use a neutral color, from the same tonal range as the rest of the composition.

Der Kreis im Hintergrund lenkt den Blick des Betrachters auf eine bestimmte Stelle des Bildes. Er sollte in einem neutralen Farbton gezeichnet werden, der aus derselben Farbskala stammt wie die gesamte Komposition.

Le cercle force l'attention de l'observateur sur une partie précise du dessin. Pour ne pas écraser le personnage, utilisez une couleur neutre, tout en restant dans les mêmes tons que le reste de la composition.

De cirkelomtrek dwingt de aandacht van de kijker in de richting van een bepaald deel van de tekening. Om te voorkomen dat de cirkel het figuur overschaduwt, gebruik je een neutrale kleur uit hetzelfde kleurgebied als de rest van de tekening.

Trendy Girl

 Gals are Japanese girls, mainly students, who love being in tune with the latest fashion trends, spending all their time and money on this. There are different types of *gals* according to skin color and clothes: *ganjiro* have white skin; *ganguro* have darker skin; *loko* have more extreme colors; and *hime*, modern princesses. This illustration tries to capture an introspective snapshot of a character that revolves almost exclusively around its outward appearance.

Gals sind japanische Mädchen, meistens Schülerinnen oder Studentinnen, die sich gern gemäß den neusten Modetrends kleiden und dafür ihre ganze Zeit und Geld aufwenden. Es gibt unterschiedliche Typen von *Gals*, je nach Hautfarbe und Kleidung: *Ganjiro* haben eine helle Hautfarbe, *Ganguro* haben dunklere Haut, *Loko* tragen übertriebenere Farben und *Hime* sind moderne Prinzessinnen. Diese Illustration ist ein Schnappschuss eines Mädchens, das die meiste Zeit damit verbringt, sein Aussehen zu pflegen.

Les *gals* sont les filles japonaises, surtout les étudiantes, accros à la mode, dépensant tout leur temps et leur argent à cet effet. Il y a différents types de gals selon la couleur de leur peau et les habits qu'elles portent : la *ganjiro* a la peau blanche, la *ganguro* la peau mate, la *loko* des couleurs extrêmes et la *hime* est une princesse moderne. Cette illustration tente de capter un instantané introspectif du personnage, qui évolue presque exclusivement autour de son apparence.

Gals zijn Japanse meisjes, voornamelijk studentes, die ervan houden de laatste modetrends te volgen en al hun tijd en geld daaraan besteden. Er zijn verschillende types *gals*, onderverdeeld naar huidskleur en kleding: *ganjiro* hebben een blanke huid, *ganguro* hebben een donkerdere huid, *loko* hebben extremere kleuren en *hime* zijn moderne prinsessen. Deze tekening probeert het innerlijke beeld te vangen van een stripfiguur voor wie bijna alles draait om uiterlijk vertoon.

Shape_Form_Forme_Vorm

To give shape to a figure that is sitting or lying down, first draw the resting points and parts of the figure that will support it. As it is a relaxed position, most of the lines will be soft curves.

Um eine sitzende oder liegende Figur zu skizzieren, markiert man zuerst die Ruhepunkte, auf die sich die Figur stützt, und die Körperteile, mit denen sie das tut. Da sich diese Figur in einer Ruhepose befindet, sollten die meisten Linien aus sanften Kurven bestehen.

Pour donner forme au personnage qui est assis ou allongé, dessinez d'abord les points d'assise et les parties de la silhouette concernés. Dans une position décontractée, la plupart des lignes seront des courbes douces.

Om de vorm van een figuur dat zit of ligt te verkrijgen, teken je eerst de rustpunten en de delen van het figuur die dat ondersteunen. Omdat het een relaxte houding is, moeten de meeste lijnen zacht glooiend zijn.

Volume_Volumen_Volume_Ruimtelijke vorm

It is important to establish depth in our image. Decide which volumes are superimposed on the others and draw the volumes of her fashion accessories, so each of them hangs naturally.

Es ist wichtig, dem Bild Tiefe zu verleihen. Entscheide, welche Volumen über oder vor anderen liegen und zeichne die Volumen der Modeaccessoires so, dass diese natürlich aussehen.

Il est important de créer de la profondeur dans la réalisation de votre image. Décidez quels seront les volumes superposés et dessinez les volumes de ses accessoires de mode, pour qu'ils aient l'air d'être placés naturellement.

Het is belangrijk om diepte in ons beeld te krijgen. Beslis welke volumes boven op de andere komen en teken de ruimtelijke vormen van de modeaccessoires zo dat die er natuurlijk uitzien.

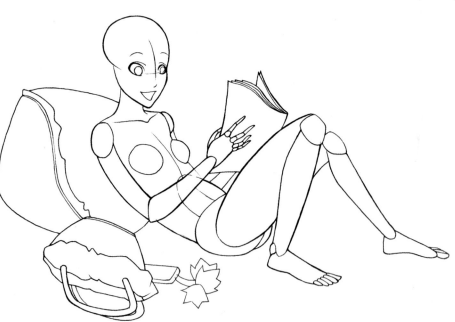

Anatomy_Anatomie_Anatomie_Anatomie

Physical appearance is important here. The magazine is the central object and the gaze should be on its pages. Details like long nails provide more information about our character's interests.

Das Aussehen des Mädchens ist hier ganz besonders wichtig. Das Modeheft ist das zentrale Objekt und der Blick muss auf seine Seiten fallen. Details wie lange Nägel geben mehr Information über die Interessen des Charakters.

L'apparence physique est ici très importante. Le magazine est l'objet central du dessin et le regard doit être attiré sur les pages. Des détails, comme les ongles longs, révèlent les centres d'intérêt de notre personnage.

Fysieke verschijning is hier belangrijk. Het tijdschrift is het centrale object en de blik moet op de pagina's gericht zijn. Details zoals lange nagels geven meer informatie over de interesses van ons stripfiguur.

Despite the intimacy of the scene, clothing is crucial for this character. Fashion accessories (ankle bracelets, bag, etc.) are important and should reflect this girl's taste for fashion.

Das Outfit ist in dieser Szene das Ausschlaggebende. Modeaccessoires (Armreifen, Tasche, usw.) sind wichtig und müssen die Vorliebe des Mädchens für Mode widerspiegeln.

Malgré l'intimité de la scène, l'habillement est primordial chez notre personnage. Les accessoires de mode (bracelets, sac, etc.) sont importants et doivent refléter l'engouement de cette fille pour la mode.

De kleding blijft het belangrijkst voor dit figuurtje, zelfs in deze privé-omgeving. Modeaccessoires (enkelkettinkjes, tasje, etc.) zijn belangrijk en moeten de modesmaak van het meisje laten zien.

Lighting_Licht_Éclairage_Lichtval

Consider the character's shadow when defining the space between her, the floor and the resting points. Change and contrast colors to help differentiate textures, such as the shiny telephone screen.

Berücksichtige auch den Schatten der Figur, wenn Du den Zwischenraum zwischen ihr, dem Fußboden und den Ruhepunkten definierst. Verändere und kontrastiere Farben, um Texturen zu unterscheiden, z. B. den glänzenden Handybildschirm.

Considérez l'ombre du personnage pour définir l'espace entre elle, le sol et les points d'assise. Modifiez et contrastez les couleurs pour permettre de différencier les textures, à l'instar de l'écran de téléphone brillant.

Houd rekening met de schaduw van het figuur als je de ruimte afbakent tussen het meisje, de vloer en de rustpunten. Wissel de kleuren af en laat ze contrasteren om de materialen, zoals het glimmende telefoonschermpje, te laten verschillen.

Flat colors_Basisfarben_Couleurs simples_Effen kleuren

Colors must be appropriate for the character; pastel pink is usually a *gal* favorite. Combine with complimentary colors such as cream/yellow. Match the color of her clothes with her accessories.

Die Farben müssen zum Charakter passen; hellrosa ist meistens die Lieblingsfarbe der *Gals*. Kombiniere die Farbe mit Komplementärfarben wie beige oder gelb. Die Farben der Kleidung müssen gut zu denen der Accessoires passen.

Les couleurs doivent aller avec le personnage : le rose pastel est souvent la couleur préférée de la *gal*. Combinez avec des couleurs complémentaires comme le jaune/crème. Pensez à assortir la couleur de ses habits aux accessoires.

De kleuren moeten passen bij het figuur: zachtroze is gewoonlijk favoriet bij een *gal*. Combineer dit met complementaire kleuren zoals crème/geel. Laat de kleur van de kleren van het meisje passen bij die van haar accessoires.

Shading_Schatten_Ombres_Arcering

The colors of the shadows should belong to the same tonal range as the clothes, but without darkening or saturating them, thus keeping the illustration within a range of soft tones.

Die Schatten müssen zur selben Farbskala wie die Kleidung gehören, sollten aber nicht zu dunkel oder gesättigt ausfallen; es ist ratsam, die Illustration in zarten Tönen zu halten.

Les couleurs des ombres devraient être dans la même gamme de tons que les habits, sans les obscurcir ni les saturer, tout en conservant une palette de tons doux.

De kleuren van de schaduwen moeten uit hetzelfde kleurgebied komen als de kleren, maar zonder ze donkerder te maken of te verzadigen. Zodoende blijft de tekening binnen het gebied van de zachte schakeringen.

1. The composition is altered from a horizontal to a triangular format.

1. Wir verändern die Komposition und geben ihr statt einem horizontalen ein dreieckiges Format.

1. La composition passe du format horizontal au format triangulaire.

1. We besluiten de compositie van horizontaal formaat naar driehoeksformaat te veranderen.

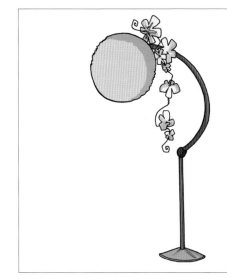

2. Add a lamp to help recover part of the image's upright positioning.

2. Wir fügen eine Lampe hinzu, die den leeren Platz im oberen Teil des Bildes ausfüllt.

2. Ajoutez une lampe pour retrouver une partie de l'image en position verticale.

2. Voeg een lamp toe om de deels opgerichte positie van het beeld terug te krijgen.

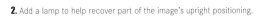

3. The lamp fits in with the general style of the drawing.

3. Die Lampe wird im gleichen Stil gezeichnet wie der Rest.

3. La lampe va avec le style général du dessin.

3. De lamp past bij de algehele stijl van de tekening.

Finishing touches_Letzte Details_Touches finales_Afwerking

The structure is more triangular. Color can play a major role in a composition. The magazine with its yellow color contrasting with the shades of pink acts as the central axis of the illustration.

Die Struktur ist jetzt dreieckiger. Farbe kann beim Illustrieren eine wichtige Rolle spielen. Das gelbe Modeheft bildet hier einen Kontrast zu dem vielen Rosa und stellt daher die zentrale Achse des Bildes dar.

La structure est davantage triangulaire. La couleur peut jouer un rôle majeur dans une composition. Le magazine jaune, contrastant avec les nuances de rose, devient l'axe central de l'illustration.

De structuur heeft meer de vorm van een driehoek. Kleur kan een belangrijke rol spelen in de compositie. Het gele tijdschrift, dat contrasteert met de roze schakeringen, vervult de rol van de centrale as in de tekening.

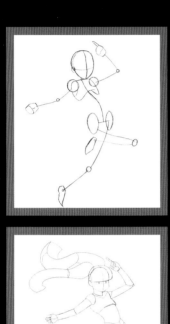

Idol

The *idol* phenomenon began in the early 70s in Japan. *Idols* are girls between the ages of 16 and 21 who are entirely devoted to the pop world. All Japanese teenage girls need to become an *idol* is an attractive body and a lot of charisma. There are hundreds of *manga* series dedicated to the *idol* world, such as *Idol Tenshi Youkoso Yoko*, *Idol Project* and *Lovedol Lovely Idol*. Perhaps the biggest and best example of them all is *Idol Densetsu Eriko*, a series from the late 80s.

Das Phänomen der *Idols* begann in den frühen 70er Jahren in Japan. *Idols* sind Mädchen zwischen 16 und 21 Jahren, die sich in der Welt des Pop bewegen. Alle japanischen weiblichen Teenager wollen ein *Idol* sein. Voraussetzung dafür sind ein attraktiver Körper und eine Menge Charisma. Es gibt Hunderte von *Manga* - Serien, die sich mit der Welt der *Idols* beschäftigen, z. B. *Idol Tenshi Youkoso Yoko*, *Idol Project* und *Lovedol Lovely Idol*. Das bekannteste und beste Beispiel von allen ist aber *Idol Densetsu Eriko*, eine Serie aus den späten 80ern.

Le phénomène *idol* est apparu au début des années 1970 au Japon. Les *idol* sont des filles âgées de 16 à 21 ans, complètement accros au monde de la pop. Toutes les adolescentes japonaises qui veulent devenir une *idol* ont un corps attirant et un charisme fou. Il y a des centaines de séries de mangas consacrées au monde *idol* : comme *Idol Tenshi Youkoso Yoko*, *Idol Project* et *Lovedol-Lovely Idol*. L'*idol Densetsu Eriko*, des bandes dessinées de la fin des années 1980, est en probablement le meilleur exemple.

Het fenomeen *idol* begon in Japan begin jaren zeventig. *Idols* zijn meisjes tussen de 16 en 21 jaar, die helemaal gek zijn op popmuziek. Alle Japanse tienermeisjes die *idol* willen worden, moeten een aantrekkelijk lichaam en veel charisma hebben. Er zijn honderden manga-series gewijd aan de *idol*-wereld, zoals *Idol Tenshi Youkoso Yoko, Idol Project* en *Lovedol Lovely*. Wellicht is *Idol Densetsu Eriko*, een serie van eind jaren tachtig, hier het beste voorbeeld van.

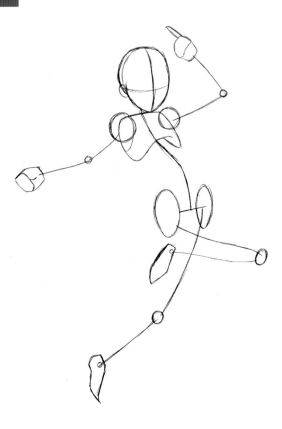

Shape_Form_Forme_Vorm

A front view helps us try to capture the girl's movement across the stage as she sings. This is accentuated by arching her back and drawing a flexed leg. Her left leg looks like it is jumping.

Eine Frontansicht hilft dabei, die Bewegungen des Mädchens auf der Bühne zu erfassen, während es singt. Das wird durch die Biegung seines Rückens und des angewinkelten Beines verstärkt. Mit dem linken Bein scheint es zu springen.

Une vue de face permet de capter le balancement de la fille sur la scène lorsqu'elle chante. On peut l'accentuer en cambrant le dos et en dessinant une jambe fléchie. Sa jambe gauche semble sautiller.

Een vooraanzicht helpt ons de beweging van het meisje over het podium vast te leggen terwijl ze zingt. De beweging wordt geaccentueerd door de rug hol te maken en het been gebogen te tekenen. Haar linkerbeen maakt een springende beweging.

Volume_Volumen_Volume_Ruimtelijke vorm

Use cylindrical shapes to draw the volume of her hair, the element that best defines her movement. Define the shape of her hands and mark the position of her feet with simple shapes to add volume.

Benutze runde Formen zum Zeichnen der Haare, denn sie spiegeln am besten die Bewegung wider. Skizziere die Hand und zeichne die Position der Füße mit einfachen Formen und Volumen.

Utilisez des formes cylindriques pour dessiner le volume de ses cheveux, l'élément qui définit le mieux son mouvement. Définissez la forme de ses mains et déterminez la position de son pied avec des formes simples pour ajouter du volume.

Gebruik cilindrische vormen voor de ruimtelijke vorm van het haar, het onderdeel dat de beweging het beste weergeeft. Baken de vorm van haar handen af en markeer de houding van de voeten met simpele vormen voor een ruimtelijk effect.

Anatomy_Anatomie_Anatomie_Anatomie

Since she's an *idol* we should draw her with a kind and attractive face – she's winking to the fans. The position of her left pinkie is a personal gesture which gives the character some charisma.

Da es ein *Idol* ist, sollten wir das Girl mit einem netten und attraktiven Gesicht zeichnen – es winkt seinen Fans zu. Der rechte abgespreizte kleine Finger ist eine persönliche Geste, die dem Charakter Charisma verleiht.

Puisque c'est une *idol*, il faut lui dessiner un visage attirant – elle salue ses fans. La position de son petit doigt gauche exprime un geste très personnel qui lui confère du charisme.

Omdat zij een *idol* is, moeten we haar tekenen met een aardig en aantrekkelijk gezicht – ze knipoogt naar haar fans. De houding van de linkerpink is een persoonlijk gebaar dat het stripfiguur charisma geeft.

Final sketch_Endskizze_Esquisse définitive_Uiteindelijke schets

The base of the microphone stand helps make the image more dynamic. The attire fits her movements: the dress flows while the handkerchief moves in the opposite direction.

Der Fuß des Mikrophonständers lässt das Bild noch dynamischer erscheinen. Das Outfit passt ganz zu den Bewegungen des Mädchens: Das Kleid hat eine fließende Bewegung und die Taillenschärpe fliegt in entgegengesetzter Richtung.

La base du pied du microphone rend l'image plus dynamique. Ses habits épousent ses mouvements : la robe ondule et le foulard flotte dans la direction opposée.

De voet van de microfoonstandaard helpt om het beeld dynamischer te maken. De kledij past bij de bewegingen: de jurk waait op terwijl de tailleband de andere kant op beweegt.

Lighting_Licht_Éclairage_Lichtval

Stages designed for music performances are usually lit by a strip of spotlights aligned overhead. Ours is no exception; use a zenithal light to correctly mark shadows and define texture to perfection.

Bühnen für Musikauftritte werden gewöhnlich mit mehreren darüber angebrachten Spotlights beleuchtet. Dieses Bild ist keine Ausnahme. Verwende deshalb Oberlicht zum Einzeichnen der Schatten und Texturen.

Les scènes conçues pour les performances musicales sont souvent éclairées par une rangée de spots alignés en hauteur. La nôtre n'y fait pas exception : utilisez une lumière zénithale pour délimiter correctement les ombres et définir la texture à la perfection.

Podia ontworpen voor muziekoptredens zijn gewoonlijk verlicht door een rij spotlights van bovenaf. Bij ons is het niet anders: gebruik licht van boven om op de juiste wijze de schaduwen te markeren en de materialen perfect weer te geven.

Flat colors_Basisfarben_Couleurs simples_Effen kleuren

Use bright and saturated colors to reflect happiness and dynamism. The microphone stand serves as the starting point for the girl's movement, so paint it in a dark color to contrast with her.

Benutze helle und gesättigte Farben, die Freude und Dynamik ausdrücken. Der Mikrofonständer dient als Ausgangspunkt der Bewegung des Mädchens; zeichne ihn also in dunklen Farben, im Kontrast zur Hauptfigur.

Utilisez des couleurs gaies et saturées pour traduire la joie et le dynamisme. Le pied du microphone sert de point de départ aux mouvements de la fille, n'hésitez pas à le peindre dans une couleur foncée pour contraster avec elle.

Gebruik heldere en verzadigde kleuren die geluk en dynamiek uitstralen. De microfoonstandaard dient als beginpunt voor de beweging en moet dus een donkere kleur krijgen om met het meisje te contrasteren.

Shading_Schatten_Ombres_Arcering

Begin defining the textures and shape the character's volume. Pay attention to the shadows made by her clothing and use a color of the same tone to draw the pupil of her eye and add depth.

Definiere nun die Texturen und genauen Formen der einzelnen Volumen. Achte besonders auf die Schatten, die ihre Kleidung wirft. Verwende für den Augapfel eine Farbe aus derselben Farbskala.

Commencez à définir les textures et à former le volume du personnage. Attention aux ombres créées par les habits et utilisez une couleur du même ton pour dessiner la pupille de son œil et ajouter de l'intensité.

Begin met het weergeven van het materiaal en maak de ruimtelijke vorm van het figuur. Let op de schaduwen van de kleren en gebruik een kleur uit hetzelfde kleurgebied om de pupil van het oog te tekenen en zo diepte toe te voegen.

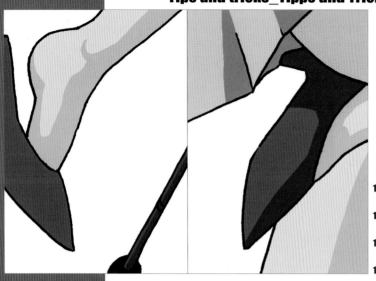

1. Use the shadows described in the previous steps.

1. Schattiere so, wie in den vorhergegangenen Schritten erklärt.

1. Utilisez la technique précédemment décrite pour les ombres.

1. Gebruik de schaduwen zoals in de voorgaande stappen is beschreven.

2. On a separate layer create a diminishing range of reds that follows the drawing's light source.

2. Entwickle auf einer separaten Schicht eine abklingende Skala von Rottönen entsprechend der Lichtquelle.

2. Sur une feuille séparée, créez une gamme décroissante de rouge qui suit la source de lumière du dessin.

2. Maak op een aparte laag een verloop van licht- naar donkerrood, die klopt met de lichtbron van de hele tekening.

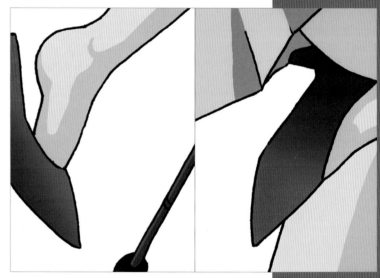

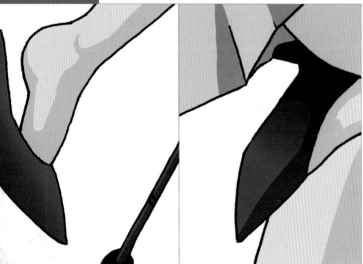

3. Combine this with the shadows already added.

3. Kombiniere diese Schicht mit den zuvor geschaffenen Schatten.

3. Combinez ce dégradé avec les ombres déjà ajoutées.

3. Combineer deze laag met de reeds gemaakte schaduwen.

Finishing touches_Letzte Details_Touches finales_Afwerking

Add white to her shoes to create a shinier surface and add a simple but effective background using the colors used on our character. Make sure they don't mix so as not to lose depth.

Male etwas weiß auf die Schuhe, um die Oberfläche glänzender aussehen zu lassen und gib mit denselben Farben wie denen der Figur einen einfachen, aber wirkungsvollen Hintergrund hinzu. Die Farben dürfen sich aber nicht vermischen, sonst verliert die Figur an Tiefe.

Ajoutez du blanc à ses chaussures pour créer une surface plus brillante. Choisissez un fond simple, mais faisant de l'effet en utilisant les couleurs propres à notre personnage. Assurez-vous qu'elles ne se mélangent pas pour ne pas perdre de profondeur.

Voeg wit toe aan de schoenen om ze een glanzender textuur te geven en voeg een simpele, maar effectieve achtergrond toe met dezelfde kleuren als het stripfiguur. Zorg ervoor dat ze zich niet mengen, want dan verlies je diepte.

Magical Girl

The genre of magical girls or *maho shojo* encompasses a world of *manga* and *anime* where the main characters are girls with magical powers who are suddenly transformed into heroines. Some famous characters are Sailor Moon, Cardcaptor Sakura and Doremi. These characters can be distinguished by their special powers and bombastic outfits, which are inspired by a schoolgirl uniform or a wedding dress, transformed and overloaded with colorful fashion accessories.

In dem Untergenre *Maho shojo* sowohl des *Manga* als auch des *Anime* sind die Hauptfiguren Mädchen mit magischen Kräften, die sich in Heldinnen verwandeln. Einige bekannte Charaktere sind *Sailor Moon*, *Cardcaptor Sakura* und *Doremi*. Diese Charaktere haben aber nicht nur besondere Kräfte, sondern auch bombastische Outfits. Diese sind von Schuluniformen oder Hochzeitskleidern inspiriert, die leicht abgewandelt und üppig mit bunten Modeaccessoires ausgestattet werden.

Dans le monde des mangas et des *anime*, les *magical girls* (ou *maho shojo*) sont des filles subitement transformées en héroïnes grâce aux pouvoirs conférés par un objet magique. Il y a des personnages célèbres, comme *Sailor Moon*, *Cardcaptor Sakura* et *Doremi*. Ces personnages se reconnaissent par leurs pouvoirs spéciaux et leurs costumes extravagants, inspirés des uniformes d'écolières ou des robes de mariage, transformés et surchargés d'accessoires de mode colorés.

Het genre *magical girls* of *maho shojo* omvat een wereld van *manga* en *anime* waarin de hoofdfiguren meisjes zijn met magische krachten die plotsklaps veranderen in heldinnen. Enkele beroemde stripfiguren zijn *Sailor Moon*, *Cardcaptor Sakura* en *Doremi*. Deze figuren kun je herkennen aan hun speciale krachten en bombastische outfits, die geïnspireerd zijn op een schoolmeisjesuniform of trouwjapon, maar dan getransformeerd en overladen met kleurrijke modeaccessoires.

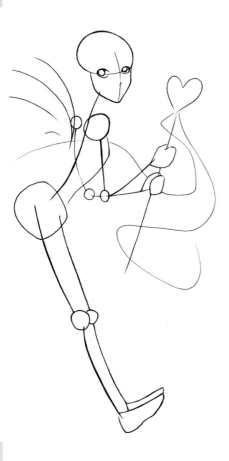

Shape_Form_Forme_Vorm

We'll try to make it look like our character is floating on air, a classic position in magical girl illustrations. To express movement, curve her back, which will also affect the rest of the position.

Das hier gezeigte Zaubergirl schwebt in der Luft, eine klassische Pose in *Magical Girl*-Illustrationen. Zum Ausdruck der Bewegung kann man den Rücken krümmen, was sich dann auch auf den Rest der Pose auswirkt.

Il faut tenter de faire flotter le personnage dans l'air, une position classique dans les illustrations des *magical girls*. Pour traduire le mouvement, cambrez son dos, ce qui modifiera le reste de la position.

We proberen het er zo uit te laten zien dat het lijkt alsof ons figuurtje zweeft, een klassieke positie in *magical girl*-illustraties. Om beweging uit te drukken buig je de rug, hetgeen ook de rest van de houding zal beïnvloeden.

Volume_Volumen_Volume_Ruimtelijke vorm

The best way to exaggerate the movement of her back is to exaggerate the position of her pelvis. Even for a static pose, give the character the kind of body language that makes it come alive.

Die beste Möglichkeit, die Bewegung des Rückens zu übertreiben, ist, die Beckenposition überzogen darzustellen. Sogar bei einer statischen Pose sollte man dem Charakter eine Art Körpersprache verleihen, durch die er lebendig wird.

La meilleure façon d'accentuer le mouvement de son dos est d'exagérer la position de son pelvis. Même si c'est une pose statique, donnez au personnage le langage corporel qui le fait vivre.

De beste manier om de beweging te onderstrepen is om de houding van het bekken te overdrijven. Zelfs bij een statische houding geef je het figuur het soort lichaamstaal dat het tot leven doet komen.

Anatomy_Anatomie_Anatomie_Anatomie

Sometimes the magical transformation process makes our character's body evolve from a girl into an adolescent, but we should never exaggerate her feminine attributes too much.

Bei der Transformation zum Zaubergirl passiert es gelegentlich, dass der Kinderkörper in den Körper eines jungen Mädchens verwandelt wird. Man sollte es jedoch niemals mit den weiblichen Attributen übertreiben.

Parfois, le processus de transformation magique fait que le personnage de fille mue en adolescente, donc n'accentuez jamais exagérément ses attributs féminins.

Soms zorgt het magische veranderingsproces ervoor dat het lichaam van de stripfiguur zich van een meisjeslichaam tot dat van jonge vrouw ontwikkelt, maar ook dan mogen haar vrouwelijke vormen niet te veel overdreven worden.

Final sketch_Endskizze_Esquisse définitive_Uiteindelijke schets

For her costume, turn to the series mentioned for conceptual masterpieces. Add exaggerated fashion accessories and a great many ornamental details verging on the baroque.

Für das Design der Kostüme kann man auf die erwähnten Comicserien zurückgreifen, in denen man wahre Meisterstücke findet. Übertriebene Modeaccessoires und jede Menge Verzierungen, die an das Barocke grenzen, dürfen nicht fehlen.

Pour le costume, référez-vous aux séries mentionnées pour les chefs-d'œuvre conceptuels. Ajoutez une abondance d'accessoires de mode et de détails ornementaux frisant le baroque.

Voor haar kleding verwijzen we naar conceptuele meesterwerken uit eerdergenoemde series. Voeg hier overdreven modeaccessoires aan toe en ook heel veel sieraden en versiersels die op de grens van het barokke liggen.

Lighting_Licht_Éclairage_Lichtval

Shape the shadows to exaggerate the volume of her skirt. Her shoulder pads accentuate the movement of her ribbons and the shape of her wings. Shadows help separate elements on different planes.

Markiere die Schatten, um das Volumen des Rocks zu illustrieren. Die Schulterpolster betonen die Bewegung der Bänder und die Form der Flügel. Schatten schaffen eine Trennung der Elemente der verschiedenen Ebenen.

Formez les ombres pour exagérer le volume de sa jupe. Ses épaulettes accentuent le mouvement de ses rubans et la forme de ses ailes. Les ombres permettent de séparer les éléments sur différents plans.

Geef de schaduwen vorm om de ruimtelijke vorm van de rok te overdrijven. De schoudervullingen accentueren de beweging van haar lintjes en de vorm van haar vleugels. Schaduwen dragen ertoe bij om de verschillende oppervlakken te scheiden.

Flat colors_Basisfarben_Couleurs simples_Effen kleuren

Always use bright colors. Color is one of the main identifying elements of magical girls. Different color combinations can be used to connect girls to their origin, abilities, personality or powers.

Verwende immer leuchtende Farben. Farbe ist das herausragendste Element der *Magical Girls*. Farben können eingesetzt werden, um die Ursprünge, Fähigkeiten, Charaktereigenschaften oder Kräfte dieses Charakters hervorzuheben.

Utilisez toujours des couleurs vives. La couleur est l'un des éléments essentiels d'identification des *magical girls*. Composez différentes combinaisons de couleurs pour associer les filles à leur origine, leur personnalité ou leurs pouvoirs.

Gebruik altijd heldere kleuren. Kleur is een van de belangrijkste kenmerkende elementen van *magical girls*. Verschillende kleurcombinaties kunnen gebruikt worden om een verband te leggen tussen het meisje en haar herkomst, talenten, persoonlijkheid of krachten.

Shading_Schatten_Ombres_Arcering

Though shading is somewhat more complex, follow the same steps as with the lighting. We can see how to enrich our shaping by applying other colors in our layers of shading.

Obwohl das Schattieren komplexer ist, verläuft es nach demselben Schema wie bei der Lichtgebung. Beim Schattieren kann man damit spielen, in anderen Schichten neue Farben zu verwenden, um die Formen zu verschönern.

Même si le tracé des ombres est légèrement plus complexe, suivez les mêmes étapes que pour la lumière. En traçant les ombres, on peut voir comment enrichir la forme en appliquant d'autres couleurs dans nos couches d'ombre.

Hoewel arceren iets ingewikkelder is, volgen we toch dezelfde stappen als bij de lichtval. Tijdens het arceren zien we hoe de vormen verrijkt worden door andere kleuren toe te passen in de arceerlagen.

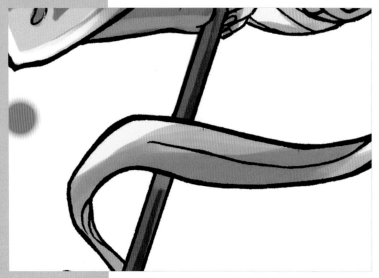

1. For softer shadows avoid saturating the illustration with dark colors.

1. Nimm für die schwächeren Schatten keine dunklen gesättigten Farben.

1. Pour des ombres plus douces, évitez de saturer les illustrations avec des couleurs sombres.

1. Om zachtere schaduwen te krijgen vermijden we het verzadigen van de tekening met donkere kleuren.

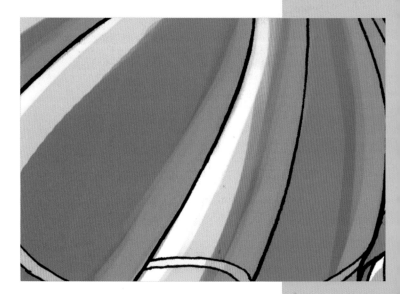

2. Add effects that reflect light within the shadow.

2. Bring Effekte in die Zeichnung, die das Licht innerhalb des Schattens widerspiegeln.

2. Ajoutez des effets qui reflètent la lumière au sein de l'ombre.

2. Voeg effecten toe die het licht binnen de schaduw reflecteert.

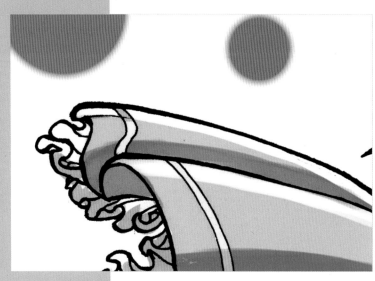

3. A second light focus can reflect color within a shadow.

3. Eine zweite Lichtquelle kann die Farbe im Schatten reflektieren.

3. Une deuxième source de lumière peut refléter la couleur au sein de l'ombre.

3. Een tweede lichtpunt kan kleur binnen de schaduw reflecteren.

Finishing touches_Letzte Details_Touches finales_Afwerking

For a warm, magical atmosphere combine ranges of colors that give off pleasant brightness even when shaded. To enrich these kinds of illustrations use effects such as sparkles and highlights.

Um eine warme, magische Atmosphäre zu schaffen, kann man Farbgruppen miteinander kombinieren, damit auch die Schatten leuchten. Bei dieser Art von Illustrationen sollte man Effekte wie glitzernde und glänzende Stellen einsetzen.

Pour créer une atmosphère chaude et magique, combinez des gammes de couleurs qui dégagent un éclat agréable, même si on les ombre. Pour enrichir ce genre d'illustrations, introduisez des effets comme les étincelles et les reflets.

Voor een warme, magische sfeer combineer je kleurgebieden die een prettige helderheid geven, zelfs in de schaduw. Om deze illustraties te verrijken gebruik je effecten zoals flonkeringen en lichtpuntjes.

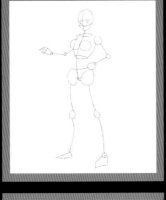

Princess

Lots of young girls dream of becoming princesses. They represent virtues such as beauty, honor, elegance, goodness, innocence and happiness. In *manga*, however, these princesses don't always play the subservient part of a damsel in distress. There are plenty of hardened princesses that defend the values they believe in. Considering these characteristics in *manga*, we'll design a majestically beautiful, delicate and sensual princess with the glint of a warrior in her eyes.

Viele Mädchen träumen davon, eine Prinzessin zu sein. Sie repräsentiert Tugenden wie Schönheit, Ehre, Eleganz, Güte, Unschuld und Glück. Beim *Manga* spielen aber diese Prinzessinnen nicht immer die Rolle der unbefleckten Maid, die in Gefahr ist. Es gibt zahlreiche selbstbewusste Prinzessinnen, die die Werte, an die sie glauben, verteidigen. Auf der Basis dieser Eigenschaften einer *Manga*-Prinzessin zeichnen wir eine majestätisch schöne, zarte und sinnliche Prinzessin mit einem Hauch von Kämpfergeist in den Augen.

La plupart des jeunes filles rêvent de devenir un jour une princesse. Ce personnage représente la beauté, l'élégance, la bonté, l'innocence et la joie. En revanche, dans les mangas, ces princesses ne jouent pas toujours le rôle soumis d'une damoiselle en détresse. Il y a pléthore de princesses endurcies, qui défendent les valeurs auxquelles elles croient. Connaissant les caractéristiques des mangas, nous dessinerons une superbe princesse, majestueuse, sensuelle et délicate avec une lueur passionnée dans les yeux.

Veel jonge meisjes dromen ervan om een prinses te worden. Prinsessen staan voor waarden zoals schoonheid, eer, elegantie, goedheid, onschuld en geluk. In *manga* daarentegen spelen deze prinsessen niet altijd de rol van onderdanige jongedame in nood. Er zijn veel geharde prinsessen die de waarden verdedigen waar zij in geloven. Rekening houdend met deze kenmerken bij *manga* ontwerpen we een majestueuze, mooie, delicate en sensuele prinses met een krijgslustige schittering in haar ogen.

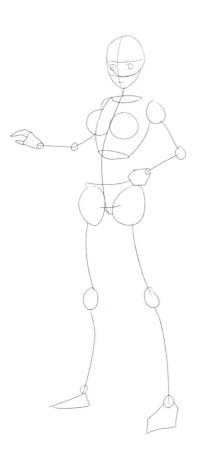

Shape_Form_Forme_Vorm

The three-quarter perspective is ideal when presenting a character for the first time. Choose a natural, relaxed position for our princess. The hand gesture indicates her aristocratic nature.

Eine Dreiviertelperspektive eignet sich perfekt, um eine Figur zum ersten Mal vorzustellen. Wähle eine natürliche, entspannte Pose für unsere Prinzessin. Die Position ihrer Hände drückt ihre aristokratische Herkunft aus.

La perspective de trois quarts est idéale lorsque l'on présente un personnage pour la première fois. Choisissez une position naturelle et décontractée pour votre princesse. Le geste de la main indiquera son origine aristocratique.

Het driekwartaanzicht is ideaal om een stripfiguur te introduceren. Kies voor onze prinses een natuurlijke, relaxte houding. Het handgebaar laat haar aristocratische afkomst zien.

Volume_Volumen_Volume_Ruimtelijke vorm

When framing a position it's important to place the feet correctly. In the three-quarter position the feet are unaligned, with one of them slightly on top of the other by way of perspective.

Beim Skizzieren der Haltung ist es wichtig, die Füße korrekt zu positionieren. In der Dreiviertelperspektive stehen die Füße nicht zusammen, und einer ist etwas höher platziert als der andere, um perspektivisch korrekt zu wirken.

Pour cadrer une position, il est essentiel de bien placer les pieds. Dans la stature de trois quarts, les pieds ne sont pas alignés, l'un étant légèrement au-dessus de l'autre, pour respecter la perspective.

Bij het positioneren is het belangrijk om de voeten goed te plaatsen. Bij het driekwartaanzicht staan de voeten niet op één lijn. De ene voet staat, perspectivisch gezien, iets hoger dan de andere.

Anatomy_Anatomie_Anatomie_Anatomie

The silhouette of a young girl is usually svelte and stylized. Slightly elongate her legs to make her hourglass shape more evident. Also begin to plan the effect the corset has on her breasts.

Die Silhouette eines jungen Mädchens ist normalerweise schlank und gestreckt. Zeichne daher die Beine etwas länger, um die weibliche Sanduhrform stärker zum Ausdruck zu bringen. Mach Dir Gedanken über die Effekte, die das Korsett auf die Form der Brust hat.

La silhouette d'une jeune fille est généralement svelte et stylisée. Allongez légèrement ses jambes pour mettre en avant sa forme de sablier. Pensez déjà à l'effet du corset sur sa poitrine.

Het silhouet van een jong meisje is gewoonlijk slank en gestileerd. Verleng de benen iets om de zandlopervorm te accentueren. Denk ook alvast na over het effect dat het korset zal hebben op de borsten.

Final sketch_Endskizze_Esquisse définitive_Uiteindelijke schets

The dress is the center of attention in this drawing. Develop your most fantastic ideas based on royal costume designs. A delicate crown reveals this young girl's important rank.

Das Kleid ist der Blickfang in dieser Zeichnung. Lass Deine Fantasie spielen und orientiere Dich an königlichen Kostümen. Eine dezente Krone deutet auf den wichtigen Rang des Mädchens hin.

La robe est le point de mire de ce dessin. Donnez libre cours à votre imagination en pensant à la coupe des costumes royaux. Une fine couronne révélera le rang élevé de la jeune fille.

De jurk terkt in deze tekening alle aandacht. Geef je fantasie vrij spel en neem koninklijke kostuumontwerpen tot voorbeeld voor de jurk. Een delicaat kroontje verraadt de hoge positie van dit jonge meisje.

Lighting_Licht_Éclairage_Lichtval

Here lighting will merely shape the character. For her dress and to show a fine, delicate texture, choose tones that don't darken or contrast too much with our original color.

Der Lichteinfall spielt für diesen Charakter nur eine untergeordnete Rolle. Verwende für das Kleid und die zarte Textur des Stoffes nicht zu dunkle Farbtöne, um keinen zu starken Kontrast zur Originalfarbe herzustellen.

Le fait d'ombrer donne du volume au personnage. Pour sa robe et pour en montrer la texture fine et subtile, choisissez des tons qui ne sont pas trop foncés ou ne contrasteront pas trop avec notre couleur de base.

Hier zorgt de lichtval alleen maar voor de vorm van het figuur. Voor haar jurk en om het fijne delicate weefsel weer te geven, kies je schakeringen die niet verdonkeren of te veel een contrast vormen met de originele kleur.

Flat colors_Basisfarben_Couleurs simples_Effen kleuren

For these characters, we use pastel colors that are not too saturated and very luminous, such as pastel yellows, blues and pinks. White is usually reserved for special occasions.

Für diese Figuren verwenden wir ungesättigte und sehr leuchtende Pastellfarben, wie Pastellgelb, Blau- und Rosatöne. Weiß wird allerdings für Besonderheiten aufbewahrt.

Pour ces personnages, utilisez des tons pastel, lumineux sans être saturés, comme le jaune, le bleu ou le rose. Le blanc est toujours réservé pour des occasions spéciales.

Voor deze stripfiguren gebruiken we pastelkleuren die lichtgevend en niet te veel verzadigd zijn, zoals pastelgeel, -blauw en -roze. Wit is meestal gereserveerd voor speciale gelegenheden.

Shading_Schatten_Ombres_Arcering

Begin defining the textures and shape the character's volume. Pay attention to the shadows made by her clothing and use a color of the same tone to draw the pupil of her eye and add depth.

Um die Liebenswürdigkeit auszudrücken, benutze sanfte, helle Farben, auch für die Schattierung. Der wichtigste Teil ist das Kleid. Die Schattengebung verleiht ihm Form und Volumen.

Pour représenter la bonté, utilisez des couleurs douces et vives, y compris pour les ombres. À ce stade, son costume est l'élément majeur. Il prendra du volume grâce aux ombres.

Om te laten zien dat het figuur staat voor goedheid, gebruiken we zachte, heldere kleuren, zelfs voor de schaduw. Het belangrijkste deel is het kostuum. Het heeft "body" nodig om het het voorkomen te geven van een bolle ruimtelijke vorm.

Tips and tricks_Tipps und Tricks_Conseils et astuces_Tips en trucs

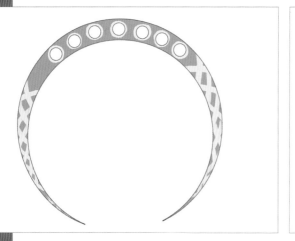

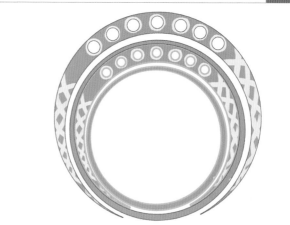

1. For inspiration turn to art history.

1. Nimm zur Anregung Kunstgeschichtswerke zu Hilfe.

1. Trouvez de l'inspiration dans l'histoire de l'art.

1. Kijk naar de kunstgeschiedenis om inspiratie op te doen.

2. Or modernist and *art nouveau* decorations.

2. Oder Jugendstil- und *Art nouveau*-Dekorationen.

2. Ou dans les décorations modernistes et de l'Art Nouveau.

2. . Of naar modernistische en *art nouveau* decoraties.

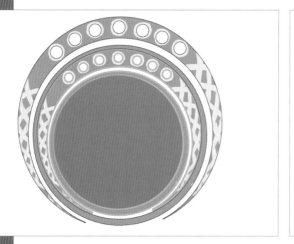

3. Use a compass and curved stencils to finish the embellishments.

3. Benutze Zirkel und Kurvenschablonen zum Zeichnen der Schmuckteile.

3. Utilisez un compas et des pochoirs incurvés pour peaufiner les enjolivures.

3. Gebruik een passer en sjablonen met krommingen voor het afwerken van de versiering.

4. The cloud is like a "drawing within a drawing".

4. Die Wolke ist wie eine „Zeichnung in der Zeichnung".

4. Le nuage est comme un « dessin au cœur d'un dessin ».

4. De wolk is als een "tekening binnen een tekening".

Finishing touches_Letzte Details_Touches finales_Afwerking

At this stage digital coloring facilitates how we blend different elements using color correction systems. These tools allow us to tone the final image. Here we chose a bright, luminous color tone.

Hier ist digitales Kolorieren hilfreich, um die verschiedenen Elemente anhand von Farbkorrekturen in das Bild einzubinden. Wir benutzen dazu helle, leuchtende Farben.

À ce stade, le coloriage numérique facilite la manière de fondre divers éléments en utilisant les systèmes de correction de couleurs. Ces outils nous permettent d'harmoniser les tons de l'image finale. Dans ce dessein, nous choisirons une teinte vive et lumineuse.

In deze fase kunnen we met behulp van kleurcorrectiesystemen de verschillende elementen makkelijker in elkaar over laten lopen. Deze hulpmiddelen stellen ons in staat het definitieve beeld er harmonieus te laten uitzien. Hier kiezen we voor heldere, lichtgevende kleuren.

**Sweet_Süße Mädchen_
Filles adorables_Schattig**

Puppy Girl
Candy Girl
Baby Doll
Angel

Puppy Girl

Japan is one of the most fetishistic countries in the world. They are devoted to the most incredible variety of unimaginable topics. That's how *moe* was born, translated as "budding", or fetishism related to the fields of *manga* and *anime*. Any character from any serial can be considered *moe*, especially females. You could say there is a type of *moe* for every *otaku*, though some are more popular than others. So what happens when we combine a *kawaii* or "cute" girl with one who is *moe*?

Japan gehört zu den Ländern mit den meisten Fetischen. Sie werden in einer unglaublichen Vielfalt aus den unvorstellbarsten Bereichen verehrt. So entstand *Moe*, was wörtlich übersetzt „Knospe" bedeutet und der Fetischismus in der Welt des *Manga* und *Anime* ist. Jeden Charakter aus jeder Serie kann man als *Moe* bezeichnen, besonders aber die weiblichen. Man kann sagen, dass es einen Typ von *Moe* für jeden *Otaku* gibt, obwohl einige populärer sind als andere. Was passiert also, wenn wir ein *Kawaii* („schnuckeliges Mädchen") mit einem *Moe* kombinieren?

Le Japon est l'un des pays les plus fétichistes au monde. Les Japonais vénèrent une quantité inimaginable de choses. C'est ainsi que *moe* est apparu, traduit par « naissant » : un fétichisme lié aux mondes du manga et de l'*anime*. Tout personnage d'une série peut être considéré comme *moe*, spécialement la gente féminine. Il y a en fait une sorte de *moe* pour chaque *otaku*, certains étant plus populaires que d'autres. Que se passe-t-il lorsque l'on associe une fille *kawaï* (« mignonne») avec une autre qui est *moe* ?

Japan is een van de landen met de meeste fetisjen. Japanners vereren een grote hoeveelheid van de meest onwaarschijnlijke voorwerpen. Zo is *moe* ontstaan, wat kan worden vertaald als "ontluiken" en overeenkomt met fetisjisme in de wereld van *manga* en *anime*. Elke stripfiguur van welke serie ook kan beschouwd worden als *moe*, met name de vrouwelijke figuren. Je zou kunnen zeggen dat er een soort *moe* is voor elke *otaku*, zij het dat de een populairder is dan de ander. Dus wat gebeurt er als we een *kawaii*, een snoezig meisje, combineren met een meisje dat *moe* is?

Shape_Form_Forme_Vorm

Draw a young girl in a feline position dressed in a provocative cat outfit. Her spinal column is a pronounced curve from her neck to the end of her tail. One hand holds up a mouse she's just caught.

Zeichne ein Mädchen in einer katzenartigen Pose und zieh ihm ein provokatives Catsuit an. Die Wirbelsäule wird wie eine enge Kurve vom Nacken bis zum Schwanzende gezeichnet. In einer Hand hält die Figur eine Maus, die sie gerade gefangen hat.

Dessinez une jeune fille dans une position féline, habillée dans un costume de chat provocateur. Sa colonne vertébrale suivra une courbe prononcée du cou jusqu'au bout de la queue. Une main tient la souris qu'elle vient d'attraper.

Teken een jong meisje in een kachtige positie en gekleed in een provocerend kattenkostuum. Haar ruggenwervel is een uitgesproken welving van de nek tot het puntje van de staart. Haar ene hand houdt een muis omhoog die ze net gevangen heeft.

Volume_Volumen_Volume_Ruimtelijke vorm

The girl's volumes are especially exaggerated at the hands and feet. Her spinal column's articulation is represented in the drawing with a sphere that also marks the volume of her belly.

Die Volumen werden an den Händen und Füßen besonders akzentuiert. Die Wirbelsäule wird kreisförmig dargestellt, was sich auch in der Form des Glöckchens widerspiegelt.

Les volumes de la fille sont particulièrement exagérés au niveau des mains et des pieds. L'articulation de sa colonne vertébrale est représentée sur le dessin par un cercle, qui marque aussi le volume de son ventre.

De ruimtelijke vormen van het meisje zijn met name overdreven bij de handen en de voeten. De articulatie van de wervelkolom wordt gecreëerd door een bol die ook de ruimtelijke vorm van de buik markeert.

Anatomy_Anatomie_Anatomie_Anatomie

As the figure is wearing little clothing take care to develop her anatomy correctly. Her supporting arm is rigid. Give her a naughty expression, with her eyelids slightly closed and a fixed gaze.

Da die Figur wenig Kleidung trägt, müssen wir die Anatomie ganz korrekt wiedergeben. Der auf den Boden gestützte Arm ist gerade ausgestreckt. Verleihe der Figur ein neckisches Aussehen, mit leicht geschlossenen Augenlidern und einem scharfen Blick.

Comme le personnage porte peu d'habits, soignez son anatomie. Le bras qui la soutient est rigide. Donnez-lui une expression méchante : les paupières légèrement fermées et un regard fixe.

Omdat het stripfiguur weinig kleren draagt, is het zaak om de anatomie correct weer te geven. De arm waar het meisje op steunt is stijf. Geef haar een ondeugende uitdrukking, met de oogleden lichtjes geloken en een gefixeerde blik.

Final sketch_Endskizze_Esquisse définitive_Uiteindelijke schets

Draw a discontinuous, sharp-pointed contour that imitates the fuzzy material of the girl's outfit. The toy mouse she's just caught and which hangs from her hand adds a touch of humor.

Zeichne eine unterbrochene, spitze Kontur, die das pelzige Material des Kostüms imitiert. Die gerade gefangene Spielmaus in der Hand verleiht dem Bild einen Touch von Humor.

Dessinez une ligne continue, des contours très nets qui imitent le tissu velouté de la tenue de la fille. La souris en peluche qu'elle vient d'attraper et laisse pendre de sa main ajoute une pointe d'humour.

Teken een onderbroken, scherpgekante contour. Dat is het donzige materiaal van het pakje van het meisje. De speelgoedmuis die ze net gevangen heeft en aan haar hand hangt, voegt er een tikkeltje humor aan toe.

Lighting_Licht_Éclairage_Lichtval

Intense light comes from the upper left part of the illustration creating a big contrast between the shaded areas. See how the different body parts overlap and create shaded areas.

Helles Licht fällt von der oberen linken Hälfte auf das Bild und schafft so einen starken Kontrast zwischen den einzelnen Schatten. Man kann gut erkennen, wie die verschiedenen Körperteile sich überschneiden und unterschiedliche Schatten werfen.

La lumière intense vient de la partie située en haut à gauche de l'illustration, créant un fort contraste entre les zones ombrées. Observez comme les différentes parties du corps se superposent et créent des zones ombrées.

Er komt een intens licht vanuit de linkerbovenkant van de tekening. Dit zorgt voor een groot contrast tussen de schaduwen. Kijk hoe de verschillende lichaamsdelen elkaar overlappen en hun schaduwen werpen.

Flat colors_Basisfarben_Couleurs simples_Effen kleuren

Use light, harmonious colors. A tanned skin contrasts with her light-colored hair and eyes and gives her a wild look. A furry, purple dress accentuates the fact she's not really a cat.

Verwende helle, harmonische Farben. Eine getönte Hautfarbe ergibt einen schönen Kontrast zu den hellen Haaren und hellen Augen und gibt dem Mädchen einen wilden Look. Ein pelziger lila Dress erinnert daran, dass es keine wirkliche Katze ist.

Utilisez des couleurs légères et harmonieuses. La peau bronzée contraste avec ses cheveux et ses yeux clairs, lui conférant ainsi un look sauvage. Une robe pourpre en peluche exaltera le fait qu'elle n'est pas un véritable chat.

Gebruik lichte, harmonieuze kleuren. Een gebruinde huid contrasteert met haar lichtgekleurde haar en ogen en geven haar een wilde *look*. Een donzig, paars pakje benadrukt het feit dat ze niet echt een kat is.

Shading_Schatten_Ombres_Arcering

Follow the direction marked by our highlighting and adapt the shadows to the anatomy and texture. To convey the furriness of her outfit, use a sharp-pointed shadow contour.

Zeichne die Schatten gemäß den Anweisungen zum Lichteinfall und passe sie an die Anatomie und den Stoff an. Um das Pelzartige ihres Outfits zu akzentuieren, verwende eine spitze Schattenkontur.

Continuez la direction indiquée par les reflets et adaptez les ombres à l'anatomie et à la texture. Pour communiquer la sensation de fourrure de sa tenue, utilisez un contour ombré très précis.

Volg de richting die wordt aangegeven door onze markering en pas de schaduwen aan de anatomie en het weefsel aan. Om de donzigheid van haar pakje uit te laten komen gebruik je een puntige schaduwcontour.

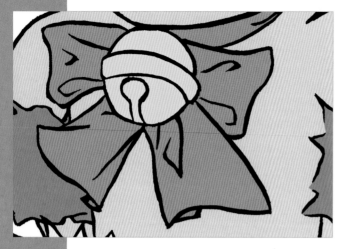 

1. To shape color, first paint a base color.

1. Beim Kolorieren fange zuerst mit den Basisfarben an.

1. Pour former la couleur, peignez d'abord une base colorée.

1. Schilder eerst een basiskleur voor de kleurenvormgeving.

2. Choose a color for shading and mark the areas for this tone.

2. Wähle eine Farbe zum Schattieren und markiere die Stellen für diesen Ton.

2. Choisissez la couleur pour le dégradé et définissez les zones pour cette teinte.

2. Kies een kleur voor de schaduw en markeer de gebieden voor deze schakering.

3. Match the shapes of the shadows with the material.

3. Schattiere die einzelnen Stellen gemäß ihrer Stoffstruktur.

3. Mariez les formes des ombres avec le tissu.

3. Laat de vormen van de schaduwen overeenkomen met het materiaal.

4. Add highlights to areas with the most light.

4. Gib einige helle Farbtupfer auf die Stellen, auf die am meisten Licht fällt.

4. Ajoutez des reflets aux zones les plus lumineuses.

4. Breng oplichtende gebieden aan waar het meeste licht valt.

Finishing touches_Letzte Details_Touches finales_Afwerking

Mark the outline of the shadow the girl casts on the floor. This helps us position our figure better. Complete the drawing by adding a lighter patch of color on the wall.

Skizziere die Umrisslinie der Schatten, die die Figur auf den Boden wirft. Dadurch können wir das Catgirl besser im Bild platzieren. Vervollständige die Zeichnung, indem Du einen helleren Schatten auf die Wand fallen lässt.

Définissez les contours de l'ombre de la fille projetée sur le sol. Cela nous permet de mieux positionner notre personnage. Terminez le dessin en ajoutant une légère touche de couleur sur le mur.

Markeer de omlijning van de schaduw die het meisje op de vloer werpt. Op die manier kun je het figuurtje beter positioneren. Maak de tekening af door een vlek op de muur aan te brengen in een lichtere kleur.

Candy Girl

Candy has been produced in Japan ever since the *Heian* period. In collective *manga* fantasy candies are synonymous with the kind of innocence portrayed by magical girls. Popular series feature innocent girls and teenagers with pure hearts, who possess magical powers with which they can fight back against the bad guys. They are easily identified by their clothing: bright, lively colors, frilled skirts, lots of bows... Doesn't that remind you of candy wrapping?

Bonbons sind in Japan seit der *Heianperiode* beliebt. In der Fantasie des *Manga* sind Bonbons ein Synonym für jene Unschuld, die mit den *Magical Girls* porträtiert wird. Populäre Serien haben als Hauptdarstellerinnen unschuldige Mädchen und Teenager mit reinen Herzen, die magische Kräfte besitzen, mit denen sie gegen böse Buben kämpfen. Man kann sie leicht an ihrer Kleidung erkennen: helle, lebendige Farben, Rüschenröcke und viele Schleifen. Erinnert Dich das nicht an Bonbonpapier?

Les *Candy* existent au Japon depuis la période de Heian. Dans l'imaginaire manga, elles représentent l'innocence, comme les filles magiques. Les séries populaires ont pour héroïnes des adolescentes innocentes au cœur pur, possédant des pouvoirs magiques grâce auxquels elles peuvent se défendre contre les sales types. Facilement identifiables par leur habillement, elles arborent des couleurs vives et gaies, des jupes à volants et des nœuds partout... Cela ne vous rappelle-t-il pas les emballages de sucettes et de bonbons ?

Sinds de *Heian*-periode is snoep in Japan erg geliefd. In de *manga*-fantasie is snoep synoniem voor het soort onschuld dat je tegenkomt bij *magical girls*. Populaire series laten onschuldige meisjes en tieners zien met een zuiver hart, die, met de magische krachten waarover ze beschikken, kunnen vechten tegen de slechteriken. Ze zijn makkelijk te herkennen aan hun kleding: die is kleurig. De rokjes hebben veel tierelantijntjes en strikjes. Doet dat je niet denken aan een snoeppapiertje?

Shape_Form_Forme_Vorm

First sketch out how the illustration will look: a girl with a magic wand in the midst of a moment of action. It's a classic triangular-shaped composition, seen from a slightly low-angle perspective.

Skizziere zuerst, was die Zeichnung darstellen soll: ein Mädchen mit einem Zauberstab in Aktion. Eine klassische dreieckige Bildkomposition, aufgenommen aus einer gemäßigten Froschperspektive.

Faites d'abord une ébauche de l'illustration telle qu'elle devra être : une fille avec une baguette magique dans le feu de action. C'est une composition triangulaire classique, vue sous la perspective d'un angle de plongée.

Schets eerst hoe de illustratie gaat worden: een meisje met een toverstaf in actie. Het is een klassieke driehoekvormige compositie, gezien vanuit een lichtelijk kikvorsperspectief.

Volume_Volumen_Volume_Ruimtelijke vorm

For volume, take into account the chosen point of view. Although not a very pronounced angle, we can see the underside of the girl's tush and the bottom of the foot nearest us.

Die Perspektive ist auch für das Zeichnen des Volumens ausschlaggebend. Obwohl die Froschperspektive nicht zu stark ist, sieht man einen Teil des Pos und die Sohle des abgespreizten Fußes.

Pour le volume, tenez compte du point de vue choisi. Même sans un angle très prononcé, l'envers du ruban de la fille et le bas du pied le plus proche sont visibles.

Houd bij de ruimtelijke vorm rekening met het gekozen gezichtspunt. Hoewel het geen uitgesproken hoek is, kunnen we de onderkant van de billen van het meisje zien en de onderkant van de voet op de voorgrond.

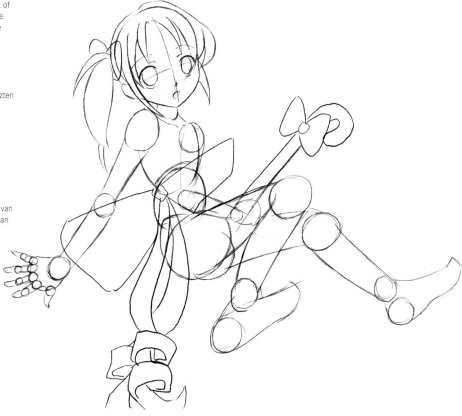

Anatomy_Anatomie_Anatomie_Anatomie

The girl's entire body reflects the tension of the moment; her extremities, arms and feet, as well as her trunk are in a rigid and uncomfortable position. Her look expresses surprise or disbelief.

Der ganze Körper drückt die Spannung aus, unter der das Mädchen steht. Arme und Füße, aber auch der Rumpf befinden sich in einer steifen und unbequemen Stellung. Sein Gesichtsausdruck zeigt Überraschung oder Zweifel.

Tout le corps de la fille reflète la tension du moment : ses extrémités, bras et pieds, ainsi que son tronc, sont dans une position rigide et inconfortable. Son regard exprime la surprise ou la méfiance.

Het hele lichaam van het meisje geeft de spanning van het moment weer; de ledematen, armen en voeten, en ook haar romp hebben een verstarde en ongemakkelijke houding. Haar blik straalt verrassing of ongeloof uit.

Final sketch_Endskizze_Esquisse définitive_Uiteindelijke schets

Her clothes and accessories resemble candy; her dress is tied with ribbons that form angular wrinkles to imitate cellophane; her shoes have chewing gum balls; and her magic wand is made of candy.

Kleidung und Accessoires erinnern an Bonbons: Das Kleid ist mit Bändern geschnürt, wirft eckige Falten, die an Zellophanpapier erinnern und die Schuhe haben Kaugummikugeln. Auch der Zauberstab sieht aus wie eine Süßigkeit.

Ses habits et accessoires ressemblent à des sucreries : sa jupe est nouée par des rubans formant des plis angulaires imitant le cellophane, ses chaussures portent des boules de chewing-gum et sa baguette magique est en bonbon.

De kleren en accessoires lijken op snoep; de jurk heeft veel gestrikte lintjes met hoekige kreukels om hem op snoeppapier te laten lijken; op de schoenen zitten kauwgumballen; en de toverstaf is gemaakt van snoep.

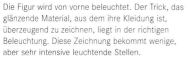

Lighting_Licht_Éclairage_Lichtval

Lighting will come from in front of the girl.
Successfully transmitting the type of shiny material
she is dressed up in depends on the lighting. There
will be few but very intense highlights here.

Die Figur wird von vorne beleuchtet. Der Trick, das
glänzende Material, aus dem ihre Kleidung ist,
überzeugend zu zeichnen, liegt in der richtigen
Beleuchtung. Diese Zeichnung bekommt wenige,
aber sehr intensive leuchtende Stellen.

La lumière arrive face à la fille. La qualité de la
matière brillante est lumineuse, soulignant ainsi
qu'elle est habillée en fonction de la lumière.
Ici, ajoutez quelques reflets très intenses.

Het licht komt recht van voren, wat
ervoor zorgt dat het soort
glimmende weefsel van de kleren
goed uit de verf komt. Er zijn
slechts een paar oplichtende
stukjes, maar die zijn wel zeer
intens.

Flat colors_Basisfarben_Couleurs simples_Effen kleuren

Flat colors give a lot of brightness and low saturation. Inspired by the idea of candies and their variety of colors, our character is painted in tones of red, purple and yellow.

Matte Farben schaffen viel Helligkeit und wenig Sättigung. Angeregt von der Idee der Bonbons und ihrer Farbenvielfalt wird unser Charakter in Rot-, Lila- und Gelbtönen koloriert.

Les couleurs simples donnent beaucoup d'éclat et une saturation faible. S'inspirant des bonbons et de la variété de leur couleur, notre personnage est peint dans des tons de rouge, pourpre et jaune.

Effen kleuren zorgen voor veel helderheid en weinig verzadiging. Gebaseerd op het idee van snoepjes en de bonte kleuren daarvan heeft onze stripfiguur de kleuren rood, paars en geel gekregen.

Shading_Schatten_Ombres_Arcering

Shadows for materials with shiny and rigid textures have irregular, angular shapes, while shadows for matt textures such as her skin or hair, are smooth and run parallel to the contour lines.

Die Schatten von Materialien mit einer glänzenden, harten Textur haben unregelmäßige, eckige Formen, während Schatten bei matten Texturen, wie Haut oder Haare, sanft und parallel zu den Umrisslinien gezeichnet werden.

Les ombres pour les tissus avec des textures rigides et brillantes ont des formes irrégulières et anguleuses alors que les ombres pour les textures mates, comme sa peau et ses cheveux, sont douces et parallèles aux lignes de contour.

Bij materialen met een glimmend en stijf weefsel hebben de schaduwen onregelmatige, hoekige vormen, terwijl bij matte weefsels, zoals huid of haar, de schaduwen veel vloeiender zijn en parallel lopen aan de contourlijnen.

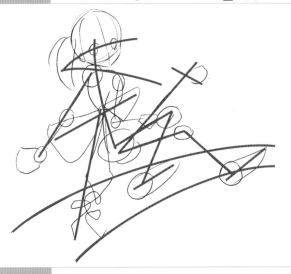

1. For more tension, the direction lines cross each other as much as possible.

1. Um die Figur dynamischer aussehen zu lassen, zeichnen wir die Richtungslinien so, dass sie sich möglichst oft kreuzen.

1. Pour accroître la tension, les lignes directrices se croisent le plus possible.

1. Laat de richtingslijnen elkaar zoveel mogelijk kruisen voor meer spanning.

2. The main directions of her trunk and the rainbow form an equilateral triangle.

2. Die Hauptrichtungen ihres Rumpfes und des Regenbogens bilden ein gleichseitiges Dreieck.

2. Les principales lignes directrices de son tronc et de l'arc-en-ciel forment un triangle équilatéral.

2. De hoofdrichting van haar romp en die van de regenboog vormen samen een gelijkzijdige driehoek.

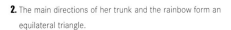

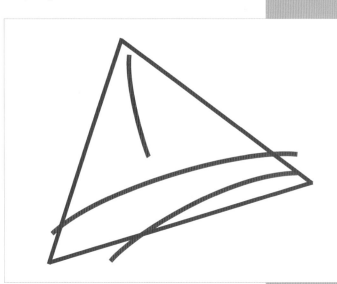

3. Don't forget the parts hidden under clothes or covered by other parts of the body.

3. Vergiss nicht die unter der Kleidung oder anderen Körperteilen versteckten Bereiche.

3. N'oubliez pas les parties cachées sous les habits ou couvertes par d'autres parties du corps.

3. Vergeet de lichaamsdelen niet die schuilgaan achter kleren of andere lichaamsdelen.

Finishing touches_Letzte Details_Touches finales_Afwerking

Complete the drawing by adding highlights and a background. Pinpoint a few intense, irregular-shaped highlights for the shiny areas. Highlights are not necessary for matt areas, such as her stockings.

Vervollständige die Zeichnung mit einigen hellen Farbtupfern und einem Hintergrund. Die hellen Stellen sollten mit einigen intensiven, unregelmäßig geformten Flecken bereichert werden. Auf mattem Material, wie den Strümpfen, ist das aber eher unangebracht.

Complétez le dessin en ajoutant des reflets et un arrière-plan. Localisez quelques reflets intenses et irréguliers pour les zones luisantes. Les reflets ne sont pas nécessairement faits pour les zones mates, comme ses chaussettes par exemple.

Maak de tekening af door oplichtende gedeeltes en een achtergrond toe te voegen. Zoek de juiste plekken uit voor een paar onregelmatig gevormde, oplichtende gebieden op de glimmende stukken. Oplichtende gebieden zijn niet nodig voor de matte gebieden zoals haar kousen.

Baby Doll

In Japan, collecting classic porcelain dolls has become a social and cultural institution. In the fashion world this phenomenon is known as Lolitas, an urban tribe that can be divided into lots of subgenres. These young girls wear clothes inspired by the Victorian era or rococo. In *manga* and *anime* there are lots of series that rely on this esthetic, the most popular being *Rozen Maiden* by Peach-Pit or *Candy Candy* and *Georgie* by the *mangaka* Yumiko Igarashi.

In Japan ist das Sammeln von traditionellen Porzellanpuppen zu einer sozialen und kulturellen Institution geworden. In der Modewelt verkörpern dieses Phänomen die Lolitas, die in Gruppen durch die Städte ziehen und von denen es viele Untergruppen gibt. Diese jungen Mädchen tragen Kleidung im Stil der viktorianischen Zeit oder des Rokokos. In der Welt des *Mangas* und *Animes* gibt es zahlreiche Serien, die auf diese Ästhetik zurückgreifen. Die bekanntesten davon sind *Rozen Maiden* von Peach-Pit oder auch *Candy Candy* und *Georgie* von dem *Mangaka* Yumiko Igarashi.

Au Japon, collectionner des poupées en porcelaine à l'ancienne est devenu un phénomène socioculturel. Dans le monde de la mode, on les a surnommées *Lolitas*, une tribu urbaine qui peut être divisée en de nombreux sous-genres. Ces jeunes filles portent des habits qui s'inspirent de l'époque victorienne ou rococo. Dans les mangas et l'*anime*, de nombreuses séries reposent sur cette esthétique, la plus populaire étant *Rozen Maiden* par Peach-Pit ou *Candy Candy* et *Georgie* par la *mangaka* Yumiko Igarashi.

In Japan is het verzamelen van klassieke porseleinen poppen een sociaal en cultureel fenomeen geworden. In de modewereld wordt dit fenomeen belichaamd door *Lolita's*, die in groepen door de stad trekken en waarvan veel subgroepen bestaan. Deze jonge meisjes dragen kleren geïnspireerd op het victoriaanse tijdperk of de rococo. In *manga* en *anime* zijn er veel series die gebaseerd zijn op dit soort esthetiek, waarvan de populairste Rozen Maiden door Peach-Pit of *Candy Candy* en *Georgie* door de *mangaka* Yumiko Igarashi zijn.

Shape_Form_Forme_Vorm

This is a three-quarter shot of a girl holding a parasol in her hands. The important thing in this drawing is her outfit and the finer details, rather than the action of the moment.

Das Mädchen ist in der Dreiviertelperspektive aufgenommen; es hält mit beiden Händen einen Sonnenschirm. Wichtiger als die Momentaktion sind in dieser Zeichnung das Outfit und die filigranen Details.

C'est une vue prise de trois quarts d'une fille tenant une ombrelle. Ce qui est essentiel dans ce dessin, c'est sa tenue et les détails subtils plutôt que l'action du moment.

Dit is een driekwartaanzicht van een meisje dat een parasol vasthoudt. In deze tekening zijn haar outfit en de verfijnde details belangrijker dan de actie.

Volume_Volumen_Volume_Ruimtelijke vorm

Give the figure volume by paying careful attention to the spread of her skirt and the ringlets of hair falling on her shoulders. The volume of the parasol and her hands is also important.

Gib der Figur Volumen, indem Du die Weite des Rockes und die Ringellocken, die auf ihre Schultern fallen, akzentuierst. Aber auch die Volumen ihrer Hände und des Schirms sind von Bedeutung.

Donnez du volume au personnage en faisant très attention à l'étalement de sa jupe et aux boucles de ses cheveux qui tombent sur ses épaules. Le volume du parasol et de ses mains est aussi très important.

Geef de figuur meer ruimtelijkheid door extra aandacht te schenken aan de manier waarop de rok valt en hoe haar lange krullen over de schouders vallen. Ook de ruimtelijke vormen van de parasol en de handen zijn belangrijk.

Anatomy_Anatomie_Anatomie_Anatomie

Her collarbone will be used as a reference to determine the central line that crosses her entire body, serving as an axis marking the size and location of her breasts, waist and hips.

Das Schlüsselbein dient als Referenz, um die zentrale Linie zu bestimmen, die sich über den ganzen Körper erstreckt und als Achse für die Größe und Position von Brust, Taille und Hüften dient.

Utilisez sa clavicule comme point de référence pour définir la ligne centrale qui traverse tout le corps, servant d'axe pour marquer la taille et l'emplacement de sa poitrine, sa taille et ses hanches.

Het sleutelbeen wordt gebruikt als referentie om te bepalen waar de centrale lijn van het hele lichaam loopt. Die lijn dient als een markeringsas om de maat en de plek te bepalen van de borsten, taille en heupen.

Final sketch_Endskizze_Esquisse définitive_Uiteindelijke schets

Her costume is inspired by rococo fashion. For the parasol, a photograph of a real one seen from the same position was used. Use real images as references to give drawings greater credibility.

Das Kleid unserer Figur ist an die Rokokomode angelehnt. Für den Sonnenschirm stand das Foto eines echten Schirms in derselben Pose Modell. Verwende Fotos als Referenz, um den Zeichnungen mehr Echtheit zu geben.

Son costume s'inspire de la mode rococo. Pour l'ombrelle, on s'est inspiré d'une photo, où elle est positionnée de la même manière. Utilisez des photos comme références pour donner davantage de crédibilité à votre dessin.

Het kostuum is geïnspireerd op de rococomode. Voor de parasol is een foto gebruikt van een echte parasol gezien vanuit dezelfde hoek. Gebruik foto's als referentie om je tekeningen meer geloofwaardigheid te geven.

Lighting_Licht_Éclairage_Lichtval

The light comes from in front of the girl, lighting up her face. Pay special attention to the shadow the parasol casts on her head and on the back part of her hair.

Das Licht scheint von vorne auf die Figur und erleuchtet ihr Gesicht. Achte besonders auf die Schatten, die der Schirm auf den Kopf und die Haare im Nacken wirft.

La lumière est frontale par rapport à la fille, éclairant son visage. Faites particulièrement attention à l'ombre jetée par le parasol sur sa tête et sur l'arrière de ses cheveux.

Het licht komt recht van voren en doet haar gezicht oplichten. Geef extra aandacht aan de schaduw die de parasol werpt op het hoofd en de achterkant van het haar.

Flat colors_Basisfarben_Couleurs simples_Effen kleuren

Once again inspired by rococo fashion, different tones of crimson red are chosen to combine. A sky blue background makes it easier to deal with a soft tonal range.

Ganz im Stil des Rokokos werden verschiedene Töne aus der purpurroten Farbskala gewählt. Ein himmelblauer Hintergrund erleichtert das Kombinieren mit zarten Farben.

S'inspirant aussi de la mode rococo, on a choisi différents tons de rouge cramoisi. Le ciel bleu, en toile de fond, facilite l'emploi d'une gamme de teintes douces.

Wederom geïnspireerd op de rococomode is gekozen voor een combinatie van verschillende tinten karmozijnrood. Een blauwe lucht als achtergrond maakt het makkelijker om te werken met zachte kleuren.

Shading_Schatten_Ombres_Arcering

Apply a uniform layer of shading throughout the figure and pay attention to where the light is coming from. The silhouette of a rose is drawn to design a pattern for the skirt and parasol.

Verwende eine gleichmäßige Schattierung auf der ganzen Figur und achte auf den Lichteinfall. Wir zeichnen die Silhouette einer Rose, die der Rock und der Sonnenschirm als Muster bekommen.

Appliquez une couche uniforme d'ombres sur tout le personnage et repérez d'où vient la lumière. On a dessiné les contours d'une rose comme motif pour sa jupe et l'ombrelle.

Voeg een gelijkmatige schaduw toe aan het hele figuur en let erop waar het licht vandaan komt. Er is een silhouet van een roos getekend als patroon van de rok en de parasol.

1. Mark the silhouettes of the clouds with short, vaporous brushstrokes.

1. Zeichne die Silhouetten der Wolken mit kurzen, zarten Pinselstrichen.

1. Marquez les contours des nuages avec des coups de pinceaux brefs et vaporeux.

1. Markeer de silhouetten van de wolken met korte, wazige penseelstreken.

2. Choose a lighter second tone for the clouds (not white) to continue shaping the silhouette.

2. Nimm einen zweiten helleren Ton für die Wolken (noch nicht weiß), um ihnen Volumen zu geben.

2. Choisissez une deuxième teinte légère pour les nuages (pas de blanc) pour continuer à en former les contours.

2. Kies een tweede lichtere (niet wit) schakering voor de wolken bij het verdere vormgeven van het silhouet.

3. Polish up the cloud silhouettes with white light, opaque brushstrokes.

3. Helle nun die Wolken mit einem Pinsel und deckendem Weiß auf.

3. Peaufinez les contours du nuage avec des coups de pinceaux de blanc, léger et opaque.

3. Poets de wolkensilhouetten op met wit. Doe dit met lichte, ondoorzichtige penseelstreken.

4. Reuse the silhouette of the rose pattern and stick the sky on top of it.

4. Kombiniere die Silhouette Rose und die der Wolken miteinander.

4. Utilisez à nouveau les contours du motif de la rose et placer le ciel au-dessus.

4. Gebruik het rozenpatroon opnieuw en schilder de lucht eroverheen.

Finishing touches_Letzte Details_Touches finales_Afwerking

Add the background to the figure and apply a second layer of shadows where necessary. Match the rose-shaped background with the silhouette on the right. Add highlights to her hair, eyes and cheeks.

Füge den Hintergrund in das Bild und bringe dort, wo es angebracht erscheint, eine zweite Schicht Schatten auf. Kombiniere den Rosenhintergrund mit der Silhouette rechts. Gib helle Farbtupfer auf die Haare, Augen und Wangen.

Ajoutez l'arrière-plan au personnage et appliquez une seconde couche d'ombres si nécessaire. Il faut assortir l'arrière-plan en forme de roses à la silhouette sur la droite. Ajoutez des reflets dans ses cheveux, dans ses yeux et sur ses joues.

Voeg de achtergrond toe aan het stripfiguur en breng waar nodig nog een tweede laag schaduwen aan. Zorg dat de roosvormige achtergrond klopt met het silhouet rechts op de parasol. Geef haar, ogen en wangen een paar oplichtende stukken.

Angel

An angel is an ethereal, divine being, created with the sole purpose of serving God. Mythology has always been the main source of inspiration when creating stories. Generally asexual and with human bodies equipped with wings, these figures transmit the concepts of purity and innocence, which are always associated with the color white. Some of the most famous *mangas* featuring angels are *Angel Sanctuary* from the *mangaka* Kaori Yuki, and *Wish* by the CLAMP Quartet.

Ein Engel ist ein ätherisches, göttliches Wesen, das dazu erschaffen wurde, seinem Gott zu dienen. Die Mythologie war stets die wichtigste Inspirationsquelle beim Erfinden von Geschichten. Engel sind generell geschlechtslos und haben einen menschlichen Körper mit Flügeln. Sie stellen Reinheit und Unschuld dar, die immer mit der Farbe weiß assoziiert werden. Zu den berühmtesten *Manga*-Engeln gehören *Angel Sanctuary* von dem *Mangaka* Kaori Yuki und *Wish* vom CLAMP-Quartet.

Un ange est un être éthéré, divin, créé dans le seul dessein de servir Dieu. La mythologie a toujours été la principale source d'inspiration des histoires. Ces personnages, souvent asexués et dotés d'un corps humain ailé, sont associés à la pureté et à l'innocence, ainsi qu'à la couleur blanche. Certains mangas très célèbres représentent des anges : le *Angel Sanctuary* du *mangaka* Kaori Yuki et le *Wish* par le CLAMP Quartet.

Een engel is een etherisch, goddelijk wezen dat louter is geschapen om God te dienen. Bij het bedenken van verhalen is mythologie altijd een belangrijke inspiratiebron geweest. Engelen zijn gewoonlijk aseksueel, hebben van vleugels voorziene menselijke lichamen en belichamen de begrippen zuiverheid en onschuld, die altijd geassocieerd worden met de kleur wit. Sommige van de bekendste in *manga* voorkomende engelen zijn *Angel Sanctuary* van de *mangaka* Kaori Yuki, en *Wish* van het CLAMP Quartet.

Shape_Form_Forme_Vorm

Our character is kneeling on the ground, with her back straight and her face turned toward us. Two ends of rope tying her hands in a bow spill onto the floor and to the front of the illustration.

Unser Charakter kniet auf dem Boden, sein Rücken ist gerade nach oben gestreckt und der Kopf zum Betrachter gewandt. Die Hände der Engelsfigur sind mit einer Schleife zusammengebunden, deren Bänder im Bildvordergrund vorne auf dem Boden liegen.

Notre personnage est agenouillé au sol, le dos droit et le visage tourné vers nous. Deux bouts de cordes lient ses mains en un nœud qui se déroule sur le sol à l'avant de l'illustration.

Onze stripfiguur knielt op de grond. Haar rug is recht en haar gezicht is naar ons toe gedraaid. Twee eindjes touw zijn om haar handen gestrikt en op de grond gedrapeerd in de richting van de voorgrond van de tekening.

Volume_Volumen_Volume_Ruimtelijke vorm

We see the girl from an almost three-quarter view from behind, so we'll mark the volumes of her back and shoulders. To portray the kneeling position, correctly superimpose her thighs, knees and legs.

Man sieht das Mädchen von hinten, fast aus einer Dreiviertelperspektive; wir skizzieren also die Volumen seines Rückens und seiner Schultern. Um die kniende Pose richtig darzustellen, zeichne die Oberschenkel, Knie und Beine so, dass sie übereinander liegen.

La fille étant presque de trois quarts et vue de dos, nous tracerons les volumes de son dos et de ses épaules. Pour représenter la position agenouillée, superposez bien ses cuisses, ses genoux et ses jambes.

We zien het meisje vanuit bijna driekwart achteraanzicht, dus tekenen we de ruimtelijke vormen van rug en schouders. Om de knielende houding correct weer te geven tekenen we haar dijen, knieën en benen eroverheen.

Anatomy_Anatomie_Anatomie_Anatomie

With her hands tied behind her back and her arms tensed, her shoulders move slightly forward, raised and closer together. Her erect body moves her trunk forward, sticking out significantly.

Durch die auf dem Rücken zusammengebundenen Hände und die gestreckten Arme sind die Schultern der Figur leicht nach vorne gebeugt, hochgestreckt und enger zusammenliegend. Ihre aufrechte Pose streckt den Oberkörper nach vorne, der dadurch hervorgehoben wird.

Avec ses mains liées dans le dos et ses bras tendus, ses épaules sont légèrement en avant, redressées et proches l'une de l'autre. Son corps relevé imprime au tronc un mouvement vers l'avant qui le fait bien ressortir.

Omdat haar handen achter haar rug gebonden zijn en haar armen gespannen, gaan haar schouders lichtjes naar voren en zijn ze opgericht en dichter bij elkaar. Het opgerichte lichaam zorgt ervoor dat de romp duidelijk naar voren uitsteekt.

Final sketch_Endskizze_Esquisse définitive_Uiteindelijke schets

A sweet smile and a nightgown with bows and ruffles give our angel an innocent, childlike attitude, while the shortness of her gown and leather boots suggest a more mysterious personality.

Ein süßes Lächeln und ein Nachthemd mit Schleifen und Rüschen verleihen unserem Engel eine unschuldige, kindhafte Attitüde, während die Kürze des Hemdchens und die Lederstiefel eine mysteriösere Persönlichkeit erahnen lassen.

Un gentil sourire et une chemise de nuit dotée de nœuds et de volants, donnent à notre ange un air enfantin et innocent, tandis que les jarretelles et les bottes en cuir suggèrent une personnalité plus mystérieuse.

Een zoete lach en een nachtjapon met strikjes en plooien geeft onze engel een onschuldige, kinderlijke houding, terwijl de jarretels en leren laarzen een mysterieuzer personage suggereren.

146

Lighting_Licht_Éclairage_Lichtval

An intense light behind the figure highlights her face. The rest of her body remains in shadow. So we aren't left with a drawing that is too somber, use a reverberation technique.

Ein intensives Licht hinter der Figur erleuchtet ihr Gesicht. Der restliche Körper liegt im Schatten. Damit die Zeichnung insgesamt nicht zu dunkel wird, verwendet man die Technik des Widerscheins.

Une lumière intense derrière le personnage illumine son visage. Le reste du corps reste dans l'ombre. Donc, pour ne pas avoir un dessin trop sombre, utilisez la technique de réverbération.

Een intens licht van achter de figuur doet het gezicht oplichten. De rest van het lichaam blijft in de schaduw. We hebben echter geen sombere tekening, omdat we gebruikmaken van de techniek van weerkaatsing.

Flat colors_Basisfarben_Couleurs simples_Effen kleuren

Colors will be chosen based on the figure's dual personality. Light pastel blue, crimson and yellow for her nightgown, bows and hair; bolder and colder colors for her boots and garters.

Wir wählen die Farben entsprechend der ambivalenten Persönlichkeit des Charakters: hellblau, hellrosa und hellgelb für das Nachthemd, die Schleife und das Haar und kräftigere und kühlere Farben für Stiefel und Strumpfhalter.

Le choix des couleurs se fera en fonction de la dualité du personnage : un léger bleu pastel, pourpre et jaune pour sa chemise de nuit, ses rubans et ses cheveux. Elles seront plus osées et froides pour ses bottes et jarretelles.

De kleuren worden gekozen op basis van de tweeledige persoonlijkheid van het karakter. Een lichtblauwe nachtpon, karmozijnrode strikjes en geel voor het haar. Er is gekozen voor gedurfdere en koudere kleuren voor de laarzen en jarretels.

Shading_Schatten_Ombres_Arcering

For the shaded areas choose those colors that contrast with their respective flat colors in order to intensify the lighting effect. Hexagonal shapes give our character's stockings texture.

Wähle für die schattigen Zonen Farben, die einen Kontrast zu ihren entsprechenden Basisfarben darstellen, um die Lichteffekte zu verstärken. Wir zeichnen mit kleinen Sechsecken eine Textur in die Strümpfe unseres Engels.

Pour les zones d'ombre, choisissez les couleurs qui contrastent avec leurs couleurs simples respectives afin d'intensifier l'effet lumineux. Les formes hexagonales confèrent de la texture à ses chaussettes.

Gebruik voor de gearceerde gebieden kleuren die contrasteren met hun bijbehorende effen kleuren, zodat het lichteffect intenser wordt. Het weefsel van de kousen bestaat uit zeshoekige vormpjes.

Tips and tricks_Tipps und Tricks_Conseils et astuces_Tips en trucs

1. There are two main axes. Place the most important elements (boots and bow) where the two axes cross each other.

1. Es gibt zwei Hauptachsen. Platziere die wichtigsten Elemente (Stiefel und Schleife) dort, wo sich die beiden Achsen überschneiden.

1. Il y a deux axes principaux. Placez les éléments les plus importants (bottes et rubans) là où les deux axes se croisent.

1. Er zijn twee hoofdassen. Plaats de belangrijkste elementen (laarzen en strikjes) op de kruising van die twee assen.

2. Our image will be more dynamic if we slightly turn it on its axis.

2. Unser Bild bekommt mehr Dynamik, wenn wir es etwas auf seiner Achse drehen.

2. Pour que notre image soit plus dynamique, tournez-la légèrement sur son axe.

2. Als we ons figuur lichtjes over de as draaien, wordt ons stripfiguur dynamischer.

Finishing touches_Letzte Details_Touches finales_Afwerking

Finish the drawing with a secondary shadow tone to intensify the lighting effect. With such narrow reverberation areas, there's no need for any highlights. Add a colorful glass window and a shadow.

Um die Lichteffekte noch mehr hervorzuheben, kannst Du die Zeichnung mit einem zweiten Schattenton versehen. Aufgrund der schmalen Widerscheinzonen braucht man keine Lichtpunkte zu zeichnen. Füge ein buntes Fensterglas in den Hintergrund und lass einen effektvollen Schatten auf den Boden fallen.

Terminez le dessin avec un ton ombré secondaire pour intensifier l'effet d'illumination. Avec des zones de réverbération si étroites, les reflets sont superflus. Ajoutez une fenêtre colorée et une ombre.

Maak de tekening af met een tweede schaduwkleur om het lichteffect te intensiveren. Met zulke smalle gebieden met weerkaatsing zijn oplichtende gebieden niet nodig. Voeg een kleurrijk raam en schaduw toe.

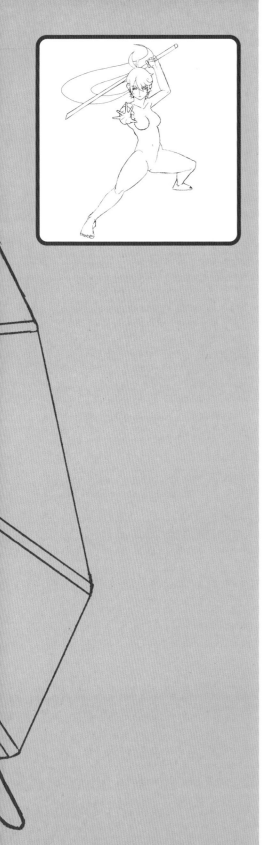

Traditional_Traditionell_Traditionnel_Traditioneel

Samurai

Ninja

Kunoichi

Temple Guardians

Geisha

Yukata

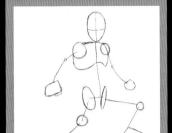

Samurai

The samurai is hands-down the greatest icon from Japanese culture. Samurais were a class of warriors governed by *bushido*, aka the *Way of the Warrior*, a code of honor that demanded loyalty and honor until the day they died. The *katana* is the weapon used by samurais. Perhaps the most famous series is *Kozure Okami*, created by the writer Kazuo Koike and the artist Goseki Kojima, about a *ronin* (an outlaw samurai) that wanders around the country with his son Daigoro.

Samurais sind zweifelsfrei die geschätztesten Ikonen der japanischen Kultur. Samurais waren eine Gruppe Krieger, die geleitet wurden von *Bushido*, dem *Weg des Kriegers*, einem Ehrenkodex, der von den Mitgliedern Loyalität und Ehre bis zum Ende ihrer Tage verlangte. Das *Katana* ist das von den Samurais benutzte Schwert. Die wahrscheinlich bekannteste Serie ist *Kozure Okami* von dem Texter Kazuo Koike und dem Künstler Goseki Kojima; sie handelt von einem *Ronin*, einem gesetzlosen Samurai, der zusammen mit seinem Sohn Daigoro durch das Land zieht.

Le samouraï est, de loin, l'icône-phare de la culture japonaise. Les samouraïs étaient des guerriers gouvernés par le *bushido* (« la voie du guerrier »), un code d'honneur qui exigeait loyauté et honneur jusqu'à la mort. Le *katana* est l'arme utilisée par les samouraïs. La série la plus célèbre est peut-être *Kozure Okami*, œuvre de l'écrivain Kazuo Koike et de l'artiste Goseki Kojima, qui raconte l'histoire d'un *ronin* (un samouraï ayant perdu son seigneur) qui erre à travers le pays avec son fils Daigoro.

De *samoerai* is veruit de grootste icoon van de Japanse cultuur. *Samoerai* waren een orde van krijgers die zich lieten leiden door *bushido*, ook bekend als de *way of the warrior*, een erecode die loyaliteit en eer vereiste tot de dood. De *katana* is het wapen dat de *samoerai* gebruikten. De bekendste serie is wellicht *Kozure Okami*, gecreëerd door schrijver Kazuo Koike en kunstenaar Goseki Kojima. Ze gaat over een *ronin* (een vogelvrijverklaarde *samoerai*) die met zijn zoon Daigoro door het land doolt.

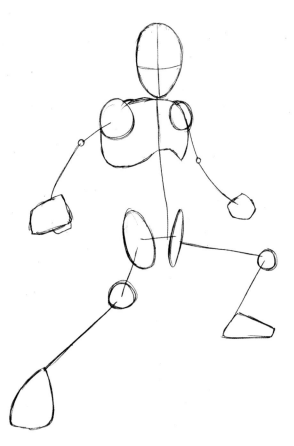

Shape_Form_Forme_Vorm

The position of the samurai's arms and legs is very important. He has flexed legs and a torso positioned so that the hand holding the *katana* is in the foreground, and his left arm in the background.

Die Position der Arme und Beine des Samurais ist ganz besonders wichtig. Die Beine sind angewinkelt und der Rumpf ist so positioniert, dass er mit der rechten Hand das *Katana* in den Vordergrund halten und die linke Hand in den Hintergrund strecken kann.

La position des bras et des jambes du samouraï est très importante. Ses jambes sont fléchies et le torse positionné de telle sorte que la main qui tient le *katana* passe au premier plan, avec le bras gauche à l'arrière-plan.

De houding van de benen en de armen van de *samoeraï* is erg belangrijk. De benen staan gebogen en de romp is zo gedraaid dat de hand met de *katana* op de voorgrond is en de linkerarm op de achtergrond.

Volume_Volumen_Volume_Ruimtelijke vorm

Volume will define the shape of his hands. The right hand holds the *katana* tightly, while the positioning of his left hand defines his defensive stance.

Durch Volumen definieren wir die Form der Hände. Die rechte Hand hält kraftvoll das *Katana* und mit der Pose der linken Hand wird ausgedrückt, dass der Samurai in einer Verteidigungsposition ist.

Le volume définira la forme de ses mains. La main droite serre fort le *katana*, alors que le positionnement de sa main gauche décrit une attitude défensive.

De ruimtelijke vorm begrenst de vorm van zijn hand. De rechterhand houdt de *katana* stevig vast, terwijl de houding van de linkerhand een verdedigende pose aangeeft.

Anatomy_Anatomie_Anatomie_Anatomie

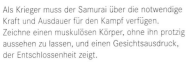

As a warrior the samurai should have the necessary strength and resistance for combat. Draw a person with muscles that aren't overdeveloped and with facial gestures that transmit decisiveness.

Als Krieger muss der Samurai über die notwendige Kraft und Ausdauer für den Kampf verfügen. Zeichne einen muskulösen Körper, ohne ihn protzig aussehen zu lassen, und einen Gesichtsausdruck, der Entschlossenheit zeigt.

En tant que guerrier, le samouraï doit être assez fort et résistant pour combattre. Dessinez une personne aux muscles qui ne sont pas surdéveloppés, avec une expression du visage qui révèle son caractère résolu.

Als krijger moet de *samoerai* de benodigde kracht en weerstand hebben voor de strijd. Teken een personage met spieren die niet overontwikkeld zijn en met gelaatstrekken die daadkracht uitstralen.

Final sketch_Endskizze_Esquisse définitive_Uiteindelijke schets

When adding the complex armor, take care with the finer details of the era, such as the fastenings holding the shin guards in place. The *katana* in the foreground will help give the image greater depth.

Wenn wir die komplexe Rüstung zeichnen, müssen wir auf kleine Details jener Zeitepoche achten, wie z. B. die Befestigungen der Schienbeinschützer. Das *Katana* im Vordergrund verleiht dem Bild Tiefe.

L'armure étant complexe, soyez attentif à la finesse des détails, comme les attaches qui maintiennent les protège-tibias. Le *katana*, au premier plan, donnera plus de profondeur à l'image.

Als de wapenuitrusting toegevoegd wordt, houd dan rekening met de specifieke details uit die tijd, zoals de sluitingen die de scheenbeschermers op hun plaats houden. De *katana* op de voorgrond draagt ertoe bij dat het beeld meer diepte krijgt.

Lighting_Licht_Éclairage_Lichtval

Our character is drawn in a typical scene with diffused light, just as the sun is setting. The sun is positioned just behind the character to add epic drama to the scene.

Die Zeichnung ist eine typische Szene mit diffusem Licht, als würde die Sonne gerade untergehen. Die Sonne steht genau hinter der Figur; das gibt der Illustration eine gewisse epische Dramatik.

Intégrez le personnage dans une scène typique, juste au lever du soleil, où la lumière est diffuse. Placez le soleil derrière celui-ci pour accentuer le côté dramatique de la scène.

Het stripfiguur is getekend in een kenmerkend tafereel met diffuus licht van de net ondergaande zon. De zon staat precies achter de figuur om het tafereel heroïscher te maken.

Flat colors_Basisfarben_Couleurs simples_Effen kleuren

The metallic parts of his armor and the rest of his clothes are painted with cold colors. Warm colors are used on his breastplate and details, and a bluish-gray on the *katana* blade.

Die Metallteile der Rüstung und die restliche Kleidung sind überwiegend in kalten Farben gemalt. Wir verwenden warme Farben für die Brustplatte und einige Details und nehmen einen Blaugrauton für die Klinge des *Katana*.

Les parties métalliques de son armure et le reste de ses vêtements sont peints dans des couleurs froides. Les couleurs chaudes sont utilisées pour sa cuirasse et les détails, et un bleu-gris pour la lame du *katana*.

De metalen delen van de wapenuitrusting en de rest van de kleren hebben koude kleuren. Warme kleuren zijn gebruikt op het borstschild en voor de details. Het lemmet van de *katana* is blauwgrijs.

Shading_Schatten_Ombres_Arcering

Shadows will help add volume to each piece of armor. It's very important to differentiate the shadows from the clothes. The matt texture of the clothes means they won't reflect light like the armor.

Schatten verleihen den Einzelteilen der Rüstung Volumen. Es ist sehr wichtig, zwischen den Schatten und der Kleidung eine Unterscheidung zu machen. Die matte Textur der Kleidung spiegelt nicht so viel Licht wider wie die Rüstung.

Les ombres apporteront du volume à chaque pièce de l'armure. Il est primordial de distinguer les ombres des habits. La texture mate des habits ne réfléchit pas la lumière comme l'armure.

Schaduwen helpen om elk onderdeel van de wapenuitrusting meer volume te geven. Het is erg belangrijk om de schaduwen te scheiden van de kleren. Omdat het weefsel van de kleren mat is, wordt het licht niet gereflecteerd zoals op zijn wapenuitrusting.

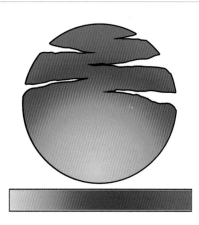

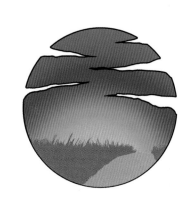

1. Fill a circle with colors based on a sunset.

1. Male einen Kreis in den Farben des Sonnenuntergangs.

1. Remplissez le cercle de couleurs basées sur un coucher de soleil.

1. Vul een cirkel op met kleuren van een zonsondergang.

2. Add the base colors for a dirt and grass path.

2. Füge die Grundfarben für ein grasbewachsenes Feld mit einem Weg in der Mitte hinzu.

2. Ajoutez les couleurs de base pour la terre et un chemin herbeux.

2. Voeg de basiskleuren toe voor een graspad en modder.

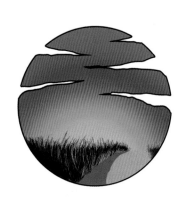

3. Quick movements with a fine brush create shade.

3. Schnelle Striche mit einem feinen Pinsel sind ideal, um Schatten zu malen.

3. Tracez l'ombre avec des coups rapides de pinceau fin.

3. Met snelle bewegingen van een fijn penseel krijg je schaduwwerking.

4. For volume, highlight the upper part of the undergrowth.

4. Einige Lichtpunkte im oberen Teil des Gesträuchs geben mehr Volumen.

4. Pour le volume, soulignez la partie supérieure de l'herbe.

4. Voor het volume maak je wat oplichtende stukjes in het gras.

Finishing touches_Letzte Details_Touches finales_Afwerking

Add a yellow tone to simulate direct sunlight to help mark the positioning and accentuate the volume. Draw the background to directly show the light source.

Gib etwas gelb hinzu, um das einfallende Sonnenlicht zu simulieren. Dadurch wird die Platzierung der Figur unterstützt und das Bild bekommt noch mehr Volumen. Setze den Hintergrund so, dass die Lichtquelle direkt gezeigt wird.

Ajoutez un ton jaune pour simuler la lumière du jour directe, marquez le positionnement et accentuez le volume. Dessinez l'arrière-plan pour montrer la source de lumière directe.

Voeg wat geelschakeringen toe om direct zonlicht te simuleren. Dat markeert de houding en accentueert de ruimtelijke vorm. Teken de achtergrond om de lichtbron rechtstreeks te laten zien.

Ninja

Ninjas are agents who have come to master the art of *ninjutsu*. They have been trained to go unrecognized in almost any environment. They are also known for their ability to handle all kinds of weapons and for their hand-to-hand combat skills. Their attire consists of dark clothes and they also keep their faces covered. Good examples can be found in *anime* series like *Ninja Scroll* and *Hattori Ninja-Kun*, videogames like *Shinobi* and *Ninja Gaiden* and even in films like *Red Shadow*.

Ninjas sind Krieger, die die Kunst des *Ninjutsu* beherrschen. Sie sind dazu ausgebildet, in fast jeder Umgebung unbemerkt zu bleiben. Sie sind außerdem bekannt für ihre Stärke, mit jeder Art von Waffen umzugehen und für ihre Fertigkeiten im Nahkampf. Ihr Outfit besteht aus dunkler Kleidung, ihr Gesicht ist bedeckt. Gute Beispiele findet man in *Anime*-Serien wie *Ninja Scroll* und *Hattori Ninja-Kun*, in Videospielen wie *Shinobi* und *Ninja Gaiden* und sogar auch in Filmen, wie z. B. *Red Shadows*.

Les *ninjas* sont des agents passés maîtres dans l'art du *ninjutsu*. Ils ont été entraînés pour passer inaperçus dans presque n'importe quel environnement. Ils sont aussi connus pour leur capacité à manier toutes sortes d'armes et leur savoir-faire dans les combats à mains nues. Leur tenue est constituée de vêtements sombres et ils ont le visage masqué. On les retrouve dans les séries d'*anime* comme *Ninja Scroll* et *Hattori Ninja-Kun*, les jeux vidéo comme *Shinobi* et *Ninja Gaiden*, et même dans des films comme *Red Shadow*.

Ninja's zijn commando's die de kunst van *ninjutsu* beheersen. Ze zijn erin getraind onopgemerkt te blijven in bijna elke omgeving. Ze staan ook bekend om hun vaardigheid allerlei soorten wapens te hanteren en te vechten met de blote hand. Ze zijn gekleed in donkere kleren en bedekken ook hun gezicht. Goede voorbeelden zijn te vinden in anime-series zoals *Ninja Scroll* en *Hattori Ninja-Kun*, videospelletjes zoals *Shinobi* en *Ninja Gaiden* en zelfs in films zoals *Red Shadow*.

Shape_Form_Forme_Vorm

Ninjas are always ready to jump into action. The character will be positioned on top of a slanted roof, so one of his legs will be flexed and the other will project toward us.

Ninjas sind jederzeit bereit, in Aktion zu treten. Unser Charakter ist auf einem schrägen Dach dargestellt, hat also ein Bein angewinkelt und das andere zum Betrachter ausgestreckt.

Les *ninjas* sont toujours prêts à se jeter dans le feu de l'action. On placera le personnage sur un toit en pente, avec une jambe fléchie et l'autre lancée en notre direction.

Ninja's staan altijd klaar om in actie te komen. Het stripfiguur wordt geplaatst op een schuin dak, zodat een van zijn benen gebogen is en het andere naar ons toe gericht.

Volume_Volumen_Volume_Ruimtelijke vorm

Use volume to determine the position of his arms. Take advantage of the bent wrist holding the sword and make it look like an extension of his arm. His left foot is visible from a high-angle view.

Verwende Volumen, um die Position seiner Arme darzustellen. Zeichne die Hand, die das Schwert hält, etwas verdreht, so dass die Waffe wie eine Verlängerung seines Armes aussieht. Sein linker Fuß ist aus einem hoch angesetzten Blickwinkel dargestellt.

Utilisez le volume pour définir la position de ses bras. Tirez parti du poignet plié qui tient l'épée et donnez l'impression que c'est le prolongement de son bras. Son pied gauche est visible d'une vue de grand angle.

Gebruik volume om de positie van de armen te bepalen. Maak gebruik van de gebogen pols om het zwaard dat hij vasthoudt er te laten uitzien als een verlengstuk van zijn arm. De linkervoet is zichtbaar vanuit vogelvluchtperspectief.

Anatomy_Anatomie_Anatomie_Anatomie

His body is rigid. To make him more dynamic slightly exaggerate the arch of his back. The character's expression should be serious with strength in his eyes and the shape of his eyebrows.

Der Körper wirkt relativ steif. Um ihn dynamischer wirken zu lassen, kannst Du seinen Rücken nach hinten beugen. Der Gesichtsausdruck des Charakters sollte ernst sein und seine Augen und Augenbrauen sollten Strenge ausdrücken.

Son corps est rigide. Pour le rendre plus dynamique, exagérez légèrement la cambrure de son dos. L'expression du personnage doit être sévère : force dans les yeux et sourcils arqués.

Het lichaam staat star en dus overdrijven we lichtjes de welving in de rug om de houding wat dynamischer te maken. De gezichtsuitdrukking moet serieus zijn, met krachtige ogen en wenkbrauwen.

Final sketch_Endskizze_Esquisse définitive_Uiteindelijke schets

Dress the character in a typical ninja uniform, with some personal touches. Draw a small yin yang to give it an oriental touch, and a large flowing handkerchief around his neck for some movement.

Zieh dem Charakter eine typische Ninjauniform an und gib ihr einen persönlichen Touch. Zeichne ein kleines Yin- und Yang-Symbol ein, um das Ganze orientalischer aussehen zu lassen und binde ihm ein großes fließendes Halstuch um, das Bewegung einbringt.

Habillez le personnage avec la tenue classique des *ninjas*, en ajoutant des touches personnelles. Dessinez un petit *yin yang* pour lui donner une touche orientale : un grand foulard flottant autour du cou ajoutera du mouvement.

Kleed deze stripfiguur in een typisch *ninja*-uniform met wat eigen toevoegingen. Teken een klein yin-yangsymbool voor een oosterse uitstraling en een grote wapperende sjaal om zijn hals voor wat beweging.

Lighting_Licht_Éclairage_Lichtval

The moon illuminates the drawing. The differences in the shaded and lit areas should be quite obvious to the reader so maximize the contrast between these areas and emphasize it as much as possible.

Die Illustration wird von Mondlicht beschienen. Die Differenzen der Licht- und Schattenzonen müssen für den Betrachter eindeutig sein. Maximiere also den Kontrast zwischen diesen Zonen.

La lune illumine le dessin. Les différences entre les zones ombrées et éclairées doivent être facilement lisibles. Pour ce faire, maximisez le contraste entre ces zones et accentuez-le le plus possible.

De maan verlicht de tekening. Het onderscheid in de schaduwgebieden en de verlichte gebieden moet er duidelijk uitspringen. Maximaliseer dus het contrast tussen deze gebieden en benadruk het zoveel mogelijk.

Flat colors_Basisfarben_Couleurs simples_Effen kleuren

Paint the clothes with saturated, off-colors with a touch of black for a hint of darkness. Give the illustration greater contrast by painting his handkerchief and belt red.

Wähle für die Kleidung gesättigte, gedeckte Farben mit einem Stich schwarz, der eine Spur Dunkelheit hineinbringt. Die Illustration bekommt einen starken Kontrast durch das rote Halstuch und die rote Schärpe.

Peignez les vêtements avec des couleurs saturées et une touche de noir pour créer un soupçon d'obscurité. Imprimez un contraste plus important en peignant le foulard et la ceinture en rouge.

Kleur de kleren in met verzadigde, vale kleuren met een tikkeltje zwart om ze een beetje duister te maken. Zorg voor meer contrast in de illustratie door de sjaal en riem rood in te kleuren.

Shading_Schatten_Ombres_Arcering

With the light source behind our character we can shape his clothes and visualize what his volume will look like. Shadows on the clothes serve to accentuate their folds.

Wir haben die Lichtquelle hinter den Charakter platziert und zeichnen die Kleidung und das Volumen dementsprechend. Schatten auf der Kleidung dienen zum Akzentuieren der Stofffalten.

Avec la source de lumière derrière notre personnage nous pouvons former ses habits et en visualiser le volume. Les ombres sur les vêtements servent à accentuer leurs plis.

Met de lichtbron achter het figuur kunnen we zijn kleren vormgeven en visualiseren hoe de ruimtelijke vorm er uit gaat zien. Schaduwen op de kleren zijn er om de plooien te accentueren.

Tips and tricks_Tipps und Tricks_Conseils et astuces_Tips en trucs

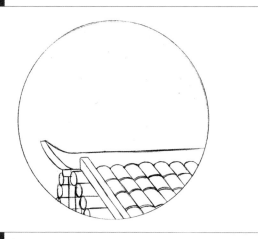

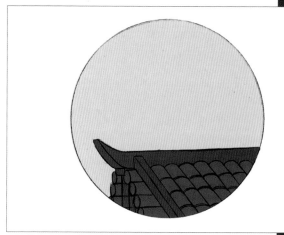

1. Draw a simple sketch of the idea.

1. Zeichne zuerst eine einfache Skizze der Szene.

1. Ébauchez rapidement l'idée.

1. Teken een eenvoudige schets van het idee.

2. Work with color toning for a clear contrast between the moon and the building.

2. Wähle die Basisfarben so, dass ein klarer Kontrast zwischen dem Mond und dem Gebäude hergestellt wird.

2. Travaillez les couleurs pour créer un net contraste entre la lune et l'édifice.

2. Werk met kleurschakeringen voor een duidelijk contrast tussen de maan en het gebouw.

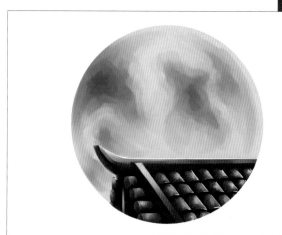

3. Add shadows and highlights appropriate for each texture.

3. Gib Schatten und Lichtstellen entsprechend den einzelnen Texturen hinzu.

3. Ajoutez les ombres et les reflets appropriés à chaque texture.

3. Voeg schaduwen en lichte gebieden toe die passen bij de materialen.

4. Shape the shadows and lights adding new tones and lighting.

4. Male Schatten und Licht durch Zugabe neuer Farbtöne.

4. Formez les ombres et les lumières en ajoutant de nouvelles teintes et de la lumière.

4. Geef de schaduwen en lichten vorm door nieuwe schakeringen en lichte plekken aan te brengen.

Finishing touches_Letzte Details_Touches finales_Afwerking

Add the finishing touches to the shading and lighting so that they match perfectly. Finish the illustration by projecting the character's shadow over the background.

Füge die restlichen Licht- und Schatteneffekte hinzu. Vervollständige die Illustration durch einen Schatten, den der Charakter auf den Untergrund wirft.

Ajoutez les dernières touches aux ombres et à la lumière afin de les harmoniser parfaitement. Terminez l'illustration en projetant l'ombre du personnage sur le fond.

Leg de laatste hand aan de arceringen en lichte plekken zodat ze perfect bij elkaar passen. Maak de illustratie af met de schaduw die het figuur werpt op het dak.

173

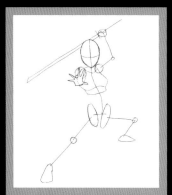

Kunoichi

Female ninjas are known as *kunoichi*. They are just as fearsome as their male counterparts, but have the handicap of appearing less strong. However, they certainly know how to use their femininity to plot their deception and kill their victims without raising suspicion. One of their favorite tricks is to wear tight outfits that succeed in distracting their enemy who they proceed to beat to a bloody pulp. In Ancient Japan, *kunoichi* enjoyed a similar status to men.

Weibliche *Ninjas* heißen *Kunoichi*. Sie werden genauso gefürchtet wie ihre männlichen Kameraden, haben aber den Nachteil, weniger stark auszusehen. Aber sie wissen gewöhnlich, wie sie ihre Weiblichkeit nutzen können, um ihre Gegner zu täuschen und ihre Opfer zu töten, ohne dass jemand Verdacht schöpft. Einer ihrer liebsten Tricks ist es, eng anliegende Kleidung zu tragen, womit sie ihren Feind ablenken, um ihm dann den Todesstoß zu versetzen. Im antiken Japan genossen *Kunoichi* denselben sozialen Status wie Männer.

Les *ninjas* femmes sont appelées *kunoichi*. Elles sont tout aussi effrayantes que leurs homologues masculins mais souffrent du handicap d'être moins fortes en apparence. Toutefois, elles savent user de leur féminité pour ourdir leur complot et tuer leurs victimes sans éveiller le moindre soupçon. L'un de leurs tours favoris est de porter des habits très moulants pour séduire l'ennemi qu'elles finissent par battre jusqu'à ce que mort s'en suive. Autrefois, au Japon, les *kunoichi* jouissaient d'un statut semblable à celui de leurs homologues masculins.

Vrouwelijke *ninja's* staan bekend als *kunoichi*. Ze zijn net zo geducht als hun mannelijke tegenhangers, maar hebben de handicap dat ze minder sterk lijken. Toch weten ze heel goed hoe ze hun vrouwelijkheid kunnen misbruiken om hun slachtoffers te misleiden en te vermoorden zonder van moord verdacht te worden. Een van hun favoriete trucs is strakke outfits te dragen die de tegenstanders in verwarring brengen. Deze slaan ze dan vervolgens bloederig in elkaar. In het oude Japan genoten *kunoichi* dezelfde status als mannen.

Shape_Form_Forme_Vorm

Our *kunoichi* is waving her sword menacingly and tries to maintain her distance from her enemy by stretching her arm toward us. This way it is the reader who is in fact the enemy.

Unsere *Kunoichi* schwenkt ihr Schwert drohend und ist darauf bedacht, die Distanz zwischen sich und ihrem Feind zu halten, indem sie uns ihren Arm entgegenstreckt. In der Tat ist es der Betrachter, der hier als Feind auftritt.

Notre *kunoichi* brandit son épée d'un air menaçant et essaye de maintenir la distance avec l'ennemi en tendant son bras vers nous. Ainsi, c'est le lecteur qui devient l'ennemi.

Onze *kunoichi* zwaait dreigend met haar zwaard en probeert de afstand tussen zichzelf en de vijand te handhaven door haar arm naar ons uit te strekken. Op deze manier is het eigenlijk de lezer die de vijand is.

Volume_Volumen_Volume_Ruimtelijke vorm

Use simple shapes to draw her right hand and to force the position of her fingers and make her hand more dynamic. The position of her right foot and her flexed left leg give the image greater depth.

Verwende einfache Formen zum Zeichnen ihrer rechten Hand, zum Forcieren der Position ihrer Finger und um ihre Hand dynamischer erscheinen zu lassen. Die Position ihres rechten Fußes und ihr angewinkeltes linkes Bein verleihen dem Bild mehr Tiefe.

Utilisez des formes simples pour dessiner sa main droite et pour forcer la position de ses doigts et rendre sa main plus dynamique. La position de son pied droit et de sa jambe fléchie accentue la profondeur de l'image.

Gebruik eenvoudige vormen om de rechterhand te tekenen. Daardoor komen de vingers in de juiste positie en wordt de hand dynamischer. De positie van de rechtervoet en het gebogen linkerbeen zorgen voor veel meer diepte in de tekening.

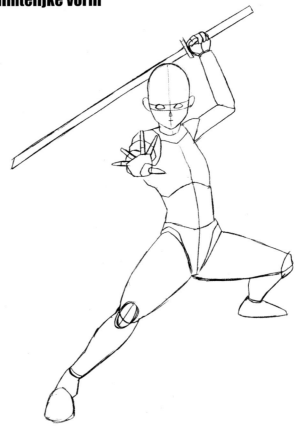

Anatomy_Anatomie_Anatomie_Anatomie

Contrast the rigid pose of her body and arms with the dynamics of her hair. Pay attention to the look in her eyes and arch of her eyebrows as these will be the only visible parts of her face.

Stelle einen Kontrast zwischen der steifen Pose ihres Körpers und ihrer Arme und der Dynamik ihrer Haare dar. Achte auf den Blick in ihren Augen und auf die Wölbung ihrer Augenbrauen, denn sie sind die einzigen sichtbaren Teile ihres Gesichts.

Contrastez la pose rigide de son corps et de ses bras avec le mouvement de ses cheveux. Faites attention à son regard et à la courbure de ses sourcils, car ils seront la seule partie visible de son visage.

De dynamiek in het haar contrasteert met de stijve houding van het lichaam en de armen. Zorg ervoor dat de blik in de ogen en de kromming van de wenkbrauwen goed zijn, want dat is alles wat je van het gezicht ziet.

Final sketch_Endskizze_Esquisse définitive_Uiteindelijke schets

Give her a tight outfit. Bindings on her arms will help accentuate her movement when the time comes to brandish her sword. A hood will help her keep her identity well-hidden.

Gib ihr ein eng anliegendes Outfit. Die Bänder an den Armen helfen dabei, die Haltung beim Schwertschwingen dynamischer aussehen zu lassen. Da *Kunoichi* ihre Identität geheim halten müssen, bekommt ihr Anzug eine Kapuze.

Sa tenue doit être près du corps. Des rubans sur ses bras accentueront son mouvement le moment venu de brandir son épée. Une capuche lui permettra de masquer son identité.

Geef de *kunoichi* een nauwsluitend pakje. Als het tijd is om het zwaard te zwaaien zullen de windsels om haar armen de beweging meer accentueren. De capuchon kan ze gebruiken om haar identiteit te verbergen.

Lighting_Licht_Éclairage_Lichtval

An almost zenithal light source helps mark her volume according to her outfit. Her clothes are made of a shiny material, which reflects more light than the bindings, made of an absorbent material.

Das Licht kommt praktisch ausschließlich von oben; deshalb muss das Volumen dementsprechend und passend zum Outfit gezeichnet werden. Die Kleidung besteht aus glänzendem Material, das mehr Licht reflektiert als beispielsweise die Bänder, die aus einem porösen Stoff sind.

Une source de lumière presque zénithale permet de définir son volume en fonction de sa tenue. Ses habits sont d'une matière brillante, qui reflète davantage la lumière que les attaches, plus mates.

Een lichtbron van bijna recht vanboven draagt bij aan het markeren van het volume dat overeenkomt met het pakje. De kleren zijn van glimmend materiaal, dat meer licht reflecteert dan de windselen, die van absorberend materiaal zijn.

Flat colors_Basisfarben_Couleurs simples_Effen kleuren

Kunoichis must remain hidden, so their clothes must be mainly dark. We'll add little bits of color to her hair, bindings and belt, though we must give these colors a touch of black too.

Kunoichi müssen im Verborgenen bleiben, daher muss ihre Kleidung überwiegend dunkel sein. Wir geben ihrem Haar, den Bändern und dem Gürtel etwas Farbe, der aber unbedingt auch schwarz beigemischt werden muss.

Les *kunoichi* ne doivent pas être vues, leurs habits seront donc essentiellement sombres. Nous ajouterons quelques touches de couleur dans les cheveux, attaches et ceinture, tout en choisissant une gamme foncée.

Kunoichi's moeten verborgen blijven, dus moeten hun kleren voornamelijk donker zijn. We geven het haar, de windsels en de riem wat kleur, maar maken die kleuren ook een tikkeltje zwart.

180

Shading_Schatten_Ombres_Arcering

Shading helps define the texture of her clothes and other accessories. Also define the shape of her sword and the volume of her bindings, which will help us portray her arm movement.

Das Schattieren hilft dabei, die Textur ihrer Kleidung und der Accessoires zu definieren. Markiere auch die Schatten ihres Schwertes und das Volumen der Bänder, die uns dabei helfen, ihre Armbewegung zu porträtieren.

L'action d'ombrer permet de définir la texture de ses habits et autres accessoires. Définissez également la forme de son épée et le volume de sa fixation qui nous aidera à dessiner le mouvement du bras.

Arcering helpt om het materiaal van de kleren en de andere accessoires weer te geven. Geef de vorm van het zwaard en het volume van het windsel zo weer dat ze ons helpen om de armbeweging te tekenen.

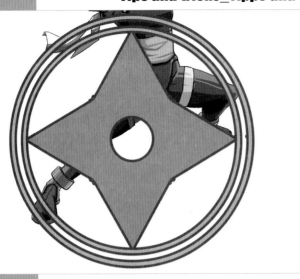

1. Draw a simple rosette, based on the *ninjutsu* art, *shuriken*, on the floor.

1. Zeichne für den Boden eine einfache Rosette, die an die *Ninjutsu*-Kunst *Shuriken* erinnert.

1. Dessinez une simple rosette, issue de l'art du *ninjutsu shuriken*, sur le sol.

1. Teken op de vloer een eenvoudige rozet, gebaseerd op de *ninjutsu*-kunst *shuriken*.

2. Place it behind the character.

2. Platziere die Rosette hinter der Figur.

2. Placez-la derrière le personnage.

2. Plaats hem achter het stripfiguur.

3. Shape it and place it at a perfect angle for depth and volume.

3. Verändere die Perspektive, indem Du einen perfekten Winkel wählst, mit dem das Bild Tiefe und Volumen erhält.

3. Placez-la dans un angle idéal pour la profondeur et le volume.

3. Zorg dat de vorm en plaatsing de juiste hoek hebben voor het perspectief en de ruimtelijke vorm.

Finishing touches_Letzte Details_Touches finales_Afwerking

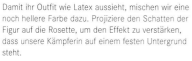

To make her outfit look like latex, blend in a lighter tone. Project the shadow of the rosette to increase the feeling that the character is on a solid surface.

Damit ihr Outfit wie Latex aussieht, mischen wir eine noch hellere Farbe dazu. Projiziere den Schatten der Figur auf die Rosette, um den Effekt zu verstärken, dass unsere Kämpferin auf einem festen Untergrund steht.

Pour que sa tenue semble être en latex, mélangez un ton plus clair. Projetez l'ombre de la rosette pour donner davantage l'impression que le personnage est posé sur une surface dure.

Om haar pakje er als rubber uit te laten zien, meng je er een lichtere schakering in. Teken de schaduw van het figuur op de rozet, zodat het gevoel versterkt wordt dat ze op een stevige ondergrond staat.

Temple Guardians

The *Nio* protectors, or *Benevolent Kings* are two guardians that are said to have originally come from India to protect Buddha on his travels throughout that country. Agyo, the guardian with his mouth open, represents the sound of the first *devanaagarii* in Sanskrit, which sounds like an "a". Ungyo, who has his mouth shut, represents the last *devanaagarii* in Sanskrit, which sounds like "un". They represent the concepts of birth and death, alpha and omega, the beginning and end.

Die *Nio*-Könige, auch *Wohlwollende Könige*, sind zwei Wächter, von denen behauptet wird, dass sie ursprünglich aus Indien kamen, um Buddha auf seinem Weg durch das Land zu beschützen. Agyo, der Wächter mit dem offenen Mund, repräsentiert den Ton des ersten *Devanaagarii* in Sanskrit, das wie ein „a" klingt. Ungyo, der mit dem geschlossenen Mund, stellt den letzten *Devanaagarii* in Sanskrit dar, der wie „un" klingt. Sie beide repräsentieren die Konzepte von Geburt und Tod, von Alfa und Omega, von Anfang und Ende.

Les déités protectrices *Nio*, ou *Rois bienveillants*, sont deux gardes supposés être venus d'Inde pour protéger Bouddha au cours de ses voyages à travers le pays. *Agyo*, le gardien à la bouche ouverte, représente le son du premier *devanaagarii* en sanskrit, qui s'entend comme un « a ». Ungyo, à la bouche fermée, représente le dernier *devanaagarii* en sanskrit, qui s'entend comme un « un ». Ils symbolisent la naissance et la mort, l'alfa et l'oméga, le commencement et la fin.

De *Nio*-koningen, of *welwillende koningen*, zijn twee wachters van wie gezegd wordt dat ze van origine uit India komen en Boeddha beschermden op zijn reizen door dat land. Agyo, de wachter met geopende mond, verbeeldt in het Sanskriet het geluid van de eerste *devanaagarii*, dat klinkt als "ee". Ungyo, die zijn mond dicht heeft, verbeeldt in het Sanskriet het geluid van de laatste *devanaagarii*, dat klinkt als "un". Ze staan voor de begrippen geboorte en dood, alfa en omega en het begin en het eind.

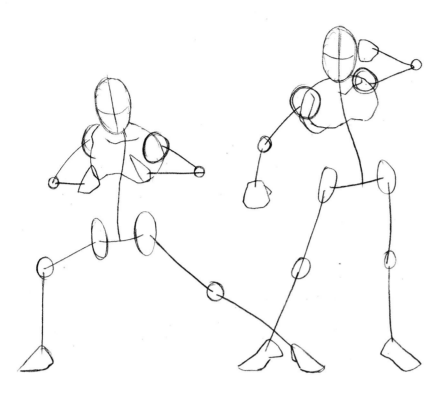

Shape_Form_Forme_Vorm

As our characters represent opposite concepts, draw a hypothetical confrontation. A front view puts them in a defiant position. Since they are rather corpulent, their poses will be rigid.

Da unsere beiden Charaktere gegensätzliche Konzepte darstellen, kann man sie in einer hypothetischen Konfrontation zeichnen. Mit einer Frontaufnahme lassen wir sie herausfordernd posieren. Da sie sehr korpulent sind, wirken ihre Posen steif.

Comme nos personnages sont des êtres opposés, dessinez une confrontation hypothétique. Une vue frontale les met dans une position de défiance. Vu leur corpulence, leur posture sera rigide.

Omdat onze figuren tegengestelde concepten vertegenwoordigen, tekenen we een hypothetische confrontatie. Door het vooraanzicht staan ze in een uitdagende houding. Omdat ze ietwat corpulent zijn, zijn hun houdingen stram.

Volume_Volumen_Volume_Ruimtelijke vorm

Volume will help us shape the muscles and position of the arms and legs. Use simple shapes to define the position of their feet and help us keep the two figures on the same plane.

Durch Volumen können wir die Muskeln und Position der Arme und Beine zum Ausdruck bringen. Verwende einfache Formen, um die Stellung ihrer Füße zu definieren und die beiden Figuren auf derselben Ebene abzubilden.

Le volume permettra de former les muscles et la position des bras et jambes. Utilisez des formes simples pour définir la position de leurs pieds et afin de garder les deux personnages sur le même plan.

Ruimtelijke vorm helpt bij het vormgeven van de spieren en de houding van de armen en de benen. Gebruik eenvoudige vormen om de positie van de voeten weer te geven en de twee figuren op hetzelfde vlak te houden.

Anatomy_Anatomie_Anatomie_Anatomie

Our two characters are very muscular (consult muscle and fitness magazines). Don't overload the drawing unnecessarily. Stylize their waists to take a bit of the rigidity out of their bodies.

Da die Figuren sehr muskulös sind, ist es hilfreich, Fitnesshefte zu Hilfe zu nehmen. Überlade aber die Zeichnung nicht unnötigerweise. Stilisiere ihre Taillen, um ihre Körper weniger steif aussehen zu lassen.

Nos deux personnages sont très musclés (consultez les magazines de musculation et de remise en forme). Ne surchargez pas le dessin inutilement. Stylisez leur taille pour atténuer un peu la rigidité de leurs corps.

Onze twee stripfiguren zijn zeer gespierd (bekijk bodybuild- en fitnesstijdschriften voor voorbeelden), maar overlaad de tekening niet onnodig met spieren. Stileer de tailles om de lichamen minder stram te maken.

Final sketch_Endskizze_Esquisse définitive_Uiteindelijke schets

Since we're drawing muscular characters, we won't be dealing with much clothing. Draw skirts with the necessary folds so we don't lose volume or the position of their feet.

Da wir muskulöse Charaktere darstellen, müssen wir uns kaum um die Kleidung kümmern. Zeichne kurze Röcke mit einigen Falten, um kein Volumen einzubüßen und die Haltung ihrer Füße gut zu Papier zu bringen.

Puisque nous dessinons des personnages musclés, les vêtements seront réduits au minimum. Habillez-les de jupes avec suffisamment de plis pour ne pas perdre du volume ou la position de leurs pieds.

Omdat we gespierde figuren tekenen, hebben we met weinig kleding van doen. Teken rokken met net genoeg plooien om het volume of de positie van de voeten zichtbaar te laten.

Lighting_Licht_Éclairage_Lichtval

Mark the characters' shadows with a zenithal light source in mind. Use a strong contrast to maintain their fearsome and threatening looks and a less evident contrast on their clothes.

Markiere die Schatten so, dass Oberlicht auf sie fällt. Setze beim Zeichnen des Körpers starke Kontraste ein, um sie furchterregend wirken zu lassen und nimm bei der Kleidung weniger akzentuierte Kontraste.

Soulignez les ombres des personnages avec une source de lumière zénithale. Maximisez le contraste pour garder leurs regards effrayants et menaçants en le diminuant sur les habits.

Markeer de schaduwen van de stripfiguren alsof het licht van boven komt. Gebruik sterke contrasten, zodat de figuren er angstaanjagend en dreigend blijven uitzien. Maak het contrast op hun kleren minder sterk.

Flat colors_Basisfarben_Couleurs simples_Effen kleuren

To differentiate between the characters, use a cold color for one and a warmer color for the other. Create contrast between the two and their clothing, using tones that contrast with their skin color.

Um die beiden Charaktere zu unterscheiden, verwende eine kühle Farbe für den einen und eine wärmere Farbe für den anderen. Schaffe Kontraste zwischen den beiden Körpern und ihrer Bekleidung; benutze für die Kleidung Farbtöne, die sich von ihrer Hautfarbe absetzen.

Pour différencier les deux personnages, optez pour une couleur froide pour l'un et une couleur plus chaude pour l'autre. Créez le contraste entre leurs habits, avec des teintes qui diffèrent de la couleur de leur peau.

Een koude kleur voor de een en een warme kleur voor de ander verduidelijkt het verschil tussen de twee stripfiguren. Geef hun kleren kleuren die contrasteren met hun huidskleur.

Shading_Schatten_Ombres_Arcering

Have as many references to hand as possible to shape their muscles and obtain the kind of volume that's as correct as possible. Remember the shadows of the clothes, which help enrich the illustration.

Nimm zum Zeichnen der Muskeln so viele Referenzen zu Hilfe wie möglich und versuche, das Volumen korrekt darzustellen. Achte auf die Schatten auf der Kleidung; das hilft Dir, die Illustration zu bereichern.

Utilisez un maximum de références pour former leurs muscles et obtenir un volume au plus près de la réalité. Pensez aux ombres des habits qui viennent enrichir l'illustration.

Zorg dat je zoveel mogelijk voorbeelden bij de hand hebt om de spieren de juiste vormen te geven en een zo correct mogelijke ruimtelijke vorm te bereiken. Vergeet de schaduwen van de kleren niet. Ze verrijken de illustratie.

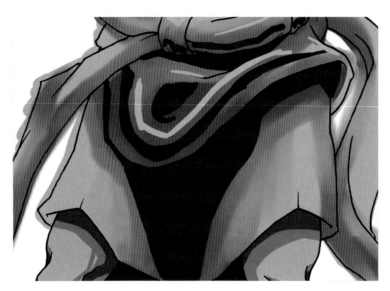

1. Add light colors to help brighten the illustrations, and darker ones to give the clothing more consistency.

1. Helle Farbtupfer lassen die Illustrationen mehr strahlen und dunklere Stellen geben der Kleidung mehr Konsistenz.

1. Ajoutez des couleurs légères pour donner de l'éclat aux illustrations, et des tons plus foncés pour accroître la consistance des vêtements.

1. Voeg lichte kleuren toe om de illustratie helderder en donkere kleuren om de kleren voller te maken.

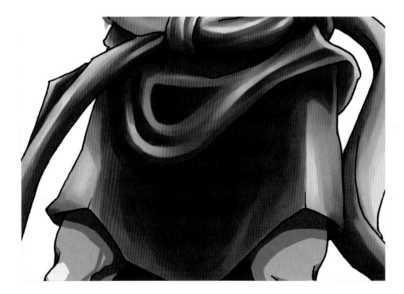

2. Apply dark or light tones to achieve a consistent texture for the clothing.

2. Bringe weiter dunkle und helle Farben in die Illustration, um eine konsistente Textur bei den Kleiderstoffen zu erreichen.

2. Appliquez des teintes foncées ou légères, ce qui donne une texture consistante aux vêtements.

2. Voeg donkere of lichte schakeringen toe, zodat je eenheid krijgt in het weefsel van de kleren.

Finishing touches_Letzte Details_Touches finales_Afwerking

Add the final highlights and shadows to help accentuate their volume and muscles. Finish painting their clothing with a matt finish that contrasts with the glossy finish of the characters.

Zeichne weitere Lichtstellen und Schatten ein, damit die Muskeln richtig zum Ausdruck kommen. Gib ihrer Kleidung eine matte Erscheinung, die mit dem glänzenden Aussehen der Charaktere im Kontrast steht.

Ajoutez les derniers reflets et ombres pour accentuer les volumes et les muscles. Terminez de peindre les habits avec un vernis mat qui contraste avec le vernis brillant des personnages.

Voeg de laatste lichtgebieden en schaduwen toe, zodat de volumes en spieren meer nadruk krijgen. De kleren worden afgemaakt met een matte lak, die contrasteert met de glanzende lak van de figuren zelf.

Geisha

Geishas initially emerged to play a role in the entertainment world. Although it may seem strange to us now, at first most geishas were men who dedicated themselves to the art of entertaining their clients at parties and social reunions. Over time, women declared themselves geishas and offered services such as storytelling, dancing and music. Geishas are one of Japan's greatest cultural icons and can still be seen strolling the streets of some Japanese cities.

Geishas waren ursprünglich Unterhalter. Obwohl es uns heute ungewöhnlich erscheint, waren die meisten Geishas zu Anfang Männer, die auf Feiern und Festen für ihre Kunden den Entertainer spielten. Mit der Zeit nannten sich auch Frauen, die sich als Geschichtenerzählerinnen, Tänzerinnen und Sängerinnen anboten, Geishas. Heute sind sie wahrscheinlich die größten Kultikonen Japans und man sieht sie sogar auf den Straßen japanischer Städte.

À l'origine, les *geishas* étaient des hommes qui se consacraient à l'art de divertir les clients dans des fêtes et des réunions de société même si cela nous semble étrange aujourd'hui. Au fil du temps, les femmes se sont déclarées *geishas* et ont offert leurs services : raconter des histoires, danser et jouer de la musique. Icônes culturelles phares du Japon, elles déambulent encore dans les rues de certaines villes japonaises.

Geisha's waren, merkwaardig genoeg, van origine mannen die klanten vermaakten tijdens feestjes en sociale bijeenkomsten. In de loop der tijd wierpen ook vrouwen zich op als *geisha's*. Zij entertainden mannen met verhalen, dans en muziek. *Geisha's* behoren tot de belangrijkste culturele iconen van Japan en nog steeds kun je hen zien rondlopen in de straten van bepaalde Japanse steden.

Shape_Form_Forme_Vorm

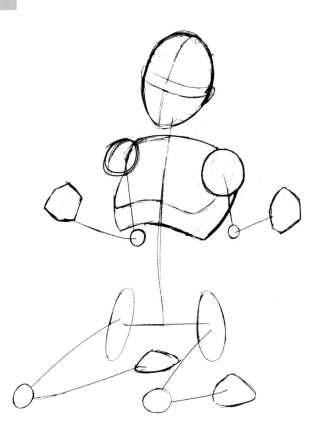

Put this character in the typical Japanese sitting fashion, the seiza. This position shows respect as well as a certain submissiveness. The frontal view allows us to see the geisha in a natural pose.

Zeichne diesen Charakter in seiner typisch japanischen Sitzpose, dem *Seiza*. Diese Position drückt Respekt und eine gewisse Ergebenheit aus. Die Frontansicht erlaubt uns, die Geisha in einer natürlichen Pose darzustellen.

Dessinez ce personnage dans la position assise typiquement japonaise, la *seiza*. Cette position exprime le respect ainsi qu'une certaine soumission. La vue de face nous permet de voir la geisha dans une pose naturelle.

Zet deze stripfiguur neer in de kenmerkende Japanse manier van zitten, de *seiza*. Deze positie geeft blijk van respect en ook van een zekere onderdanigheid. Het vooraanzicht stelt ons in staat om de *geisha* in een natuurlijke pose te zien.

Volume_Volumen_Volume_Ruimtelijke vorm

Bend the wrist of her right hand holding the parasol to give her a more natural and less rigid look. For the other hand, force the position of her fingers to give them a slight sense of movement.

Biege die rechte Hand, die den Schirm hält, nach oben, um sie natürlicher und weniger steif aussehen zu lassen. Forciere bei der anderen Hand die Haltung der Finger, um sie mit etwas Bewegung zu versehen.

Le poignet fléchi de sa main droite tenant une ombrelle lui confèrera une allure plus naturelle et moins rigide. Quant à la main gauche, forcez la position de ses doigts pour leur donner une légère impression de mouvement.

Om haar natuurlijker en minder stijf te laten overkomen, buig je de pols van de rechterhand, die de parasol vasthoudt. Dwing de vingers van haar andere hand in positie om het idee van beweging te bewerkstelligen.

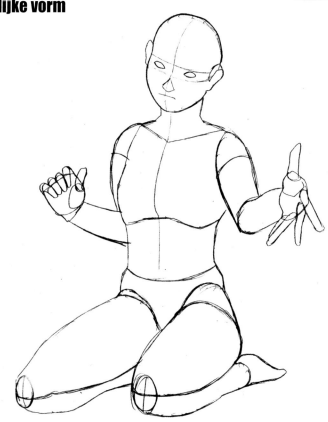

Anatomy_Anatomie_Anatomie_Anatomie

The strength of the image lies in her hands. Her left hand invites us to get closer to her. As we don't know who the geisha is addressing, sketch a smile to show indifference.

Die Kraft dieses Bildes liegt in den Händen der Figur. Ihre linke Hand lädt uns ein, näher zu kommen. Da wir nicht wissen, an wen sich die Geisha wendet, setzen wir ihr ein neutrales Lächeln auf.

La force de l'image repose dans ses mains. Sa main gauche nous invite à nous rapprocher d'elle. Comme nous ne savons pas à qui s'adresse la *geisha*, esquissez un sourire contenu.

De kracht van het beeld zit in de handen. De linkerhand nodigt ons uit om dichterbij te komen. Omdat het onbekend is tot wie de *geisha* zich richt, teken je een glimlach om onverschilligheid uit te drukken.

Add the typical geisha outfit, the *kimono*, with all its accessories. Consider the wrinkles formed by the long sleeves and the position of her legs and add a typical wood and fabric Japanese parasol.

Zeichne eine typische Geisha-Tracht, den *Kimono*, mit all ihren Accessoires. Achte auf die Falten, die die langen Ärmel werfen und auf die Position der Beine. Füge einen typischen japanischen Sonnenschirm aus Holz und Stoff hinzu.

Ajoutez la tenue typique des *geishas*, le kimono, avec tous ses accessoires. Pensez aux plis formés par les longues manches et la position des jambes sans oublier d'ajouter la traditionnelle ombrelle japonaise en bois et en tissu.

Kleed de *geisha* in de voor haar kenmerkende kledij: de *kimono*. Teken ook alle accessoires. Besteed aandacht aan de plooien in de lange mouwen en de houding van de benen en geef de vrouw een typisch Japanse parasol van hout en textiel.

Lighting_Licht_Éclairage_Lichtval

A zenithal light source will project the shadow of the parasol on the floor. This light source won't affect the character so focus on the shadows caused by the wrinkles and folds of her clothes.

Eine Oberlichtquelle projiziert die Schatten des Sonnenschirms auf den Boden, hat aber wenig Wirkung auf den Charakter. Konzentriere Dich also auf die Schatten der Stofffalten.

Une source de lumière zénithale projettera l'ombre de l'ombrelle sur le sol, sans pour autant affecter le personnage, ni les ombres créées par les fronces et les plis de ses habits.

De schaduw van de parasol op de vloer komt van een lichtbron van bovenaf. Deze lichtbron heeft geen invloed op het figuurtje, dus richt je je aandacht op de schaduwen van de plooien en kreukels van de kimono.

Flat colors_Basisfarben_Couleurs simples_Effen kleuren

Geishas are characterized by their *kimonos* and the bright colors that attract attention and contrast with the white paint on their face. Use saturated colors for her make-up and a gray base for her hair.

Geishas zeichnen sich dadurch aus, dass sie *Kimonos* in leuchtenden Farben tragen, die Aufmerksamkeit auf sich ziehen und im Kontrast zu den weißbemalten Gesichtern stehen. Verwende gesättigte Farben für ihr Make-up und eine graue Basis für ihre Haare.

Les *geishas* sont personnalisées par leurs kimonos et les couleurs vives qui attirent l'attention et contrastent avec le maquillage blanc de leur visage. Choisissez des couleurs saturées pour le maquillage et une base de gris pour les cheveux.

Geisha's worden gekenmerkt door hun kimono's in heldere, opvallende kleuren, die afsteken tegen het bleke gezicht. Gebruik verzadigde kleuren voor de make-up en een grijze basis voor het haar.

Shading_Schatten_Ombres_Arcering

Use the folds and wrinkles to give the character more volume. Create the zenithal lighting so the parasol lets a little bit of light through. So, the parasol won't have shadows, but the spokes will.

Setze die Stofffalten ein, um dem Charakter mehr Volumen zu verleihen. Das Oberlicht scheint ein wenig durch den Stoffschirm, so dass der Schirm keine Schatten hat – mit Ausnahme der Speichen.

Utilisez les plis et les fronces pour donner davantage de volume au personnage. Créez un éclairage zénithal pour que le parasol laisse filtrer un peu de lumière. Il ne contiendra donc pas d'ombres, contrairement à ses rayons.

Gebruik de plooien en kreukels om het figuurtje meer volume te geven. Maak het licht van bovenaf zo dat de parasol een beetje licht doorlaat. Op die manier werpt de parasol zelf geen schaduw, maar doen de baleinen dat wel.

1. A floral pattern will enrich the design of the *kimonos*.

1. Blumenmuster vervollkommnen das Design des *Kimonos*.

1. Enrichissez le kimono d'un motif floral.

1. Een bloemetjesmotief verrijkt het ontwerp van de *kimono*.

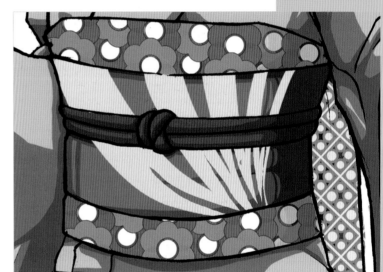

2. Place the design in the chosen areas.

2. Wir projizieren die Muster auf die entsprechenden Stellen.

2. Placez le motif dans les zones choisies.

2. Zet de motiefjes op de gekozen plekken.

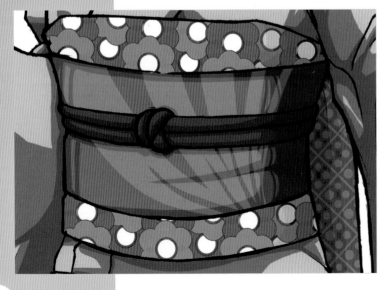

3. To use the shadows and not clash colors, minimize the opacity of the patterns and make them transparent.

3. Um die vorher gefertigten Schatten einzusetzen und damit sich die Farben nicht beißen, vermindern wir die Intensität der Muster und machen sie transparenter.

3. Pour faire usage des ombres et non de couleurs qui jurent, minimisez l'opacité des motifs et rendez-les transparents.

3. Om de kleuren niet te laten vloeken, verminderen we de ondoorzichtigheid van de patronen en maken ze transparanter.

Finishing touches_Letzte Details_Touches finales_Afwerking

Place the patterns where necessary. Paint these with saturated colors so they don't look like those of the clothes and contrast with them. Add the final touches of shading to enrich the lighting.

Setze die Muster in die gewählten Zonen und verwende für sie satte Farben, damit sie sich von der restlichen Kleidung abheben. Gib am Ende noch einige Schattierungen dazu, um mehr Lichteffekte zu erreichen.

Placez les motifs. Peignez-les avec des couleurs saturées, différentes de celles des habits, et qu'elles s'affichent en contraste. Ajoutez les touches finales en plaçant les ombres pour enrichir la luminosité.

We plaatsen de motiefjes op de kleren waar nodig en met verzadigde kleuren, zodat ze contrasteren met de kleuren van die kleren. Leg de laatste hand aan de schaduwwerkingen om de lichtval te verrijken.

Yukata

The *yukata* is a cotton piece of clothing worn by women. It's normally used in the summer, the season of festivals like *tanabata* and *bon-odori*. It is often used in *manga* to tell the reader that the story takes place in the summer and, very probably, during the celebration of one of the festivals. It's often used in the *shojo* genre, since during the *Tanabata* festival lovers take the opportunity to declare their love. It's the perfect setting for the more romantic *manga* stories.

Das *Yukata* ist ein traditionelles Kleidungsstück aus Baumwolle, das von Frauen getragen wird. Diese ziehen es normalerweise im Sommer an, wenn Festivals wie *Tanabata* und *Bon-odori* veranstaltet werden. Beim *Manga* wird es oft eingesetzt, um dem Leser zu Verstehen zu geben, dass die Handlung im Sommer stattfindet und mit aller Wahrscheinlichkeit während eines Festivals. Es findet häufig im *Shojo*-Genre Verwendung, da Verliebte die *Tanabata*-Festivals zum Anlass nehmen, eine Liebeserklärung zu machen. Sie sind genau die richtige Kulisse für die romantischeren *Manga*-Stories.

Le *yukata* est un vêtement en coton porté par les femmes, souvent en été, la saison des festivals comme *tanabata* et *bon-odori*. Il est souvent utilisé dans les mangas pour que le lecteur sache que l'histoire se déroule en été, très probablement, pendant la célébration des festivals. On le retrouve fréquemment dans le genre *shojo*, puisque, pendant le festival *tanabata*, les amoureux se déclarent leur amour. C'est le cadre idéal pour les histoires les plus romantiques du manga.

De *yukata* is een katoenen kledingstuk dat wordt gedragen door vrouwen. Gewoonlijk wordt het gedragen in de zomer, het seizoen van festivals zoals *tanabata* en *bon-odiri*. In *manga* wordt het veel gebruikt om aan te geven dat het verhaal zich in de zomer afspeelt en, hoogstwaarschijnlijk, tijdens een van de festivals. Vaak vind je het terug in het *shojo*-genre, omdat minnaars het *Tanabata*-festival aangrijpen om elkaar de liefde te verklaren. Het is het perfecte decor voor de romantischere *manga*-verhalen.

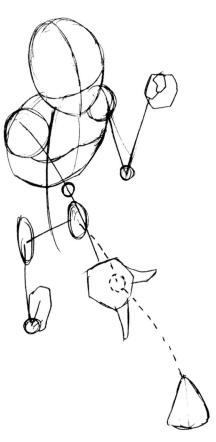

Shape_Form_Forme_Vorm

We've chosen a moment of maximum tension, when the character is throwing hoops during a summer festival. A front view emphasizes the position of her body and shows a very dynamic movement.

Wir haben für unsere Illustration einen Moment höchster Spannung gewählt: das Reifenwerfen auf einem Sommerfest. Eine Frontaufnahme hebt die Haltung des Mädchens hervor und zeigt eine außerordentlich dynamische Bewegung.

Nous avons choisi un instant de tension maximum, quand le personnage envoie des cerceaux lors du festival d'été. Une vue de face accentue la position de son corps et exprime un mouvement énergique.

We hebben gekozen voor een moment van maximale spanning, namelijk dat waarop het figuurtje aan het ringwerpen is tijdens een zomerfestival. Een vooraanzicht benadrukt de houding van het lichaam en laat een dynamische beweging zien.

Volume_Volumen_Volume_Ruimtelijke vorm

The right arm is our main reference; give it volume with simple cylindrical shapes. The torso is our second reference, created by slightly arching her back over the resting point, her left foot.

Der rechte Arm ist der Blickfang; gib ihm deshalb viel Volumen mit einfachen runden Konturen. Der Oberkörper ist die zweite Referenz; der Rücken der Figur ist leicht nach vorne gebeugt und ruht auf dem Stützpunkt, ihrem linken Fuß.

Le bras droit est notre référence principale : donnez-lui du volume avec de simples formes cylindriques. Le torse est notre deuxième point de référence, créé en courbant légèrement son dos sur le point d'appui, son pied gauche.

De rechterarm is het belangrijkste referentiepunt; maak de volumes met eenvoudige cilindrische vormen. De romp is ons tweede referentiepunt en onze figuur wordt getekend met een licht gebogen rug over het standpunt (de linkervoet).

Anatomy_Anatomie_Anatomie_Anatomie

The hair defines the strength of the girl's movement and marks a diagonal line to her left foot, which helps accentuate her tension. Add a more relaxed air by drawing her tongue tasting the ice cream.

Die Haare unterstreichen die Stärke der Bewegung des Mädchens und ziehen eine diagonale Linie zu seinem linken Fuß, wodurch die gesamte Spannung der Bewegung akzentuiert wird. Füge dem Bild ein entspannendes Element hinzu: die Zunge, die an einem Eis leckt.

Les cheveux déterminent la force du mouvement de la fille et marquent une ligne diagonale par rapport à son pied gauche, permettant ainsi d'accentuer la tension. Donnez-lui une attitude plus décontractée en dessinant sa langue goûtant à la glace.

Het haar toont de kracht van de beweging en beschrijft een diagonale lijn naar de linkervoet, waardoor de spanning wordt versterkt. Maak het beeld wat losser door de tong, waarmee het figuurtje net aan het ijs heeft gelikt.

Final sketch_Endskizze_Esquisse définitive_Uiteindelijke schets

Add the final details, such as the ice cream, which looks like it could fall at any moment. Make sure the *yukata* fits the character's position when in action and add some typical *geta* sandals.

Ergänze die Illustration mit weiteren Details, wie dem Eis, das aussieht, als würde es im nächsten Moment aus der Waffel fallen. Versichere Dich, dass das *Yukata* korrekt am Körper der Figur anliegt und die Bewegungen der Aktion mitmachen. Zieh dem Mädchen außerdem noch ein paar typische Geta-Sandalen an.

Ajustez les derniers détails, comme les coulures de glace, qui donnent l'impression qu'elle pourrait se renverser d'un moment à l'autre. Assurez-vous que le *yukata* adopte la position du personnage en action et ajoutez des *geta*, les sandales traditionnelles en bois.

Voeg de laatste details toe, zoals het ijsje, dat eruitziet alsof het elk moment kan vallen. Verzeker je ervan dat de *yukata* de houding van het figuurtje in actie volgt. Geef het meisje de kenmerkende *geta*-sandalen.

208

Lighting_Licht_Éclairage_Lichtval

Taking place during a summer festival, the light
source will come from a zenithal perspective, from
the attractive and colorful paper lamps, which
don't provide a great deal of light.

Da die Handlung während eines Sommerfests
stattfindet, lassen wir das Licht von oben kommen,
am besten von den schönen bunten Papierlampen,
die allerdings nicht allzu viel Licht spenden.

L'action se déroulant lors d'un festival d'été, la
source de lumière viendra d'une perspective
zénithale, à l'instar des jolies lampes colorées en
papier, qui ne produisent pas beaucoup de lumière.

De lichtbron komt van bovenaf, omdat het festival
in de zomerfestival plaatsvindt. Laat het weinige
licht bij voorkeur komen van sfeervolle, kleurrijke
lampionnetjes.

Flat colors_Basisfarben_Couleurs simples_Effen kleuren

Use bright colors for the character, which match the ice cream. Give her a pale skin-color to reflect Japanese beauty standards: the less tan the more beautiful.

Verwende leuchtende Farben für den Charakter, die zum Eis passen. Gib der Figur eine blasse Hautfarbe, um die japanischen Schönheitsideale widerzuspiegeln: je blasser, um so hübscher.

Optez pour des couleurs gaies pour le personnage, assorties à la glace. Donnez-lui une couleur de peau claire, qui reflète les critères de beauté japonais.

Gebruik voor het stripfiguur heldere kleuren die bij het ijsje passen. Geef haar een bleke huidskleur, omdat een bleke huid de Japanse maatstaf voor schoonheid is: hoe minder gebruind, hoe mooier.

Shading_Schatten_Ombres_Arcering

Pay attention to the wrinkles made by the girl's
position and use these to shape the volume of her
hair and flesh. A dotted shading technique creates
texture on the scoops of ice cream.

Achte auf die Falten, die durch die Position des
Mädchens entstehen und nutze diese, um das
Volumen ihrer Haare und ihrer Haut zu skizzieren.
Schattierungen durch Punkte schaffen auf den
Eiskugeln eine interessante, wirkungsvolle Textur.

Faites attention aux plis dus à la position de la fille
et servez-vous en pour former le volume de ses
cheveux et de sa peau. Une technique d'ombrage à
base de points crée la texture sur les bords de la
glace.

Let op de plooien die veroorzaakt worden door
de houding en gebruik die om het volume
van het haar en het lichaam vorm te geven.
De techniek van met stippen arceren geeft de
ijsbolletjes structuur.

1. *Yukatas* usually have patterns.

1. *Yukatas* haben fast immer Muster.

1. Les *yukatas* sont souvent dotés de motifs, floraux notamment.

1. *Yukata's* hebben gewoonlijk motiefjes.

2. Adapt the design to the correct angle and perspective of her clothing.

2. Drehe das Muster gemäß der Perspektive, in der man es sieht.

2. Le motif doit être adapté au mouvement du vêtement.

2. Plaats het motiefje onder de juiste hoek en met het juiste perspectief van de kleren.

3. Adjust the design respecting the direction and folds.

3. Bringe das Muster entsprechend dem Fall des Stoffes in die richtige Position.

3. Achevez les motifs du *yukata* en les ombrant.

3. Pas het motiefje aan de vorm en plooien aan.

Finishing touches_Letzte Details_Touches finales_Afwerking

Add the final objects, such as the hoop. Draw a thick line to accentuate its position and paint its shadows while following its circumference to help make it look like it is spinning.

Füge die restlichen Objekte hinzu, u. a. den Reifen. Zeichne seine Umrisslinie dick, um seine Position hervorzuheben, und male seine Schatten gemäß der Rundung, so dass der Reifen aussieht, als würde er durch die Luft wirbeln.

Ajoutez les derniers objets, comme le cerceau. Dessinez une ligne épaisse pour accentuer sa position et peignez ses ombres en suivant sa circonférence pour faire croire qu'il file en toupie dans l'air.

Voeg de laatste onderdelen toe, zoals de ring. Teken hem met zware contouren om zijn positie te benadrukken. Door de schaduw de cirkelomtrek te laten volgen, lijkt de ring rond te draaien.

213

Action_Action_Action_Actie

Otaku
SD Hero
Gang Member
Adventure Woman

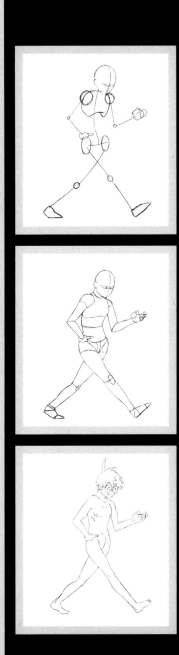

Otaku

What would a *manga* character be if there was nobody by his side to help him, such as the *otaku*, that computer-expert friend and avid *manga* reader? *Otakus* are known outside Japan as fans of anything related to *manga* and *anime*. In Japan this term is usually used for those who are obsessed with their hobby, not necessarily *manga*-related, and have a very poor or non-existent social life. Perhaps the most famous *otaku* is Otakon, a character from the videogame series *Metal Gear Solid*.

Was wäre ein *Manga*-Charakter ohne einen Freund an seiner Seite, der ihm zu Hilfe steht? Das kann z. B. ein Computerfreak und leidenschaftlicher *Manga*-Leser sein. Unter *Otakus* versteht man außerhalb Japans die leidenschaftlichen Fans von *Manga* und *Anime* und von allem, was damit in Zusammenhang steht. In Japan bezieht sich dieser Begriff allerdings auf alle Personen, die sich wie besessen ihrem Hobby widmen, egal welchem, nicht zwangsläufig *Manga*, und die kaum Freunde haben. Der wahrscheinlich bekannteste *Otaku* ist *Otakon*, ein Charakter aus der Videospielserie *Metal Gear Solid*.

Que serait un personnage manga s'il n'y avait personne à ses côtés pour l'aider, comme l'*otaku*, cet ami expert en ordinateur et avide lecteur de mangas ? Les *otaku* sont connus hors du Japon comme étant des fanatiques des mangas et de l'*anime*. Au Japon, ce terme est généralement employé pour ceux qui sont dévorés par leur passion, voire ayant une vie sociale très pauvre, quasi inexistante. Le plus célèbre *otaku* est peut-être *Otakon*, un personnage d'une série de jeux de vidéo, appelée *Metal Gear Solid*.

Wat zou een *manga*-stripfiguur moeten als niemand hem zou bijstaan, zoals *otaku*, de vriend die computerexpert en fervent *manga*-lezer is? *Otaku's* staan buiten Japan bekend als fans van alles wat met *manga* en *anime* te maken heeft. In Japan worden er mensen mee bedoeld die geen of bijna geen sociaal leven hebben en geobsedeerd zijn door hun hobby. Dat hoeft niet per se *manga* of iets wat daarmee samenghangt te zijn. De bekendste *otaku* is wellicht *Otakon*, een figuur uit de serie videospelletjes *Metal Gear Solid*.

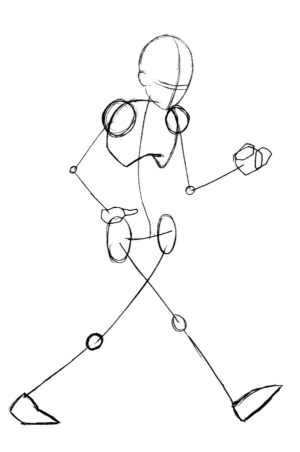

Shape_Form_Forme_Vorm

This character is presented in a moment of leisure. His hobbies are computer programming and *manga*. His position is fairly ordinary and his back is arched forward due to the weight of his rucksack.

Der hier dargestellte Charakter wird in seiner Freizeit gezeigt. Seine Hobbys sind Computer programmieren und *Manga*. Seine Haltung ist ziemlich unkompliziert und sein Rücken ist wegen des schweren Rucksacks leicht nach vorn gebeugt.

Ce personnage est présenté dans un moment de détente. Ses violons d'Ingres sont la programmation d'ordinateur et le manga. Sa position est assez ordinaire et son dos courbé sous le poids de son sac à dos.

Deze stripfiguur wordt gepresenteerd tijdens zijn vrije tijd. Zijn hobby's zijn computerprogrammeren en *manga*. Zijn houding is vrij gewoon en zijn rug is naar voren gebogen door het gewicht van zijn rugzak.

Volume_Volumen_Volume_Ruimtelijke vorm

Use simple shapes to position his feet, which are crucial in giving the character movement. Draw a few geometric shapes to create the left hand holding the cell phone.

Verwende simple Formen für die Positionierung seiner Füße, die ungeheuer wichtig sind, um dem Charakter Bewegung zu verleihen. Zeichne einige geometrische Formen für seine linke Hand, die das Handy hält.

Utilisez des formes simples pour situer ses pieds, essentiels pour donner du mouvement au personnage. Dessinez quelques formes géométriques pour créer la main gauche, qui tient le téléphone portable.

Gebruik eenvoudige vormen om de voeten te plaatsen, die cruciaal zijn om het figuur in beweging te brengen. Schets met een paar geometrische vormen de linkerhand die het mobieltje vasthoudt.

Anatomy_Anatomie_Anatomie_Anatomie

These characters have normal physiques. Contrary to the concept in the West, *otakus* in Japan are usually quite thin, almost anemic. The only common feature is their glasses.

Diese Art von Charakter hat gewöhnlich einen normalen Körperbau. Im Gegensatz zu westlichen Konzepten sind *Otakus* in Japan aber meistens ziemlich dünn, fast schon anämisch. Die einzige Gemeinsamkeit ist die Brille.

Ces personnages ont un physique normal. Contrairement au concept occidental, au Japon, les otaku sont souvent assez minces, presque anémiques. Le seul trait sera leurs lunettes.

Deze stripfiguren hebben een normaal lichaam. In Japan zijn, in tegenstelling tot in het Westen, *otaku's* gewoonlijk vrij mager, bijna ziekelijk. De enige overeenkomst is de bril.

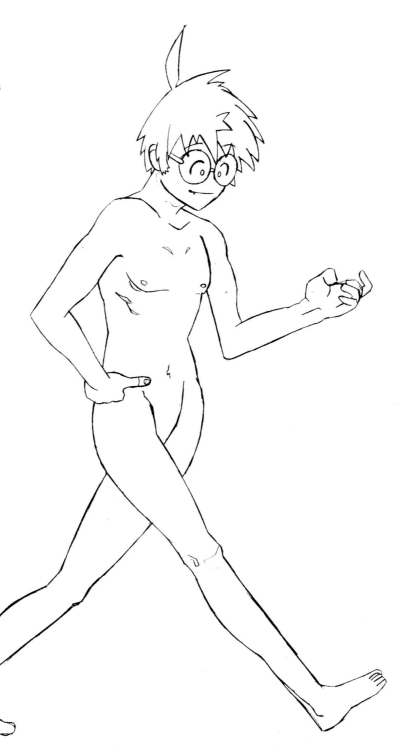

Final sketch_Endskizze_Esquisse définitive_Uiteindelijke schets

It's important to give these characters a gesture of complicity with the reader – such as a strap on his cell phone and a computer under his arm. The character's expression conveys happiness.

Es ist wichtig, bei diesen Charakteren einen Hauch von Komplizenschaft mit dem Leser herzustellen, wie hier z. B. mit dem Anhänger am Handy und dem Computer unter dem Arm. Unser Charakter sollte den Eindruck machen, gut gelaunt zu sein.

Il est important de donner à ces personnages un geste de complicité avec le lecteur – comme la lanière sur son mobile ou un ordinateur sous le bras. L'expression du personnage exprime la joie.

Het is belangrijk om deze stripfiguur iets te geven waardoor de lezer zich met hem verbonden voelt, zoals het bandje aan zijn mobieltje en de computer onder zijn arm. Zijn uitdrukking is er een van blijdschap.

Lighting_Licht_Éclairage_Lichtval

The light source is entirely zenithal as our character is outdoors, marking the contrasts in his clothes. Also bear in mind the shadow he projects so it looks like he's walking over a solid surfac.

Die Lichtquelle ist ausschließlich Oberlicht, da sich unser Charakter unter freiem Himmel befindet. Das Licht markiert die Kontraste auf seiner Kleidung. Berücksichtige auch den Schattenwurf, dass er auf einem festen Untergrund läuft.

Notre personnage étant à l'extérieur, la source de lumière est entièrement zénithale, et marquera ainsi les contrastes de ses habits. Notez bien l'ombre qu'il projette afin que l'on ait l'impression qu'il marche sur une surface dure.

Omdat de *otaku* buiten is, staat de lichtbron helemaal boven hem, waardoor de contrasten in zijn kleren naar voren komen. Houd ook de schaduwen die hij veroorzaakt in gedachten, zodat het lijkt alsof hij over een vaste ondergrond loopt.

Flat colors_Basisfarben_Couleurs simples_Effen kleuren

Use bright, light colors, without too much white. For contrast, paint the shirt dark gray. Remember these characters spend most of their time at home, so their skin should be as pale as possible.

Verwende leuchtende, helle Farben ohne zu viel weiß. Um Kontraste zu erreichen, zeichne das T-Shirt dunkelgrau. Denke daran, dass diese Typen die meiste Zeit zu Hause verbringen; ihre Haut ist also ziemlich blass.

Optez pour des couleurs claires et légères sans trop de blanc. Pour contraster, peignez la chemise en gris foncé. Souvenez-vous que ces personnages passent le plus clair de leur temps chez eux, leur peau sera donc aussi pâle que possible.

Gebruik heldere, lichte kleuren, maar niet te veel wit. Kleur zijn shirt voor het contrast donkergrijs. Vergeet niet dat deze figuren het grootste deel van de tijd thuis zijn en dus een zo bleek mogelijke huid moeten hebben.

Shading_Schatten_Ombres_Arcering

Use shadows to give the character and his clothes some volume, considering the zenithal lighting. Shadows help us mark the direction of his legs. The contrasts in his clothes should be uniform.

Zeichne Schatten, um der Figur und ihrer Kleidung Volumen zu geben, immer unter Berücksichtigung der Lichtquelle. Schatten helfen uns auch dabei, die Form der Beine anzudeuten. Die Kontraste auf seiner Kleidung sollten gleichmäßig sein.

Utilisez les ombres, ajoutez du volume au personnage et à ses vêtements, en tenant compte de l'éclairage. Les ombres aident à indiquer la direction de ses jambes. Les contrastes dans ses vêtements doivent être uniformes.

Het gebruik van schaduw geeft ons stripfiguur en zijn kleren wat volume, waarbij niet vergeten mag worden dat het licht vanboven komt. Schaduwen markeren de richting van de benen. Het contrast in zijn kleren moet overal overeenkomen.

1. *Akihabara* is a place full of stores devoted to electronics and the world of *manga* and *anime*. Draw a background brimming with details like illuminated signs, and buildings covered with advertising.

1. *Akihabara* ist die Geschäftsmeile für alle Elektronik- *Manga*- und *Anime*- Fans. Zeichne einen Hintergrund voller Details, wie Häuser mit Leuchtreklamen und Schriftzügen.

1. Akihabara est un quartier rempli de magasins consacrés à l'électronique, au monde du manga et de l'*anime*. Dessinez un arrière-plan débordant de détails, à l'instar d'enseignes lumineuses et d'immeubles recouverts de panneaux publicitaires.

1. *Akihabara* is een plek vol elektronicawinkels en winkels gewijd aan *manga* en *anime*. Teken een achtergrond vol met details zoals lichtreclames en gebouwen behangen met reclameborden.

Finishing touches_Letzte Details_Touches finales_Afwerking

Arrange the background behind our character. Add final shading touches that will help define him and the volume of his accessories, such as the white highlights on his computer.

Platziere den Hintergrund hinter den Charakter. Schattiere noch mehr Stellen, um der Figur das ausreichende Volumen zu geben, aber auch um ihre Accessoires räumlich echt aussehen zu lassen, z. B. mit weißen Strichen auf dem Computer.

Arrangez l'arrière-plan derrière votre personnage. Ajoutez les dernières touches ombrées qui permettront de le définir ainsi que le volume des accessoires, tels que les reflets blancs sur l'ordinateur.

We brengen de achtergrond van onze stripfiguur aan. Voeg de laatste arceringen toe, zoals de lichte plekjes op de computer. Hiermee krijgen de *otaku* en zijn accessoires volume.

SD Hero

A hero is usually a person who shines high above the rest in terms of idealistic values and often has supernatural abilities. The way to get closer to heroes is to present them as totally mediocre characters with their most human facets. Then show their growth and the kinds of feats that make them truly legendary. In *manga*, the hero is usually a young boy or girl who has to face up to a series of events that will test their bravery and their spirit, which should be unyielding.

Ein Held ist normalerweise eine Person, die sich durch ihre idealistischen Werte und oft auch durch ihre übernatürlichen Fähigkeiten von den anderen abhebt. Um Helden näher zu kommen, stellt man sie zuerst als vollkommen normale Charaktere mit ganz und gar menschlichen Facetten vor. Danach zeigt man, wie der Held über sich hinauswächst und welche Art von Fähigkeiten er zutage legt. Im *Manga* sind Helden gewöhnlich Jungen oder Mädchen, die sich mit einer Reihe von Ereignissen auseinandersetzen müssen, bei denen sie dann Mut, Tatkraft und Unbeugsamkeit zeigen.

Un héros est souvent une personne qui se distingue fortement des autres en termes de valeurs idéalistes et qui possède souvent des dons hors du commun. Le moyen de s'en approcher ? En le présentant comme un personnage médiocre. Montrez ensuite son évolution et les faits qui le rendent vraiment légendaire. Dans le manga, le héros est souvent un jeune garçon ou une jeune fille qui doit faire face à une série d'événements testant sa bravoure et son esprit.

Een held is normaal gesproken iemand die ver uitsteekt boven de rest qua idealen en bovendien vaak over supertalenten beschikt. Om helden toch benaderbaar te maken worden ze gepresenteerd als volkomen normale figuren behept met menselijke trekjes. Toon daarna hun groei en het soort heldendaden waarmee ze echt legendarisch worden. In *manga* is de held gewoonlijk een jonge jongen of een meisje die een reeks gebeurtenissen moet ondergaan waardoor zijn of haar moed en karakter, die onbuigzaam moeten zijn, op de proef worden gesteld.

Shape_Form_Forme_Vorm

These characters are usually parodied without ridicule. SD (superdeformed) proportions try to strike a pose that shows great determination. An erect back is a sign of self confidence.

Diese Heldenfiguren werden oft parodiert, ohne lächerlich dabei zu werden. SD (*Superdeformed*)-Helden haben meist eine Pose, die große Entschlossenheit zum Ausdruck bringt. Ein gestreckter Rücken ist ein Zeichen von hohem Selbstbewusstsein.

Les personnages sont souvent parodiés, mais sans ridicule. Ici, les proportions SD (super déformées) exaltent une pose montrant une grande détermination. Un dos bien droit est un signe de confiance en soi.

Deze figuren worden gewoonlijk geparodieerd zonder ze belachelijk te maken. Gebruik SD (*superdeformed*) proporties om te proberen een pose weer te geven van grote vastberadenheid. Een rechte rug is een teken van zelfvertrouwen.

Volume_Volumen_Volume_Ruimtelijke vorm

Superdeformed characters tend to be simple and rounded. Keep this in mind for the hero's pet. A pet highlights the hero's human nature and brings him closer to the reader.

Superdeformed-Charaktere sind fast immer einfach und rundlich. Berücksichtige das auch beim Zeichnen des Tiers, das unseren Helden begleitet. Ein Tier akzentuiert die menschliche Seite eines Helden und bringt ihn dem Leser näher.

Les personnages SD ont tendance à être simples et ronds. S'en souvenir pour l'animal domestique du héros qui rappelle sa nature humaine et le rapproche du lecteur.

Superdeformed-figuren zijn gewoonlijk eenvoudig en rond. Denk hieraan als je zijn huisdier tekent. Een huisdier onderstreept de menselijke kant van de held en brengt hem dichter bij de lezer.

Anatomy_Anatomie_Anatomie_Anatomie

Heroes show great self confidence and determination. Close his eyes slightly and knit his brow as if his gaze were fixed on something. Use loose, angular lines to represent the furry texture of his pet.

Helden haben viel Selbstbewusstsein und sind sehr entschlossen. Zeichne die Augen leicht geschlossen und die Augenbrauen zusammengekniffen, als würde er seinen entschlossenen Blick auf etwas richten. Verwende lockere, eckige Linien für das Fell des Tierchens.

Le héros affiche une grande détermination et une grande confiance en lui. Fermez-lui légèrement les yeux et plissez son front comme si son regard était fixé sur quelque chose. Utilisez des lignes angulaires, séparées pour représenter la fourrure de son animal domestique.

Helden geven blijk van veel zelfvertrouwen en vastberadenheid. Laat de held zijn ogen een beetje samenknijpen en zijn wenkbrauw fronsen alsof zijn blik op iets gefixeerd is. Gebruik losse, hoekige lijnen voor de pluizige vacht van het huisdiertje.

Final sketch_Endskizze_Esquisse définitive_Uiteindelijke schets

Though our hero has a very oriental look this isn't really very important since heroes are timeless. Resort to folklore and mythology to find heroes and fighters that can inspire our designs.

Auch wenn dieser einen sehr orientalischen Look hat, ist das eigentlich unbedeutend, da Helden zeitlos sind. Suche in der Folklore und Mystik Helden und Kämpfer, um Dich von deren Look inspirieren zu lassen.

Bien que notre héros ait une allure très orientale, ce n'est pas essentiel puisque les héros sont universels. Pensez à vous référer au folklore et à la mythologie comme sources d'inspiration.

Onze held heeft een oosters uiterlijk, maar dat hoeft dit niet per se, want helden zijn tijd- en plaatsloos. Ga op zoek in volksverhalen en mythologie om inspiratie op te doen als je een held of krijger wilt ontwerpen.

Lighting_Licht_Éclairage_Lichtval

The shape of the shadows is usually sweet and rounded for SDs, though not necessary for specific textures. For the dog's fur, paint the shadows with the same strokes used to shape its contour lines.

Bei SDs werden die Schatten gewöhnlich sanft und rundlich gezeichnet, was aber nicht für alle Texturen zutreffen muss. Schattiere das Fell des Hündchens mit denselben scharfen Linien wie seine Kontur.

La forme des ombres est, en général, douce et arrondie pour les SD, sans que cela s'applique forcément à certaines textures. Pour les ombres du chien, donnez les mêmes coups de crayon que pour former ses contours.

De vorm van de schaduwen wordt gewoonlijk zacht en rond getekend bij SD's, maar voor bepaalde materialen hoeft dat niet. Gebruik voor de schaduw van de hond dezelfde contouren als voor het haar.

Flat colors_Basisfarben_Couleurs simples_Effen kleuren

It can be very useful to base ourselves on color symbolism when picking colors for our hero. White symbolizes purity, while red is associated with fury, danger, blood and passion.

Beim Auswählen der Grundfarben für unseren Helden kann man gut mit Farbsymbolik spielen. Weiß symbolisiert z. B. Reinheit, während rot mit Zorn, Gefahr, Blut und Leidenschaft in Zusammenhang gebracht wird.

Lors du choix des couleurs pour notre héros, il peut être très utile de se baser sur ce qu'elles symbolisent : le blanc pour la pureté, le rouge pour la colère, le danger, le sang et la passion.

Het kan erg nuttig zijn om je op kleurensymbolisme te baseren bij het kiezen van de kleuren voor de held. Wit symboliseert zuiverheid, terwijl rood staat voor woede, gevaar, bloed en passie.

Shading_Schatten_Ombres_Arcering

As the drawing serves to introduce our character,
try to use very clear lighting, with few shadows.
Light symbolizes good and darkness evil, although
we can play around with this as we like.

Da diese Illustration unseren Charakter vorstellen
soll, sollte man eine starke Beleuchtung und
wenige Schatten einsetzen. Licht symbolisiert das
Gute und Dunkelheit das Böse, aber auch mit
diesen Elementen kann flexibel gespielt werden.

Comme le dessin sert à introduire notre
personnage, essayez d'utiliser une luminosité très
franche avec peu d'ombres. La lumière symbolise
le bien, et le noir, le mal : vous pouvez donc
jongler avec ces variantes à volonté.

Gebruik erg helder licht met weinig schaduwen,
omdat de tekening dient om het stripfiguur te
introduceren. Licht symboliseert het goede en
duisternis het kwade, maar je kunt flexibel omgaan
met dit onderscheid.

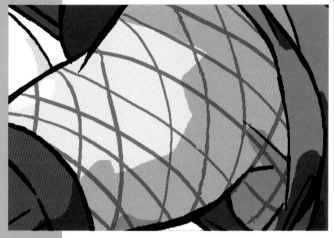

1. Use color instead of black to draw light netting.

1. Nimm für das Strumpfmuster eine dunkle Farbe statt schwarz, um es weicher aussehen zu lassen.

1. Optez pour la couleur plutôt que le noir pour dessiner une grille fine.

1. Gebruik kleur in plaats van zwart om het nethemd lichter te tekenen.

2. This combination of red and violet blends the symbolism of passion and sacrifice.

2. Diese Kombination von rot und violett steht für Leidenschaft und Aufopferung.

2. Cette association de rouge et de violet représente la passion et le sacrifice.

2. Deze combinatie van rood en paars vermengt de symbolische betekenissen van de kleuren: passie en opoffering.

3. Yellow is the color of light, wisdom and the intellect.

3. Gelb ist die Farbe des Lichts, der Weisheit und Intelligenz.

3. Le jaune est la couleur de la lumière, de la sagesse et de l'intelligence.

3. Geel is de kleur van licht, wijsheid en intelligentie.

4. Blue is the color of faith, confidence and loyalty.

4. Blau ist die Farbe von Treue, Vertrauen und Loyalität.

4. Le bleu est la couleur de la foi, de la confiance et de la loyauté.

4. Blauw is de kleur van hoop, vertrouwen en loyaliteit.

Finishing touches_Letzte Details_Touches finales_Afwerking

A circular yellow background is a compositional resource that also serves as a complement to the chromatic range we've been working with in this illustration.

Ein runder gelber Hintergrund ist ein gutes Mittel, um die Komposition ins Gleichgewicht zu bringen, dient aber auch dazu, die bisher benutzte Farbskala zu vervollständigen.

Un fond jaune circulaire est une astuce de composition qui sert aussi de complément à la gamme chromatique avec laquelle nous avons travaillé pour cette illustration.

Een ronde, gele achtergrond is een compositorische vinding die ook dient als aanvulling op het kleurenspectrum waarmee we in deze illustratie hebben gewerkt.

Gang Member

 A real villain has a strong following: people who are like scraps of meat to be devoured to the delight of our hero. They are usually big-time criminals and don't follow a specific fashion. Some wear suits or baggy clothes and sneakers. You can even find our favorites, the post-apocalyptic neo-fascists that dress up as radical punks. These developed from the style popularized by the film *Mad Max* and were the image of the fearsome bad guy in *manga* and *anime* for many years.

Ein echter Schurke hat ein bedeutendes Gefolge: Typen, die wie Fleischabfälle sind, die zur Freude unseres Helden zerrissen werden. Sie sind normalerweise Vollzeitkriminelle und richten sich nach keiner konkreten Mode. Einige tragen schlabberige Klamotten und Turnschuhe, aber man sieht auch postapokalyptische Neofaschisten, die wie radikale Punks aufgemacht sind. Diese entwickelten sich aus dem Stil, der durch den Film *Mad Max* popularisiert wurde; sie waren jahrelang das Vorbild für den furchterregenden Bösewicht im *Manga* und im *Anime*.

Un vrai méchant s'entoure de toute une troupe de mauvais garçons costauds : des personnages sanguinaires qu'affronte notre héros. Ce sont souvent de grands criminels, aux looks divers. Certains portent des costumes ou des vêtements larges et des tennis. Voici nos préférés, les post-apocalyptiques vêtus comme des punks radicaux. Inspirés du film *Mad Max*, ils ont représenté l'image des mauvais garçons terrifiants des mangas et de l'*anime* pendant de longues années.

Een echte bandiet heeft een stevige aanhang: mensen die als stukken vlees verslonden kunnen worden voor het genoegen van onze held. Het zijn meestal supercriminelen die geen specifieke mode volgen. Sommige van hen dragen pakken of wijde kleren en sportschoenen. En dan zijn er nog onze favorieten: de postapocalyptische neofascisten die gekleed gaan als radicale punks. Ze zijn ontstaan uit de stijl die populair werd door de film *Mad Max* en waren jarenlang het toonbeeld van de angstaanjagende slechterik in *manga* en *anime*.

Shape_Form_Forme_Vorm

For a radical, threatening type the stance should be tough and proportions should be disproportionate, even monstrous, since the character should instill fear and terrorize the reader.

Um den Kerl bedrohlich erscheinen zu lassen, sollte er eine plumpe Haltung und einen unproportionierten, fast monströsen Körper haben, da der Charakter Angst einjagen und den Leser erschrecken soll.

Pour un gars extrêmement menaçant, l'attitude doit être redoutable et les proportions disproportionnées, voire même monstrueuses, le personnage devant effrayer et terroriser son lecteur.

Een extreem en bedreigend type moet een stoere pose hebben en zijn verhoudingen moeten buiten proportie zijn, monsterlijk zelfs, omdat deze stripfiguur de lezer angst aan moet jagen.

Volume_Volumen_Volume_Ruimtelijke vorm

Play with the character's highly disproportionate proportions. Make sure all volumes are gigantic in comparison with his head. Exaggerate the effect through perspective.

Spiele mit den unproportionierten Körperformen des Charakters. Alle Volumen müssen im Gegensatz zu seinem Kopf gigantisch wirken. Übertreibe diesen Effekt durch Perspektive.

Jouez avec les proportions démesurées à l'extrême de notre personnage. Assurez-vous que tous les volumes sont disproportionnés par rapport à sa tête. Exagérez l'effet par le biais de la perspective.

Speel met de groteske wanverhoudingen van dit figuur. Zorg ervoor dat alle ruimtelijke vormen gigantisch zijn in vergelijking met zijn hoofd. Overdrijf het effect met perspectief.

Anatomy_Anatomie_Anatomie_Anatomie

Drugs and steroids make his body exaggeratedly muscular. His wide-open eyes, with their tiny pupils, and his sinister smile help convert our character into a really terrifying monster.

Drogen und Steroide haben seinen Körper übernatürlich muskulös gemacht. Seine weit aufgerissenen Augen mit den winzigen Pupillen und sein düsteres Lächeln verwandeln unseren Charakter in ein schauerliches Monster.

Les drogues et les stéroïdes rendent son corps démesurément musclé. Ses yeux grands ouverts avec leurs pupilles minuscules et son sourire sinistre transforment notre personnage en un monstre réellement terrifiant.

Drugs en anabole steroïden hebben zijn lichaam overdreven gespierd gemaakt. Zijn wijd geopende ogen met minuscule pupillen zorgen er samen met zijn sinistere glimlach voor dat hij een angstaanjagend monster is.

Final sketch_Endskizze_Esquisse définitive_Uiteindelijke schets

Our character has a punk look. Use a wide range of elements to make him more aggressive, such as Mohawks, piercings, studs, chains, etc. The final result should shock the reader a little.

Unser Charakter hat einen Punklook. Verwende eine breite Palette von Elementen, um ihn aggressiver aussehen zu lassen, z. B. Irokesenschnitt, Piercings, Nieten, Ketten usw. Das Endresultat sollte den Betrachter ein wenig schockieren.

Notre personnage a l'air d'un punk. Ayez recours à tout un éventail d'éléments pour le rendre encore plus agressif, comme les *mohawks, piercings,* clous, chaînes, etc. Le résultat final doit un peu choquer le lecteur.

Ons figuur ziet eruit als een punk. Gebruik om hem nog agressiever te maken veel uiteenlopende accessoires zoals een hanenkam, piercings, *studs,* kettingen, etc. Het eindresultaat moet de lezer enigszins choqueren.

Lighting_Licht_Éclairage_Lichtval

Shading and lighting give a drawing greater depth.
The body is inclined forward, so his torso projects
a shadow. Shading also makes all his muscles
stand out and exaggerates them even more.

Schatten und Licht geben einer Zeichnung mehr
Tiefe. Der Körper ist nach vorne gebeugt, sodass
sein Oberkörper Schatten projiziert. Schatten
lassen aber auch seine Muskeln weiter
hervorstehen und noch übertriebener wirken.

Ombrez et illuminez pour accroître la profondeur
du dessin. Le corps est penché en avant afin que
son torse projette une ombre. L'action d'ombrer
fait aussi ressortir tous ses muscles en les
exagérant davantage.

Schaduwwerking en lichtval geven een
tekening meer diepte. Het lichaam helt
naar voren, dus werpt de romp een
schaduw. Schaduwwerking brengt
ook alle spieren van het figuur
naar voren en maakt ze nog iets
heftiger.

Flat colors_Basisfarben_Couleurs simples_Effen kleuren

A really loud color selection is chosen for this character. The idea is to create an impact and make the reader feel insecure. His skin is whitish, which helps make him look sick and gloomy.

Für den Charakter empfiehlt sich die Verwendung schriller Farben. Er soll für den Betrachter abschreckend wirken. Seine Haut ist weißlich, wodurch er ungesund und finster wirkt.

Toute une sélection de couleurs vraiment voyantes est choisie pour ce personnage. L'idée est de créer un impact et de mettre le lecteur mal à l'aise. Sa peau est blanchâtre, ce qui lui donne un air malade et lugubre.

Een aantal echt schreeuwende kleuren is gekozen voor deze stripfiguur. Het idee is om indruk te wekken en de lezer bang te maken. De huid is witachtig, waardoor het figuur er ziekelijk en grauw uitziet.

Shading_Schatten_Ombres_Arcering

Respect the shapes of each element: the feathers will be more rounded, the boots will show reflections, and the leather and metal will show the kind of highlights characteristic of these materials.

Achte bei jedem einzelnen Element auf die Schatten: Die Federn wirken abgerundet, die Stiefel werfen Reflexe, und die Elemente aus Leder und Metall haben die für diese Materialien charakteristischen Lichtstellen.

Respectez les formes de chaque élément : les plumes seront plus arrondies, les bottes jetteront des reflets, le cuir et le métal montreront les reflets caractéristiques de ces types de matières.

Houd rekening met de vormen van elk onderdeel: de veren zullen wat ronder zijn, de laarzen zullen gaan reflecteren en het leer en metaal hebben de soort lichte stukken die kenmerkend zijn voor dit materialen.

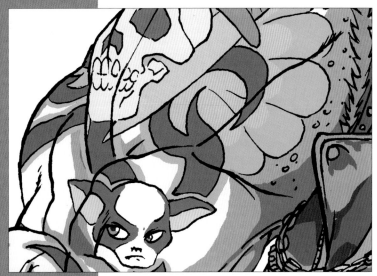

1. First paint each of the elements with a base color.

1. Grundiere zuerst jedes Element mit einer Basisfarbe.

1. Peignez d'abord chaque élément avec une couleur de base.

1. Kleur elk onderdeel eerst in met een basiskleur.

2. Draw the shadows and the rest of the color details.

2. Zeichne die Schatten und die restlichen Farbdetails.

2. Dessinez les ombres et les autres détails de couleur.

2. Teken de schaduwen en de rest van de kleurdetails.

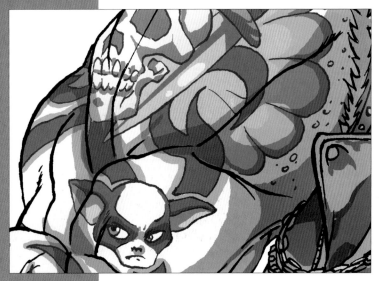

3. Go over the tattoo's outline with a lighter color. For proper volume add a highlight.

3. Überdecke die Umrisslinien der Tätowierungen mit einer helleren Farbe. Um das notwendige Volumen zu erreichen, gib helle Stellen dazu.

3. Repassez les contours du tatouage avec une couleur plus claire. Pour un volume correct, ajoutez des reflets.

3. Ga met een lichtere kleur over de omtrek van de tatoeages. Voor de juiste ruimtelijke vorm voeg je wat lichte plekken toe.

Finishing touches_Letzte Details_Touches finales_Afwerking

Complete all the volumes and shadows by projecting the shadows of our character onto the floor for a good support base. Use white airbrushing to add more exaggerated highlights to metal objects.

Zur Vervollständigung aller Volumen und Schatten projizieren wir den Schatten des Charakters auf den Boden. Verwende weißen Airbrush für die allerhellsten Stellen der Metallobjekte.

Complétez tous les volumes et ombres en projetant les ombres de notre personnage sur le sol pour une bonne base de support. Ajoutez du spray blanc pour exagérer les reflets sur les objets en métal.

Maak alle volumes en schaduwen af door de schaduw van het figuur op de vloer te tekenen. Breng met een airbrush wit aan om de metalen voorwerpen meer te laten oplichten.

Adventure Woman

In *manga*, women play a very important role in action, adventure and fantasy stories. In fact, in lots of stories the female character is the central figure, and the man plays a secondary or supporting role. These female characters are usually the ones who breathe fire into the storyline, which is why it's not strange to find women who won't hesitate in hurling themselves into an adventure. Without a doubt their sex appeal plays an important part in making them favorites.

Im *Manga* spielen Frauen eine wichtige Rolle bei Action-, Abenteuer- und Fantasy-Stories. In vielen Geschichten ist der weibliche Charakter die Zentralfigur und Männer spielen Nebenrollen. Diese weiblichen Figuren sind gewöhnlich diejenigen, die Leben in die Handlung der Geschichte bringen und deshalb ist es auch nicht ungewöhnlich, dass sich so viele Frauen ohne zu zögern in Abenteuer stürzen. Das Sexappeal dieser Abenteuerinnen ist zweifellos ein wichtiger Faktor für ihre Beliebtheit.

Action, aventure, histoires fantastiques : dans les mangas, les femmes occupent une place très importante. En fait, dans de nombreuses histoires, elles décrochent le rôle principal et l'homme joue les seconds couteaux. Ces personnages féminins sont souvent ceux qui donnent du piment au scénario : c'est pourquoi il n'est pas rare de trouver des héroïnes prêtes à l'aventure. Sans aucun doute, leur *sex-appeal* joue un rôle essentiel.

In *manga* spelen vrouwen een erg belangrijke rol in actie-, avonturen- en fantasieverhalen. In feite speelt de vrouwelijke figuur in heel veel verhalen de hoofdrol en speelt de man de bijrol. Deze vrouwelijke stripfiguren zijn gewoonlijk degenen die het vuur van de verhaallijn doen oplaaien. Het is dan ook niet vreemd dat er veel vrouwen zijn die niet aarzelen om zich in een avontuur te storten. Zonder twijfel levert hun sexappeal een belangrijke bijdrage aan de reden waarom ze zo geliefd zijn.

Shape_Form_Forme_Vorm

To capture a character's action and spirit of adventure it's important to know how to capture the heat of the moment, the point of maximum danger and risk. This heroine takes a giant leap forward.

Um die Aktion und den Abenteuergeist eines Charakters aufzufangen, ist es wichtig, zu wissen, wie man den Höhepunkt der Aktion einfängt, also den Moment maximaler Gefahr und höchsten Risikos. Unsere Heldin wagt auf diesem Bild einen großen Sprung nach vorn.

Pour capter l'action et l'esprit d'aventure du personnage, il est essentiel de savoir comment capter le feu de l'action, le point de danger et le risque maximum. Cette héroïne fait donc un grand bond en avant.

Om de actie en avontuurlijkheid van een stripfiguur te kunnen tekenen is het belangrijk dat je weet hoe je het heetste moment van de strijd, het moment van maximaal gevaar en risico, moet vangen. Deze heldin tekenen we op het moment dat ze een grote sprong voorwaarts maakt.

Volume_Volumen_Volume_Ruimtelijke vorm

Try to give the illustration a special focus for the chosen action. Use high and low angle perspectives that exaggerate the movement. Here, a low-angle perspective emphasizes our character's flight.

Versuche, die gewählte Aktion in den Mittelpunkt der Zeichnung zu rücken. Verwende dazu verschiedene Perspektiven von oben und von unten, um die Bewegung zu übertreiben. Hier emphatisiert die Froschperspektive den Flug unseres Charakters.

Essayez de centrer l'illustration spécialement sur l'action choisie. Utilisez des perspectives d'angles de plongée et de contre-plongée pour accentuer le mouvement. Ici, une perspective d'angle de contre-plongée mettra l'accent sur le saut du personnage.

Probeer de illustratie een speciaal middelpunt te geven waar de gekozen actie om draait. Om de beweging te overdrijven, gebruik je vogelvlucht- en kikvorsperspectief. Hier benadrukt het kikvorsperspectief de zwaaivlucht van ons stripfiguur.

Anatomy_Anatomie_Anatomie_Anatomie

Draw characters that are attractive for both girls
and boys. They should be beautiful though not
excessively so, athletic and with an attractive
personality. They must capture the reader's
attention.

Zeichne Figuren, die sowohl für Mädchen als auch
für Jungen attraktiv sind. Sie sollten schön sein,
aber nicht perfekt, athletisch gebaut sein und eine
anziehende Persönlichkeit haben. Sie müssen die
Aufmerksamkeit des Lesers auf sich ziehen.

Dessinez les personnages qui plaisent à la fois aux
garçons et aux filles. Ils devront être superbes en
évitant l'excès, athlétiques et dotés d'une
personnalité attirante. Ils devront capter l'attention
du lecteur.

Teken figuren die voor zowel jongens als meisjes
aantrekkelijk zijn. Ze moeten mooi zijn, maar niet
te mooi, atletisch en met een aantrekkelijke
persoonlijkheid. Ze moeten de aandacht van de
lezer trekken.

Final sketch_Endskizze_Esquisse définitive_Uiteindelijke schets

Clothes define the character's profession and say things about their tastes and peculiarities. Many *manga* heroines set off trends among their fans so their outfit should be as original as possible.

Die Kleidung definiert den Beruf des Charakters und sagt etwas über seine Vorlieben und Charaktereigenschaften aus. Viele *Manga*-Heldinnen lösen neue Modetrends unter den Fans aus; das Outfit sollte also so originell wie möglich sein.

Les habits définissent la profession du personnage et révèlent ses goûts et ses particularités. Maintes héroïnes de manga lancent les nouvelles tendances de la mode, suivies par leurs fans. Leur tenue devra donc être aussi originale que possible.

Kleren tonen het beroep van het figuur en zeggen iets over zijn of haar smaak en eigenaardigheden. Veel *manga*-heldinnen brengen trends teweeg bij hun fans. De outfit moet dus zo origineel mogelijk zijn.

Lighting_Licht_Éclairage_Lichtval

Shadows in the lower part of the drawing give the
figure weight and reinforce the notion that she's
falling. Dark shadows and tones in the foreground
further accentuate the perspective.

Schatten im unteren Bereich der Zeichnung geben
der Figur Gewicht und verstärken die
Vorstellung, dass sie fällt. Dunkle Schatten
und Töne im Vordergrund akzentuieren den
Blickwinkel noch mehr.

Les ombres dans la partie inférieure du dessin
donnent du poids au personnage et renforcent
l'action de chute. Les ombres et les tons foncés au
premier plan exaltent davantage la perspective.

Schaduwen in het onderste deel van de tekening
zorgen ervoor dat het figuur gewicht krijgt en
versterken het gevoel dat ze gaat vallen. Donkere
schaduwen en kleuren op de voorgrond
benadrukken het perspectief nog meer.

Flat colors_Basisfarben_Couleurs simples_Effen kleuren

Find inspiration in military clothing such as the military-style vest, which is personalized by painting it a very bright pink. Her unusual vest and hairstyle will distinguish our character.

Suche Inspiration in Militärkleidung für das Tarnmuster der Weste, wähle als Farbe dafür aber ein schrilles Rosa. Diese originelle Militärweste und ihre außergewöhnliche Frisur werden unseren Charakter am besten definieren.

Inspirez-vous des habits militaires, à l'instar des vestes de ce style et ajoutez une touche personnelle en la peignant dans un rose très vif. Son style de veste et de coiffure inhabituelle fera sortir notre personnage du lot.

Zoek inspiratie in legerkleren, zoals een legervest, dat hier een persoonlijk tintje heeft gekregen door de helderroze kleur. Het ongebruikelijke vest en de bijzondere haarstijl maken ons figuur anders dan anderen.

Shading_Schatten_Ombres_Arcering

Shadows give volume to the military vest and the rest of the character. The greatest differences will be visible in the foreground. Shadows will help separate the harpoon gun from the character.

Schatten geben der Weste und der gesamten Figur Volumen. Die größten Differenzen werden aber im Vordergrund sichtbar sein. Schatten helfen dabei, die Harpunenwaffe vom Charakter zu trennen.

Les ombres donnent du volume à la veste militaire et au reste du personnage. Les plus grandes différences sont visibles au premier plan. Les ombres permettent de séparer le fusil harpon du personnage.

Schaduwen geven het legervest en de rest van het figuur meer volume. De grootste verschillen zullen zichtbaar zijn op de voorgrond. Schaduwen helpen om het harpoengeweer te scheiden van het stripfiguur zelf.

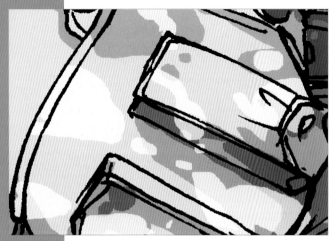

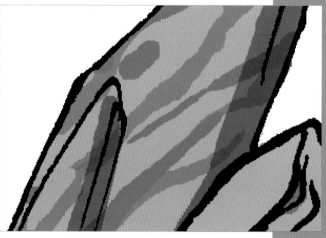

1. Camouflage the vest and machete sheath.

1. Versieh' die Weste und die Machetenhülle mit einem Camouflagemuster.

1. On a choisi un motif camouflage pour la veste et le fourreau de l'épée.

1. Geef het vest en de schede van de machete een camouflagepatroon.

2. Add various tones of the same color to form patches of color.

2. Verwende mehrere Farbtöne aus derselben Farbskala, um Farbflecken hinzuzufügen.

2. Ajoutez divers tons de la même couleur pour former des taches de couleur.

2. Voeg verschillende schakeringen van dezelfde kleur toe om een lappendeken van kleur te krijgen.

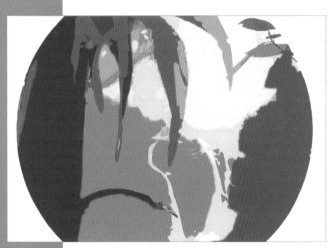

3. For a simple background with flat shapes, draw a color sketch to arrange the main planes.

3. Um einen einfachen Hintergrund zu malen, fertigen wir zuerst Farbskizzen an, in denen wir die wichtigsten Ebenen arrangieren.

3. Pour un arrière-plan simple avec des formes plates, dessinez une esquisse en couleurs pour organiser les plans principaux.

3. Om een simpele achtergrond met vlakke vormen te krijgen, teken je eerst een kleurenschets om de belangrijkste vlakken te plaatsen.

4. Use almost geometrical brushstrokes to give volume to the sketched elements.

4. Verwende fast geometrische Pinselstriche, um die skizzierten Elemente mit Volumen zu versehen.

4. Passez des coups de pinceaux géométriques pour donner du volume aux éléments esquissés.

4. Gebruik bijna meetkundige penseelstreken om de geschetste onderdelen volume te geven.

Finishing touches_Letzte Details_Touches finales_Afwerking

Go over all the elements to give the image greater action. Especially the diagonal lines and the character's inclined position, as both serve to mark movement, and the use of light to create depth.

Überarbeite alle Elemente, um noch mehr Aktion in das Bild zu bringen, besonders bei den diagonalen Linien und der schrägen Position des Charakters, da beide der Bewegung dienen. Setze Licht ein, um mehr Tiefe zu schaffen.

Repassez tous les éléments pour accentuer l'action de l'image. Surtout, sur les lignes diagonales et la position inclinée du personnage, tous les deux servant à imprimer le mouvement et la profondeur grâce à l'éclairage.

Loop nog een keer alle onderdelen bij na om het beeld echt actief te maken. Vooral de diagonalen en de hellende positie van het figuur moeten goed beweging uitdrukken. Gebruik licht om diepte te creëren.

Sports_Sport_Sports_Sport

Baseball
Tennis
Soccer
Beach Volleyball
Martial Arts

Baseball

Baseball, first introduced to Japan by Horace Wilson in 1872, is one of Japan's most popular sports, and started to enjoy mainstream success after World War II. It plays a major role in Japanese life and there are many *manga* magazines solely dedicated to this sport. The most passionate baseball *mangas* tend to be found in the *shonen* genre, aimed at younger boys. Mitsuru Adachi is probably the most prolific baseball *mangaka*, with works such as *Touch*, *H2*, *Cross Game* and *Nine*.

Baseball, der 1872 von Horace Wilson nach Japan gebracht wurde, ist eine der populärsten japanischen Sportarten. Richtig bekannt wurde er nach dem 2. Weltkrieg. Er spielt in der japanischen Gesellschaft eine bedeutende Rolle und es gibt zahlreiche *Manga*-Magazine, die ausschließlich diesem Sport gewidmet sind. Am leidenschaftlichsten wird *Manga*-Baseball im *Shonen*-Genre dargestellt, das kleinere Jungen als Zielgruppe hat. Mitsuru Adachi ist mit Werken wie *Touch*, *H2*, *CrossGame* und *Nine* der wahrscheinlich produktivste Baseball-*Mangaka*.

Le baseball, introduit au Japon par Horace Wilson en 1872, est l'un des sports les plus populaires. Il a connu un succès retentissant après la Seconde Guerre mondiale et occupe toujours aujourd'hui une place primordiale dans la vie des Japonais, comme le montre le nombre élevé de mangas qui lui sont consacrés. Avec des titres comme *Touch, H2, CrossGame* et *Nine*, Mitsuru Adachi est sans doute le *mangaka* le plus prolifique du genre *shonen*, destiné aux plus jeunes.

Honkbal, in 1872 door Horace Wilson in Japan geïntroduceerd, is een van de belangrijkste sporten in Japan, hoewel hij pas na de Tweede Wereldoorlog bij een breed publiek bekend werd. Honkbal speelt in Japan een grote rol in het dagelijks leven en er zijn veel *manga*-tijdschriften die volledig aan deze sport zijn gewijd. De hartstochtelijkste honkbal-*manga's* kun je over het algemeen vinden in het *shonen*-genre, dat zich richt op jonge jongens. Mitsuru Adachi is waarschijnlijk de productiefste *Mangaka* van honkbal, met werken als T*ouch, H2, CrossGame* en *Nine*.

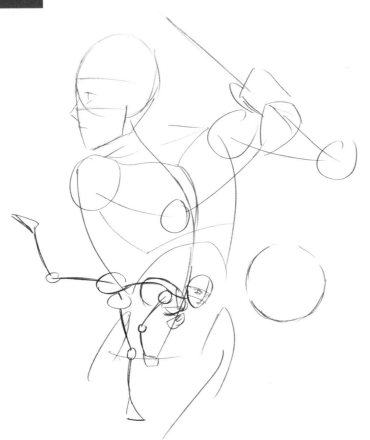

Shape_Form_Forme_Vorm

Sketch a two-character composition that captures the culminating moment between the pitcher and batter. Freeze it just when tension is at its highest. Draw them from two different points of view.

Skizziere ein Bild mit zwei Personen, das den spannendsten Moment zwischen dem Werfer und dem Schlagmann darstellt. Triff genau die Situation mit der höchsten Spannung. Zeichne sie aus zwei unterschiedlichen Blickwinkeln.

Dessinez deux personnages, de manière à ce que l'on puisse saisir l'instant décisif entre le lanceur de relève et le batteur. Décrivez l'action au moment où la tension est à son paroxysme. Dessinez-les de deux points de vue différents.

Schets een compositie met twee stripfiguren die het toppunt van spanning vangt tussen de werper en de slagman. Bevries het beeld op dit hoogtepunt. Teken ze vanuit twee verschillende gezichtspunten.

Volume_Volumen_Volume_Ruimtelijke vorm

Volume will define the particular movements and maximize expression. Use simple geometric figures when foreshortening to differentiate between the characters' anatomical and volumetric planes.

Volumen definiert nicht nur die einzelnen Bewegungen, verstärkt auch die Ausdruckskraft. Verwende für die Perspektiven einfache geometrische Figuren, um zwischen den Ebenen der Anatomie und des Volumens zu differenzieren.

L'étude du volume vous permettra de développer les mouvements particuliers et de maximiser l'expression. Utilisez des formes géométriques simples lors de l'ébauche pour différencier les plans volumétriques et anatomiques du personnage.

De ruimtelijke vorm kenschetst de bijzondere bewegingen en maximaliseert expressie. Gebruik simpele geometrische figuren bij het perspectief om het verschil weer te geven tussen de anatomie en de volumes van de figuren.

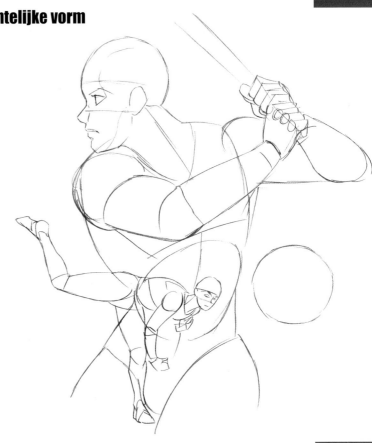

Anatomy_Anatomie_Anatomie_Anatomie

The characters' movement is more emphasized than their anatomy. The batter's expression should portray intensity: a challenging look in his eyes, knitting his brow, lips pursed and teeth clenched.

Die Bewegung ist bei diesen Charakteren wichtiger als ihre Anatomie. Die starke Ausdruckskraft des Schlagmanns sollte intensiv dargestellt werden: ein herausfordernder Blick, die Stirn in Falten gelegt, die Lippen zusammengepresst und die Zähne zusammengebissen.

Accentuez plutôt le mouvement des personnages que leur anatomie. L'expression du batteur devra refléter l'intensité : un regard ambitieux, en fronçant les sourcils, lèvres et dents serrées.

De beweging van de stripfiguren wordt meer benadrukt dan hun bouw. De uitdrukking van de slagman moet concentratie tonen: een uitdagende blik in de ogen, een gefronste wenkbrauw, de lippen samengetrokken en de tanden op elkaar geklemd.

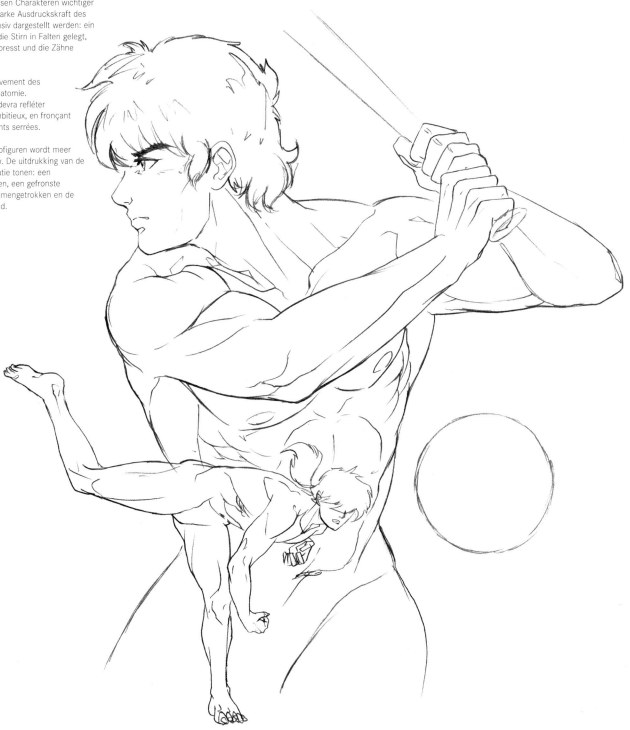

Final sketch_Endskizze_Esquisse définitive_Uiteindelijke schets

Add the uniforms. Draw the wrinkles in their clothing by following the direction of the athletes' movements. Give the baseball its trademark seam pattern.

Zeichne die Trikots mit den Falten in der Kleidung so, dass sie die Bewegungen der Sportler mitmachen und kennzeichne die typischen Nähte auf dem Baseball.

Ajoutez les uniformes et les accessoires. Dessinez les plis des habits en cohérence avec les mouvements des athlètes.

Voeg de tenues toe. Teken de plooien in de kleren door de richting van de bewegingen te volgen. Geef de bal het kenmerkende patroon langs de naden.

Lighting_Licht_Éclairage_Lichtval

Mark the direction of the primary light source and the shaded areas. Save more attractive lighting tones for shinier materials. The clothing will have softer tones since its texture is more matt.

Markiere die Richtung der Hauptlichtquelle und die Schattenzonen. Gib den glänzenden Materialien mehr Lichtstellen und der Kleidung sanftere Töne, da sie eine mattere Textur hat.

Définissez la direction de la source de lumière principale et les zones d'ombres. Pensez à garder de jolis tons lumineux pour les matières plus brillantes. L'habit aura des tons plus doux, sa texture étant plus mate.

Markeer de richting van de primaire lichtbron en de schaduwgebieden. Bewaar de aantrekkelijkere lichtschakeringen voor de glimmender materialen. De kleren zullen zachtere schakeringen hebben, omdat het weefsel mat is.

Flat colors_Basisfarben_Couleurs simples_Effen kleuren

Paint the players' different team uniforms. The dark color for the batter contrasts nicely with the bright red for the pitcher. Follow the wrinkles to shape the decorative borders.

Koloriere die beiden unterschiedlichen Teamtrikots. Die dunkle Farbe für den Schlagmann stellt einen schönen Kontrast zum hellen Rot des Werfers dar. Zeichne noch ein paar Linien für die Falten ein, damit diese besser zum Ausdruck kommen.

Peignez les maillots des joueurs. La couleur foncée du batteur contraste parfaitement avec le rouge vif du lanceur. Formez les bandes décoratives en fonction des plis.

Kleur de verschillende tenues van de spelers. De donkere kleur van de slagman contrasteert lekker met het heldere rood van de werper. Bij het vormgeven van de strepen op mouw en broekspijp volg je de plooien.

264

Shading_Schatten_Ombres_Arcering

Shading helps shape the characters' overall anatomy. Use white within colored objects to mark brighter shiny areas. The ball's shadow is broken to visually suggest that it is actually in movement.

Das Schattieren ist ganz wichtig zur Darstellung der Anatomie. Verwende dafür weiß in den farbigen Objekten, um die leuchtenden Stellen heller erscheinen zu lassen. Der Schatten, den der Ball wirft, ist gebrochen; so entsteht der Eindruck dass er fliegt.

Le fait d'ombrer permet de former l'ensemble de l'anatomie du joueur. Utilisez le blanc dans les objets colorés pour définir de plus grandes zones brillantes. L'ombre de la balle est brisée pour introduire la notion visuelle du mouvement.

De schaduwen helpen om de totale bouw van de figuren te vormen. Gebruik wit binnen de gekleurde objecten om de helderder glimmende gebieden te markeren. De gebroken schaduw van de bal moet beweging suggereren.

1. Prepare the texts for the uniforms.

1. Bereite die Texte vor, mit denen die Trikots versehen werden.

1. Préparez les mots à ajouter sur les tenues.

1. Bereid de tekst op de tenues voor.

2. Adapt them to the direction of the clothing's fabric.

2. Passe sie dem Verlauf des Stoffes an.

2. Placez-les dans le sens des habits.

2. Pas ze aan de richting van het weefsel van de kleren aan.

3. Leave only the areas of the text that are visible. Apply shading.

3. Lass nur die sichtbaren Zonen der Buchstaben übrig und schattiere das Ganze.

3. Ne laissez que les zones de texte visibles. Ombrez.

3. Houd alleen het zichtbare deel van de tekst over en voeg schaduw toe.

Finishing touches_Letzte Details_Touches finales_Afwerking

Add lighting and shading tones that complement the characters' shapes. Finish defining the print on the clothing. Go over the shaded lines to achieve a more ethereal consistency.

Vervollständige die finalen Licht- und Schattenbereiche, so dass die Figuren lebendiger aussehen. Gib die letzten Farbdetails zur Kleidung. Zieh die Schattenlinien nach, um eine lockerere Konsistenz zu erreichen.

Ajoutez les teintes lumineuses ou ombrées qui complètent les formes du personnage. Définissez les lettres imprimées sur les habits. Repassez les lignes ombragées pour obtenir une consistance plus éthérée.

Voeg de schakeringen toe van de lichtval en de schaduw, zodat de vormen van de stripfiguren levendiger worden. Rond de weergave van de opdruk op de kleren af. Ga nog een keer over de schaduwlijnen voor een luchtigere samenhang.

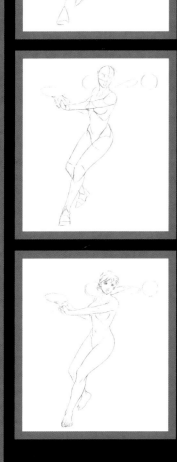

Tennis

 Tennis is another sport picking up steam in Japan. We can still remember the influence of *Ace o Nerea*, a series from the 70s that, together with its animated version, reached all four corners of the world and which is still one of the most famous series within the *shojo* genre. Nowadays, *The Prince of Tennis* has brought this sport back up to number one in *shonen manga* sales. Here, we'll draw a young tennis player who could just as well be earning a living modeling bathing suits.

Tennis ist ein weiterer Sport, der in Japan immer populärer wird. Die aus den 70ern stammende, damals sehr einflussreiche Serie *Ace o Nerea* wurde zusammen mit ihrer animierten Version weltberühmt und ist immer noch eine der bekanntesten Serien innerhalb des *Shojo*-Genres. Heute hat *The Prince of Tennis* diesen Sport bei den Verkäufen des *Shonen Manga* wieder auf die Nummer eins katapultiert. Unser Charakter ist eine junge Tennisspielerin, die auch für Badeanzüge Modell stehen könnte.

Le tennis a également le vent en poupe au Japon. On se souvient de l'impact de *Ace ou Nerea*. Cette série des années 1970, qui a fait le tour du monde avec sa version en dessin animé, demeure une des plus célèbres du genre *shojo*. Grâce au *Prince du Tennis*, ce sport a aujourd'hui retrouvé la première place dans les ventes de *shonen manga*. Ici, nous dessinerons une jeune joueuse de tennis qui pourrait tout aussi bien gagner sa vie en posant pour des maillots de bains.

Tennis is een andere sport die oprukt in Japan. We kennen nog steeds de invloed van *Ace o Nerea*, een serie uit de jaren zeventig, die samen met de tekenfilmversie alle uithoeken van de wereld bereikte en nog steeds een van de beroemdste series is binnen het *shojo*-genre. Vandaag de dag heeft *The Prince of Tennis* deze sport weer tot de absolute bestseller gemaakt van *shonen manga*. Wij tekenen hier een jonge tennisster die net zo makkelijk haar geld had kunnen verdienen als badpakkenmodel.

Shape_Form_Forme_Vorm

Remember the hourglass shape of girls. Shape her movement positioning for a backhand, so the arm holding the racket overlaps a good part of her body. Also sketch the areas that won't be visible.

Orientiere Dich an der weiblichen Sanduhrform. Skizziere ihre Bewegung so, dass sie eine Rückhand spielt; der Arm, der den Schläger hält, verdeckt einen Großteil ihres Körpers. Skizziere auch die Bereiche, die später nicht sichtbar sind.

Souvenez-vous du corps féminin en forme de sablier. Esquissez le mouvement du revers, le bras qui tient la raquette devant dépasser une bonne partie du corps. Ébauchez aussi les zones qui ne seront pas visibles par la suite.

Vergeet niet dat meisjes een zandlopervorm hebben. We geven de beweging vorm in de backhandpositie, zodat de arm die het racket vasthoudt een groot deel van het lichaam overlapt. Schets ook de gebieden die niet zichtbaar zullen zijn.

Volume_Volumen_Volume_Ruimtelijke vorm

When working volumes, strengthen and elongate the athlete's body. Stylize the girl's legs even more by slightly lowering the point of view. Stylizing is a very common tool in *manga*.

Beim Zeichnen der Volumen muss das Athletische des Körpers durch die ausgeprägte Länge der Beine besonders stark zum Ausdruck kommen. Stilisiere die Beine des Mädchens weiter, indem Du den Blickwinkel leicht nach unten setzt. Das Stilisieren ist beim *Manga* ein wichtiges Hilfsmittel.

En travaillant les volumes, allongez et renforcez le corps de l'athlète. Stylisez les jambes de la fille en baissant légèrement le point de vue. La stylisation est un outil employé couramment dans le dessin manga.

Met de ruimtelijke vorm moeten we het lichaam van de atlete versterken en verlengen. De benen worden extra gestileerd door het gezichtspunt te verlagen. Stileren wordt veel gebruikt in *manga*.

Anatomy_Anatomie_Anatomie_Anatomie

Use smooth, rounded shapes when detailing the female anatomy. Define some of her muscles, such as the outline of her arms and legs. Give her a look that suggests great determination and strength.

Benutze weiche, rundliche Linien zum Betonen der weiblichen Anatomie. Kennzeichne einige Muskeln, wie die Außenlinie der Arme und Beine. Ihr Blick sollte große Entschlossenheit und Strenge ausdrücken.

Utilisez des formes douces et arrondies pour dessiner l'anatomie féminine. Définissez les contours de ses bras et de ses jambes : donnez-lui une allure déterminée et puissante.

Gebruik zachte, ronde vormen voor de details van het vrouwenlichaam. Geef een paar spieren aan, zoals de contouren van de armen en benen. De gezichtsuitdrukking moet vastberaden en krachtig zijn.

Final sketch_Endskizze_Esquisse définitive_Uiteindelijke schets

Dress the character in a simple tennis outfit. Draw the racket and ball. Use broken lines that are different from those of the rest of the drawing to give the ball a typical hair-like structure.

Zieh dem Charakter ein einfaches Tennistrikot an. Zeichne den Schläger und den Ball; verwende dabei für den Ball unterbrochene Linien, um ihn vom Rest der Zeichnung abzuheben und um die typische flauschige Struktur hervorzuheben.

Habillez le personnage d'une simple robe de tennis. Dessinez la raquette et la balle. Tracez des lignes hachurées différentes de celles du reste du dessin pour donner à la balle une structure rugueuse.

Kleed het stripfiguur in een simpel jurkje. Teken het racket en de bal en gebruik hier onderbroken lijnen, die anders zijn dan in de rest van de tekening. Dit geeft de bal de kenmerkende harige structuur.

Lighting_Licht_Éclairage_Lichtval

There are three different types of lines: rounded ones for her body, angular ones for the clothing fabric and a broken one for the material of the ball, the wristbands and band around the visor.

Es werden drei verschiedenen Linientypen eingesetzt: runde Linien für den Körper, eckige für den Trikotstoff und unterbrochene für das Ballmaterial, den Handgelenkschoner und das Stirnband.

On compte trois différents types de lignes : courbes pour le corps, anguleuses pour le tissu, et hachurées pour la matière de la balle, le serre-poignet et le bandeau autour de la visière.

Er zijn drie verschillende soorten lijnen: ronde lijnen voor het lichaam, hoekige lijnen voor het weefsel van de kleren en een onderbroken lijn voor het materiaal van de bal, de polsbandjes en de band om de zonneklep.

273

Flat colors_Basisfarben_Couleurs simples_Effen kleuren

For the prototypical Caucasian girl paint her hair yellow and her eyes light blue. Contrast the white tennis outfit with pink wristbands. Design a logotype for her racket.

Verwende für Haare und Augen der Spielerin, die ein eher heller Typ ist, die Farben gelb und blau. Stelle einen Kontrast zum weißen Tennistrikot her und male den Armschoner rosa. Entwirf ein Emblem für den Schläger.

Pour représenter le type caucasien, peignez les cheveux en jaune et les yeux en bleu clair. Faites contraster la tenue de tennis blanche avec un serre-poignet rose. Dessinez un logo pour la raquette.

Door het haar geel en de ogen lichtblauw te kleuren, krijg je het prototypische blanke meisje. Roze polsbandjes geven een mooi contrast met het witte jurkje. Ontwerp een embleem voor het racket.

Shading_Schatten_Ombres_Arcering

To make the tennis player's skin look shiny and sweaty use a third, more intense color or shade and paint highlights on the lighted areas. The same effect creates more angular shadows on her dress.

Um die Haut des Charakters glänzender und verschwitzt aussehen zu lassen, kann man eine dritte, intensivere Farbe oder einen Schatten einsetzen und auf die hellen Zonen Lichtstellen setzen. Mit demselben Effekt malen wir die Schatten auf dem Kleid mit eckigen Formen.

Afin que la peau de la joueuse de tennis brille et se perle de sueur, prenez une couleur ou une nuance plus intense et peignez les reflets sur les zones lumineuses. Le même effet créera des lignes plus anguleuses sur sa robe.

Om de huid van de tennisster te laten glimmen van het zweet, gebruik je een derde, intensere kleur of schakering en maak je nóg lichtere gebieden in de lichte gebieden. Op dezelfde manier maak je hoekigere schaduwen op het jurkje.

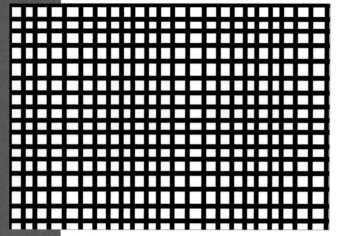

1. For her racket use a web of squares.

1. Skizziere für den Schläger ein quadratisches Netz.

1. Pour sa raquette, utilisez une grille de carrés.

1. Gebruik een netwerk van vierkantjes voor het racket.

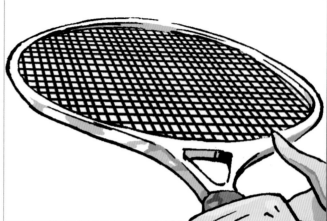

2. Draw the netting so the lines run toward the same point.

2. Verändere das Netz perspektivisch so, dass alle Linien zum selben Punkt laufen.

2. Dessinez la résille de telle sorte que les lignes aillent vers le même point.

2. Teken het netwerk zo dat de verticale lijnen richting verdwijnpunt gaan.

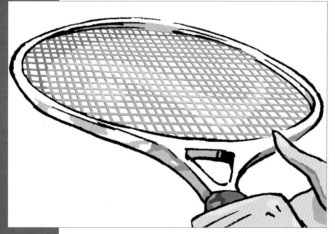

3. Stay within the outfit's range of colors.

3. Koloriere den Schläger entsprechend der restlichen Farbskala.

3. Respectez la gamme de couleur de la tenue.

3. Blijf binnen hetzelfde kleurgebied als die van de outfit.

4. Paint the stands behind her and blur them.

4. Male die Tribüne hinter der Figur und verwische sie.

4. Peignez et estompez les stands derrière elle.

4. Teken de tribunes achter haar en maak ze wazig.

Finishing touches_Letzte Details_Touches finales_Afwerking

Finish by scraping the background as if with a stone to create a rough scratchy texture. This effect helps put it even further away and evokes the clay surfaces of some tennis courts.

Gestalte den Hintergrund so, dass er wie mit einem Stein angekratzt aussieht, um eine raue Textur zu erreichen. Mit diesem Effekt lässt man ihn nach hinten rücken und schafft den Eindruck, dass es sich hier um einen Sandplatz handelt.

Terminez en raclant le fond comme avec une pierre pour créer une texture rugueuse et abrasive. Cet effet permet de repousser l'arrière-plan et d'évoquer les surfaces en terre battue de certains courts de tennis.

Bekras de achtergrond tot slot als het ware met een steen gedaan. Door deze ruwe, krasachtige textuur lijkt de achtergrond verder weg en sorteer je het effect van het kleiachtige oppervlak dat gravelbanen hebben.

Soccer

The popularity of their national team has helped soccer grow in the land of the Rising Sun, boosted by the 2002 World Cup.

Manga has an overwhelming number of series dedicated to soccer. Some are internationally famous, such as *Captain Tsubasa* by Yoichi Takahashi which first appeared in the magazine *Shonen Jump* in 1981. *Anime* adaptations of *Tsubasa* and other series like *Aoki Densetsu Shoot!*, *Fight!*, *Kickers*, etc. have led soccer to the forefront in *mangas*.

Die Popularität seines Nationalteams sowie die 2002 ausgetragene Fußballweltmeisterschaft haben dazu beigetragen, dass Fußball auch im Land der aufgehenden Sonne an Beliebtheit gewonnen hat.

Manga hat eine überwältigende Zahl von Serien, die Fußball als zentrales Thema haben. Einige davon sind international bekannt, wie *Captain Tsubasa* von Yoichi Takahashi, die 1981 zum ersten Mal in dem Magazin *Shonen Jump* erschien. *Anime*-Adaptationen von Tsubasa und andere Serien wie *Aoki Densetsu Shoot!*, *Fight!*, *Kickers*, etc. haben Fußball im Bereich des *Manga* so beliebt gemacht.

Grâce à la popularité de leur équipe nationale et au succès de la Coupe du monde de 2002, le football s'est développé au pays du Soleil Levant.

Dans les mangas, un nombre incroyable de séries sont consacrées au football – et cela depuis fort longtemps. *Tsubasa*, de Yoichi Takahashi, a ainsi été publié dans le magazine *Shonen Jump* dès 1981. Les adaptations *anime* de *Tsubasa* et d'autres séries comme *Aoki Densetsu Shoot !*, *Fight !* ou *Kickers*, entre autres, ont porté le football sur le devant de la scène dans le monde des mangas.

De populariteit van het nationale team heeft ertoe bijgedragen dat er meet wordt gevoetbald in het land van de Rijzende Zon. De Wereldkampioenschappen van 2002 hebben een handje meegeholpen. *Manga* heeft een overweldigend aantal series die zijn gewijd aan voetbal. Sommige daarvan zijn internationaal beroemd, zoals *Captain Tsubasa* van Yoichi Takahashi, dat in 1981 voor het eerst verscheen in het blad *Shonen Jump*. *Anime*-versies van Tsubasa en andere series als *Aoki Densetsu Shoot!*, *Fight!*, *Kickers*, etc. hebben voetbal naar de voorste gelederen van *manga* gebracht.

Shape_Form_Forme_Vorm

To capture the excitement of a sport in a single image, learn to pick the right moment. Here, the player is dribbling and feinting around another. The two figures are located in the same space.

Um die Spannung beim Sport in einem einzigen Bild zu erfassen, muss man den richtigen Moment treffen. In diesem Bild hat der Spieler einen anderen getäuscht und dribbelt davon. Die beiden Figuren bewegen sich im selben Raum.

Pour saisir l'excitation d'un sport en une seule image, apprenez à capter le bon moment. Ici, le joueur dribble et feinte autour d'un autre. Les deux personnages sont situés dans le même espace.

Om de spanning van een sport in een enkel beeld te vangen, moet je leren om het juiste moment uit te kiezen. Hier dribbelt de speler na een schijnbeweging langs een andere speler. De twee figuren worden in dezelfde ruimte geplaatst.

Volume_Volumen_Volume_Ruimtelijke vorm

For soccer scenes, choose a low point of view, near the ground to bring the viewer's eye closer to the center of the action: the ball. All volumes should be slightly foreshortened.

Wähle für Fußballszenen einen niedrig angesetzten, bodennahen Blickwinkel, um den Blick des Betrachters auf das Zentrum der Aktion, den Ball, zu fixieren. Alle Volumen müssen perspektivisch leicht verkürzt dargestellt werden.

Pour les scènes de football, choisissez un angle de vue en contre-plongée, près du sol, pour que le regard du lecteur se rapproche du cœur de l'action : le ballon. Tous les volumes devront être légèrement réduits.

Voor voetbaltaferelen kies je een kikvorsperspectief, vlak bij de grond, om het oog van de lezer dichterbij het middelpunt van de actie te brengen. Alle ruimtelijke vormen moeten lichtelijk in perspectief worden getekend.

Anatomy_Anatomie_Anatomie_Anatomie

Athletes have strong, agile, well-shaped bodies.
Soccer players have legs with powerful muscles.
Their arms swing in time with their running and are
drawn loosely, with wide arcs crossing their chest.

Athleten haben kernige, agile und gutgebaute
Körper. Die Beine von Fußballspielern sind extrem
muskulös. Ihre Arme schwingen beim Laufen mit;
sie zeichnen separat vom Körper weite Bogen.

Les athlètes ont des corps agiles et musclés. Les
joueurs de football ont des jambes avec des
muscles puissants. Leurs bras se balancent au
rythme de leur course et sont généralement
dessinés avec de larges arcs qui traversent leur
poitrine.

Sporters hebben sterke, soepele en goedgevormde
lichamen. Voetballers hebben benen met krachtige
spieren. Hun armen zwaaien in het ritme van de
loop en worden losjes getekend, met wijde bogen
over hun borst.

Final sketch_Endskizze_Esquisse définitive_Uiteindelijke schets

Our character's eyes can be looking up, with decision. Represent the tension in the wrinkles of his clothes and pay special attention to the cleats. Blur the details of the ball to show it moving.

Der Blick des Spielers ist entschlossen nach oben gerichtet. Zeige die Anspannung in den Falten der Trikots und achte auf die Spikes der Schuhe. Verwische die Details des Balls, damit seine Bewegung zum Ausdruck kommt.

Les yeux de notre personnage regardent vers le haut, l'air déterminé. Représentez la tension dans les plis de ses habits et prêtez une attention particulière aux crampons. Effacez les détails du ballon pour montrer qu'il est en mouvement.

De ogen van de voorste speler kunnen vastberaden omhoog kijken. Breng de spanning tot uitdrukking in de plooien in zijn kleren en besteed speciale aandacht aan de noppen. Maak de bal wazig om de indruk van beweging te wekken.

Lighting_Licht_Éclairage_Lichtval

Our character's eyes can be looking up, with decision. Represent the tension in the wrinkles of his clothes and pay special attention to the boots. Blur the details of the ball to show it moving.

Benutze Oberlicht, um die Schatten der Athleten natürlich aussehen zu lassen. Mit dem Schattieren geben wir die Hauptvolumen an und bringen die Muskeln in den Vordergrund. Auch kann man anhand der Schatten den Einfluss der Bewegung auf die Stofffalten zeigen.

Utilisez l'éclairage zénithal pour former naturellement les ombres sur les athlètes. L'accent sera mis sur les volumes principaux et les muscles. Définissez l'incidence du mouvement sur les plis des habits.

Gebruik licht van bovenaf om de schaduwen van de sporters op een natuurlijke manier vorm te geven. Schaduwwerking markeert de belangrijkste ruimtelijke vormen en benadrukt de spieren. Geef vorm aan de manier waarop beweging de plooien in de kleren beïnvloedt.

Flat colors_Basisfarben_Couleurs simples_Effen kleuren

Differentiate the players' uniforms by using different and, if possible, opposite colors for an exaggerated difference. For more differentiation make their skin and hair color different.

Zeichne die Trikots der beiden Spieler unterschiedlich und möglichst in kontrastierenden Farben, um sie stark zu differenzieren. Um noch größere Unterschiede herauszustellen, geben wir ihnen andere Haut- und Haarfarben.

Différenciez les uniformes des joueurs en utilisant des couleurs différentes et, si possible, opposées pour amplifier la différence. Pour une différenciation encore plus prononcée, dessinez leur peau et leurs cheveux de couleur différente.

Breng onderscheid aan in de tenues van de spelers door verschillende en, zo mogelijk, tegenovergestelde kleuren te gebruiken. Gebruik voor een nog groter verschil andere kleuren voor de huid en het haar.

Shading_Schatten_Ombres_Arcering

Differentiate the textures of each element; the soft, rounded lines of the skin against the more angular lines of the clothes and the broken lines which exaggerate the ball in movement.

Differenziere die Oberfläche jedes Elements. Verwende weiche, abgerundete Linien für die Haut und eckigere Striche für die Kleidung, sowie unterbrochene Linien für den Ball, damit man erkennt, dass er rollt.

Différenciez les textures de chaque élément : les lignes douces et arrondies de la peau, celles, plus anguleuses, des habits et les hachures qui accentuent le mouvement du ballon.

Maak de structuur van elk onderdeel anders: gebruik zachte, afgeronde lijnen voor de huid, hoekigere lijnen voor de kleren en gebroken lijnen om de beweging van de bal te overdrijven.

1. The uniform's pattern should follow the clothes' wrinkles.

1. Das Trikotmuster muss sich an die Stofffalten anpassen.

1. Les motifs des tenues doivent épouser les plis des vêtements.

1. Het patroon van het tenue moet de plooien van de kleren volgen.

2. Shape the shading on the new pattern.

2. Zeichne die Umrisse der Schatten im Muster.

2. Formez l'ombre sur le nouveau motif.

2. Breng de arcering op het nieuwe patroon aan.

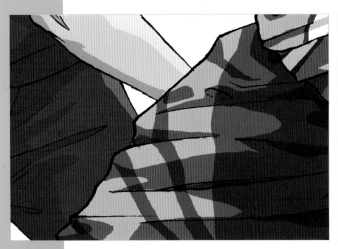

3. Fill in the shaded areas.

3. Fülle die Schatten mit den entsprechenden Farbtönen aus.

3. Remplissez les zones ombrées.

3. Kleur de gearceeerde delen in.

4. Give the shadow depth by lightening the area furthest from the viewer.

4. Um den Schatten Tiefe zu geben, koloriert man die am weitesten vom Betrachter entfernten Zonen heller.

4. Ajoutez de la profondeur à l'ombre en illuminant la zone éloignée du lecteur.

4. Geef de schaduw diepte door het deel dat het verst van de lezer verwijderd is te belichten.

Finishing touches_Letzte Details_Touches finales_Afwerking

Add lighter areas to the character's skin to make it look shiny with sweat and effort. Add details to the uniforms and a small area of sky to give the composition some movement.

Füge hellere Zonen auf die Haut der Figuren, damit sie verschwitzt wirkt. Versieh die Trikots mit einigen weiteren Details und zeige ein kleines Stück Himmel, um noch mehr Bewegung ins Bild zu bringen.

Ajoutez des zones plus claires à la peau du personnage pour qu'elle semble briller de sueur et qu'on ressente l'effort. Ajoutez des détails aux tenues et un bout de ciel pour donner du mouvement à la composition.

Voeg lichtere delen toe aan de huid om hem er glimmend van zweet en inspanning te laten uitzien. Voeg details toe aan de tenues en een kleur een stukje lucht in om de compositie wat beweging te geven.

Beach Volleyball

It's very common to find stories in *manga* and *anime* series set on the beach as this is a place associated with vacation, relaxing, fun, and summer romances.
In this illustration we'll connect a ball sport with a martial art: the attractive volleyball girls on the one hand, and acrobatic boys practicing *capoeira* on the other. To do this we'll combine different planes with a daring layout seen from a low point-of-view with a forced perspective.

Es ist nicht ungewöhnlich, in *Manga*- und *Anime*-Serien Geschichten zu finden, die sich Strand abspielen; das ist der Ort, den man mit Ferien, Entspannung, Spaß und Liebesromanzen assoziiert.
In dieser Illustration wird ein Ballsport mit einem Kampfsport koordiniert; die attraktiven Volleyballgirls auf der einen Seite und die akrobatischen Boys, die *Capoeira* praktizieren, auf der anderen. Dafür müssen wir verschiedene Ebenen miteinander kombinieren, und zwar durch eine waghalsige Anordnung mit einem sehr tiefen Blickwinkel und einer forcierten Perspektive.

Il est tout à fait habituel de trouver des mangas et des séries *anime* dont l'action se passe à la plage, endroit que l'on associe aux vacances, à la détente et aux amourettes.
Sur cette illustration, on va conjuguer un jeu de ballon à un art martial : les ravissantes joueuses de volley d'un côté, et les jeunes hommes pratiquant la capoeira de l'autre. Nous allons combiner différents plans avec un agencement audacieux : un angle de contre-plongée et une perspective forcée.

Verhalen in *manga*- en *anime*-series vinden vaak plaats op het strand, omdat die plek met vakantie, ontspanning, plezier en zomerliefdes geassocieerd wordt.
In deze illustratie verbinden we een balsport met een gevechtssport: de aantrekkelijke volleybalmeisjes aan de ene kant en aan de andere kant acrobatische jongens die *capoeira* beoefenen. Hiervoor combineren we verschillende oppervlakken met een gedurfde lay-out, gezien vanuit een laag standpunt met een geforceerd perspectief.

Shape_Form_Forme_Vorm

When drawing lots of figures on the sand in various positions and with different ways of holding themselves up, be very careful not to lose the reference of the floor.

Wenn Du mehrere Figuren auf dem Sand zeichnest, die unterschiedliche Positionen einnehmen und jeweils anders platziert sind, achte darauf, nicht den Bezugspunkt zum Boden zu verlieren.

En dessinant de nombreux personnages sur le sable dans des positions diverses, faites attention à ne pas perdre de vue la référence au sol.

Als je veel figuren tekent in verscheidene houdingen die op verschillende manieren op het zand staan, let er dan op dat alles klopt ten opzichte van het grondvlak.

Volume_Volumen_Volume_Ruimtelijke vorm

The volumes must be drawn according to the perspective, with corresponding foreshortening to highlight the chosen low point-of-view. The characters' upper parts look smaller.

Die Volumen müssen entsprechend der perspektivischen Verkürzung im oberen Bereich und mit stärkerer Akzentuierung der Beine gezeichnet werden, da wir die Personen aus einer annähernden Froschperspektive sehen.

Les volumes seront dessinés en fonction de la perspective, avec les réductions correspondantes pour mettre en valeur le point de vue en contre-plongée. Le haut du corps des personnages paraîtra plus petit.

De ruimtelijke vormen moeten kloppend met het perspectief getekend worden, met bijpassende dieptewerking om het gekozen kikvorsperspectief te benadrukken. De bovenlichamen moeten dus kleiner lijken.

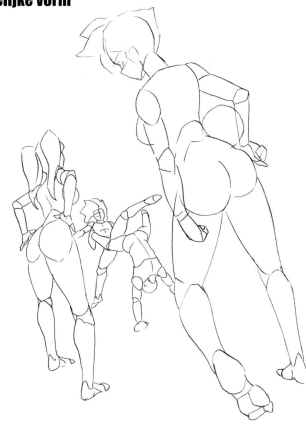

Anatomy_Anatomie_Anatomie_Anatomie

The girls' svelte bodies in the foreground should grab the reader's attention. Exaggerate female attributes such as their breasts and hips. The boys' bodies reflect hours spent at the gym.

Die schlanken Frauenkörper im Vordergrund müssen die Aufmerksamkeit der Leser auf sich ziehen. Du kannst die weiblichen Attribute, also Brüste und Hüften, leicht übertrieben skizzieren. Die Männerkörper lassen ebenfalls auf viele Stunden im Fitnessstudio schließen.

La sveltesse du corps des filles au premier plan devra attirer le regard du lecteur. Exagérez les attributs féminins comme la poitrine et les hanches. Le corps des garçons montre qu'ils ont des heures de gymnastique derrière eux.

De slanke meisjeslichamen op de voorgrond moeten de aandacht van de lezer trekken. Overdrijf de vrouwelijke vormen zoals de borsten en de heupen. De lichamen van de jongens stralen de doorgebrachte uren in het fitnesscentrum uit.

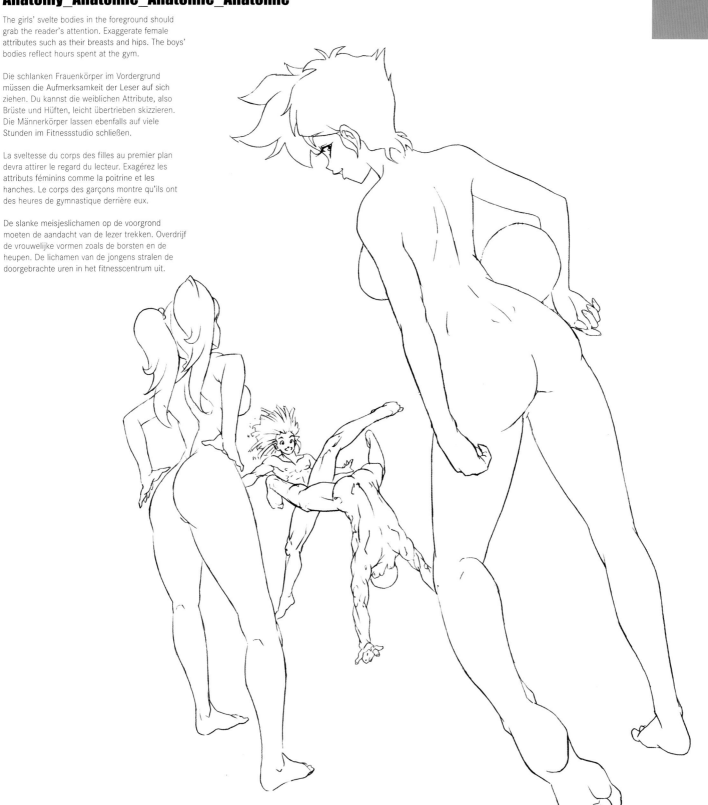

Final sketch_Endskizze_Esquisse définitve_Uiteindelijke schets

Although the characters aren't wearing much, we can still study how wrinkles form with tension. Draw the creases with direct and energetic strokes towards the point where the tension originates.

Obwohl die Figuren leicht bekleidet sind, kann man trotzdem den durch Bewegung und Anspannung der Körper verursachten Faltenwurf analysieren. Zeichne sie mit direkten und energischen Strichen in Richtung des Punktes, auf den sich die Spannung konzentriert.

Bien que les personnages soient court vêtus, marquez les plis avec des coups de crayons énergiques en direction du point d'origine de la tension.

Hoewel de stripfiguren weinig aan hebben, kunnen we nog steeds bestuderen hoe de plooien vallen door de spierspanning. Teken de kreukels met strakke, krachtige penseelstreken in de richting van de spanningsbron.

Lighting_Licht_Éclairage_Lichtval

When drawing an outdoor scene with intense light remember that shadows should show a lot of contrast. The projected shadows help understand volume and the proper position of objects.

Beim Zeichnen von Freiluftszenen mit starkem Lichteinfall müssen Schatten intensive Kontraste aufweisen. Die projizierten Schatten helfen dabei, das Volumen zu verstehen und den Objekten die richtige Position zu geben.

En dessinant une scène extérieure avec une lumière intense, gardez à l'esprit que les ombres devront montrer de nombreux contrastes. Les ombres projetées permettent de saisir le volume et la position exacte des objets.

Als er een tafereel in de buitenlucht met intens licht getekend wordt, onthoud dan dat de schaduwen sterk contrasterend moeten zijn. De geprojecteerde schaduwen versterken de ruimtelijke werking en de juiste positie van objecten.

Flat colors_Basisfarben_Couleurs simples_Effen kleuren

Select a warm and bright color palette for this kind of situation. Transmit the atmosphere of a hot, sunny day at the beach by using light colors that are quite saturated.

Wähle eine warme und leuchtende Farbpalette für diesen Typ von Szene. Übertrage die Atmosphäre eines heißen Sonnentags am Strand durch Einsatz von hellen und gesättigten Farben.

Transmettez l'ambiance d'une chaude journée d'été sur la plage en utilisant des couleurs claires assez saturées et une palette de couleurs chaudes et gaies.

Kies een warm en helder kleurenpalet voor dit soort taferelen. Draag de sfeer uit van een hete, zonnige dag op het strand door lichte en tamelijk verzadigde kleuren te kiezen.

Shading_Schatten_Ombres_Arcering

Add bright highlights to the skin to make it look shiny and tanned. The text on the bathing suit should adapt to the wrinkles of the fabric and accentuate its volume.

Gib helle Bildstellen auf die Haut, damit sie glänzend und gebräunt aussieht. Der Schriftzug auf der Badehose muss sich an die Falten des Stoffes anpassen und sein Volumen akzentuieren.

Ajoutez des reflets lumineux sur la peau pour la faire briller et lui donner un aspect bronzé. Les lettres sur le maillot de bain devront épouser les plis du tissu et en accentuer le volume.

Breng heldere, lichte gebieden aan op de huid om die er glimmend en gebruind uit te laten zien. De tekst op het broekje moet aangepast zijn aan de plooien van het weefsel en de ruimtelijke vorm accentueren.

295

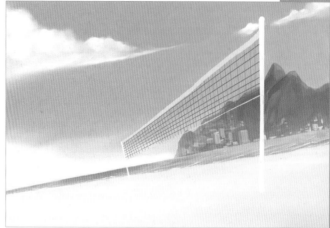

1. Sketch a background with matching colors.

1. Male einen Hintergrund mit passenden Farben.

1. Dessinez un arrière-plan avec des couleurs assorties.

1. Schets een achtergrond met bijpassende kleuren.

2. Detail the elements.

2. Füge den einzelnen Elementen Details hinzu.

2. Détaillez les éléments.

2. Breng meer detail aan in de onderdelen.

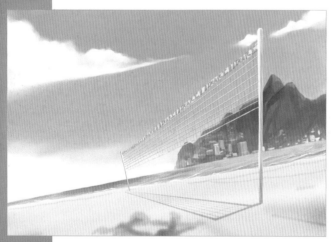

3. Add the sand, characters' projected shadows and the net's text.

3. Zeichne den Sand, die Schatten, die die Charaktere darauf werfen, und den Text auf dem Volleyballnetz.

3. Ajoutez le sable, l'ombre projetée des personnages et les lettres sur le filet.

3. Voeg het zand, de schaduwen van de stripfiguren en de tekst op het net toe.

4. Elements furthest away should look a bit hazy and blue.

4. Die weit im Hintergrund liegenden Elemente sollten leicht verschwommen und in bläulichen Farbtönen dargestellt werden.

4. Les éléments plus éloignés seront estompés et de couleur bleue.

4. Onderdelen die het verst weg staan, moeten ietwat wazig en blauw zijn.

Finishing touches_Letzte Details_Touches finales_Afwerking

Working each element separately provides greater freedom for painting and coloring techniques, but respecting the color palette, lighting and tone is crucial.

Durch separate Bearbeitung der einzelnen Elemente hat man mehr Freiheit bei der Wahl der Mal- und Koloriertechniken, muss aber immer die Farbpalette, den Lichteinfall und die Tönung respektieren.

Travailler chaque élément séparément confère une grande liberté au niveau des techniques de peinture et de coloriage, tout en sachant qu'il est primordial de respecter la palette de couleur, la lumière et les teintes.

Het geeft veel vrijheid bij de schilder- en inkleurtechnieken als je aan elk onderdeel afzonderlijk kunt werken. Het is echter wel cruciaal dat je het kleurenpalet, de lichtval en de schakering in de gaten blijft houden.

Martial Arts

These are fighting arts with techniques organized around coherent systems that must be studied for many years. Rather than being a path toward violence they are a path towards self-awareness and personal achievement. Martial arts that came about before the Meiji Restoration (1868) are called *koryu budo*. The term *gendai budo* refers to new martial arts that emerged after the Restoration such as *judo*, *kendo* and *aikido*.

Dabei handelt es sich um Kampftechniken, die rund um bestimmte Bewegungssysteme organisiert sind und über Jahre hinweg studiert werden müssen. Sie sind weniger ein Weg in Richtung Gewalt als vielmehr ein Weg zur Selbsterkenntnis und persönlicher Höchstleistung. Kampfsportarten, die vor der Meiji-Restauration (1868) entstanden, werden als *Koryu budo* bezeichnet. Der Begriff *Gendai budo* bezieht sich auf neue Kampfsportarten, die nach der Restauration entstanden, z. B. *Judo*, *Kendo* und *Aikido*.

Arts traditionnels du combat, articulés autour de systèmes codifiés, ils requièrent de longues années de pratique. Plutôt que de mener à la violence, ils favorisent l'autodéfense et l'accomplissement de soi. Les arts martiaux nés avant l'ère Meiji (1868) sont appelés *koryu budo*. Le terme *gendai budo* fait référence à ceux apparus après la Restauration, comme le *judo*, le *kendo* et l'*aïkido*.

Dit zijn gevechtskunsten met technieken uit samenhangende systemen die jarenlang getraind moeten worden. Het gaat daarbij eerder een pad richting zelfbewustzijn en persoonlijke ontplooiing dan een pad richting geweld. De gevechtssporten die ontstonden voor de Meiji-hervorming (1868) worden *koryu budo* genoemd. De term *gendai budo* refereert aan de nieuwe gevechtssporten die ontstonden na de hervorming, zoals *judo*, *kendo* en *aikido*.

Shape_Form_Forme_Vorm

Shaping is important in a composition with various characters. Sketch all the figures to determine their position and proportion, and control the order in which the image will be read.

Skizzieren ist in einer Komposition mit mehreren Charakteren sehr wichtig. Skizziere alle Figuren, um ihre Positionen und Proportionen festzulegen, und lege die Reihenfolge fest, in der das Bild gelesen werden soll.

La mise en forme est essentielle dans une composition de plusieurs personnages. Esquissez tous les personnages pour définir leur position et leurs proportions, et déterminez l'ordre de lecture de l'image.

Vormgeving is belangrijk in een compositie met verschillende stripfiguren. Schets alle figuren om hun positie en proporties te bepalen en controleer in welke volgorde het beeld gelezen zal worden.

Volume_Volumen_Volume_Ruimtelijke vorm

Define each character's volume and the characters' personalities (masculine or feminine). Determine the type of shaping required depending on their body types (more or less voluminous or stylized).

Definiere das Volumen und die Eigenschaften aller Figuren (z. B. ob männlich oder weiblich). Gib die Art der Schattierung gemäß den Körpertypen vor (mehr oder weniger voluminös oder stilisiert).

Définissez le volume et le genre (masculin ou féminin) de chaque personnage ainsi que la technique pour les former en fonction des types de corps (plus ou moins volumineux ou stylisés).

Geef van elke figuur weer wat zijn ruimtelijke vorm en aard (mannelijk of vrouwelijk) is. Bepaal, afhankelijk van de lichaamstypes (meer of minder volumineus of gestileerd), wat voor vorm ze nodig hebben.

Anatomy_Anatomie_Anatomie_Anatomie

Give each figure its own personality: the *sumo* wrestler is enormous and concentrated; a thin *judoka* should have an agile body; develop the *kendo* fighter's determination and the *karateka's* strength.

Gib jeder Figur ihre eigene Persönlichkeit: der *Sumo* - Kämpfer ist riesig und hochkonzentriert; der junge *Judoka* bekommt einen agilen Körper; der *Kendo* -Kämpfer drückt Bestimmtheit aus und die *Karateka* Stärke.

Attribuez à chaque personnage la personnalité qui lui est propre : le lutteur *sumo* est énorme et concentré. Un *judoka* mince aura un corps agile. Développez la détermination du combattant *kendo* et la force du *karateka*.

Geef elk stripfiguur zijn eigen persoonlijkheid: de sumoworstelaar is enorm en geconcentreerd; een dunne judoka moet een lenig lichaam hebben; maak de vastberadenheid van de *kendo*-vechter en de kracht van de *karateka* duidelijk.

Final sketch_Endskizze_Esquisse définitive_Uiteindelijke schets

Each of the martial arts has a unique outfit. Find out what kind of clothes each fighter should be wearing, as it is part of the concept of each discipline and the fruit of a long tradition.

Jeder Kampfsport hat sein eigenes Outfit. Finde heraus, welche Kleidung jeder Kämpfer tragen muss, denn sie ist ein Teil des Konzepts jeder Disziplin und das Produkt einer langen Tradition.

Documentez-vous sur les habits des combattants, puisque la tenue, fruit d'une longue tradition, fait partie du concept de chaque discipline.

Elke gevechtssport heeft zijn eigen unieke tenue. Zoek uit welke kleding elke vechter moet dragen, omdat de kleren deel uitmaken van het concept van elke discipline en het resultaat zijn van een lange traditie.

302

Lighting_Licht_Éclairage_Lichtval

Not all the characters have to be highlighted in the same way. Lighting can be used as a way of visually separating the figures and giving each of them their own space.

Nicht alle Charaktere müssen auf die gleiche Weise schattiert werden. Der Lichteinfall kann dazu genutzt werden, die Figuren visuell voneinander zu trennen und jeder einen eigenen Raum zu verschaffen.

L'apport de lumière pourra être différent selon les personnages. La lumière peut être un moyen de séparer visuellement et de conférer à chacun sa place dans l'espace.

Niet alle figuren hoeven op dezelfde manier lichtval te krijgen. Lichtval kan gebruikt worden als een manier om, visueel gezien, de figuren te scheiden en ze elk hun eigen ruimte te geven.

Flat colors_Basisfarben_Couleurs simples_Effen kleuren

Colors take on a special significance. In *judo* the color of the belt tells us the rank of the *judoka*. In *sumo*, the color of the *mawashi* is also important. Gather references to gain knowledge.

Farben nehmen eine bestimmte Bedeutung ein. Beim *Judo* sagt die Gürtelfarbe etwas über den Rang des *Judoka* aus. Beim *Sumo* ist die Farbe des *Mawashi* ebenfalls wichtig. Suche Informationen über das Thema und bereichere damit die Illustrationen.

Les couleurs ont une signification particulière. Au judo, la couleur de la ceinture affiche le rang du *judoka*. Au sumo, la couleur du *mawashi* est tout aussi importante. Pour connaître ces arts, il est essentiel de s'informer le plus possible.

Kleuren hebben een speciale betekenis. Bij *judo* laat de kleur van de band de graad van de *judoka* zien. Bij *sumo* is de kleur van de *mawashi* ook belangrijk. Bekijk voorbeelden om je kennis te vergroten.

Shading_Schatten_Ombres_Arcering

Give each character a different skin color to
highlight their differences. The clothing worn by the
karateka and the *judoka* could confuse the readers,
so differentiate them as much as possible.

Gib jedem Charakter eine andere Hautfarbe, um
die Differenzen
hervorzuheben. Die
Anzüge der *Karateka* und
des *Judoka* könnten den
Leser verwirren;
differenziere sie also so
stark wie möglich.

Donnez à chaque personnage
une couleur de peau spécifique
afin de le caractériser. La tenue
du *karateka* et du *judoka* pourrait
en effet prêter à confusion.

Geef elke figuur een andere
huidskleur om de onderlinge
verschillen te benadrukken. De
kleding van de *karateka* en van de
judoka kunnen verwarring geven. Maak
die dus zo verschillend mogelijk.

1. To mark folds in clothes, outline the border with shading.

1. Ziehe die Falten in der Kleidung mit einer dunkleren Farbe entlang der Schattenaußenlinie nach.

1. Pour marquer les plis des habits, soulignez les contours en les ombrant.

1. Om de vouwen in de kleren te markeren, omlijn je de begrenzing met schaduw.

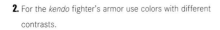

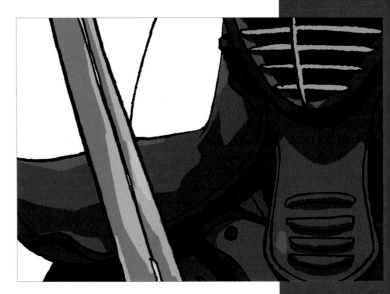

2. For the *kendo* fighter's armor use colors with different contrasts.

2. Verwende für die Rüstung des *Kendo*-Kämpfers Farben mit vielen Kontrasten.

2. Pour l'armure du combattant *kendo*, utilisez des couleurs contrastées.

2. Gebruik contrasterende kleuren voor de kleren van de *kendo*-vechter.

3. The circle of the Japanese flag helps close the composition.

3. Der Kreis der japanischen Flagge rundet die Bildkomposition ab.

3. Le cercle du drapeau japonais parachève la composition.

3. De cirkel van de Japanse vlag geeft de compositie een waardige afwerking.

Finishing touches_Letzte Details_Touches finales_Afwerking

The red in the Japanese flag can add the force and passion of blood and the sun. Illustrators should try mastering the use of different colors to awaken feelings in the reader.

Das Rot der japanischen Flagge vereint in sich die Kraft und Leidenschaft des Bluts und der Sonne. Illustratoren müssen die Verwendung von Farbe meisterhaft beherrschen, um beim Betrachter Gefühle zu wecken.

Le rouge du drapeau japonais rappelle à la fois la force du soleil et le sang. Les illustrateurs doivent essayer de maîtriser l'emploi de couleurs différentes pour éveiller les sentiments recherchés chez le lecteur.

Het rood uit de Japanse vlag kan de kracht en de passie van bloed en van de zon toevoegen. Om gevoelens bij de lezer op te roepen, moeten tekenaars het gebruik van verschillende kleuren onder de knie krijgen.

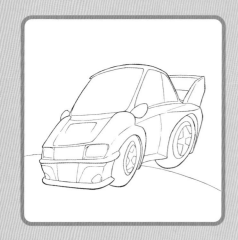

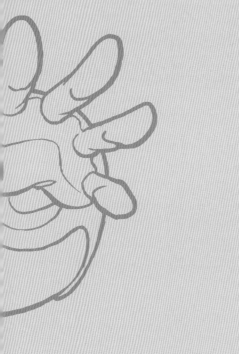

Mecha and Vehicles_Technik und Fahrzeuge_Robots et véhicules_ *Mecha* en voertuigen

SD Car
Fighter Plane
SD Robot
Giant Robot
Robot Pilot
Combat Armor

SD Car

Not even vehicles can escape being targeted as superdeformed parodies. This illustration is inspired by two classic trend-setting references. The first is the legendary Sega videogame *Out Run*, with its characteristic beach atmosphere and logotype. Our second reference is *Choro Q* cars, known for the caricatures of the models they were based on. Hundreds of these designs are found in *mangas*, particularly in those of a more humorous nature.

Nicht einmal Fahrzeuge bleiben davon verschont, als *Superdeformed* parodiert zu werden. Diese Illustration wird von zwei klassischen Trendsettern inspiriert. Der erste ist das legendäre Sega-Videospiel *Out Run* mit seinem charakteristischen Emblem und der Strandatmosphäre. Unsere zweite Referenz sind die *Choro Q Cars*, die für die Karikaturen bestimmter Automodelle bekannt sind. Im *Manga* finden sich Hunderte von diesen überwiegend witzigen Figuren.

Les véhicules n'échappent pas aux caricatures des « super déformés ». Cette illustration s'inspire de deux classiques de la mode. La première, qui nous sert de logo, est le légendaire jeu vidéo de Sega, *Out Run*, avec ses personnages baignant dans une ambiance de plage. La seconde référence concerne les voitures *Choro Q*, connues pour être les caricatures des modèles sur lesquelles elles se basent. On en trouve des centaines dans les mangas, notamment dans le genre humoristique.

Zelfs voertuigen ontkomen er niet aan; ook zij zijn het doel van *superdeformed* parodieën. Deze illustratie is geïnspireerd op twee klassieke trend zettende verwijzingen. De eerste is de legendarische Sega-videogame *Out Run*, met zijn karakteristieke strandsfeer en embleem.
Onze tweede verwijzing vormen de *Choro Q*-auto's, die bekend zijn vanwege de karikaturen van de basismodellen. In *manga*, vooral in de humoristischer genres, zijn honderden van deze ontwerpen terug te vinden.

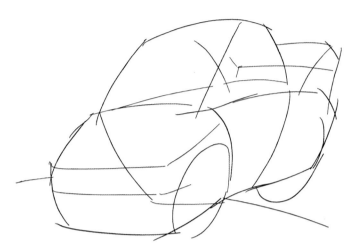

Shape_Form_Forme_Vorm

Stick to a basic foolproof scheme. Draw three volumes as if they were elliptical spheres. Each of them is related to one of the three basic parts of a car: motor, interior, trunk.

Fertige eine Grundskizze an, bei der alles stimmen muss. Zeichne drei Volumen anhand von Kreisen. Jeder stellt eine der drei Grundteile eines Autos dar: den Motor, den Innenraum und den Kofferraum.

Commencez par un schéma de base. Dessinez trois sphères. Chacune d'elle renvoie à une des trois parties de base d'une voiture : moteur, intérieur, carrosserie.

Houd vast aan een volkomen veilig basisschema. Teken drie ruimtelijke vormen alsof het elliptische bollen zijn. Elke vorm heeft betrekking op een van de drie basisonderdelen van een auto: motor, cabine, kofferbak.

Volume_Volumen_Volume_Ruimtelijke vorm

Structure is almost completely defined by the volume. For rigid, inorganic objects, use rulers and stencil curves to achieve a colder look. Here, the curved lines will define the vehicle's character.

Die Struktur wird fast komplett durch das Volumen definiert. Benutze für steife, unbelebte Objekte gerade und gebogene Lineale, um ein kälteres Aussehen zu schaffen. Bei diesem Auto definieren die kurvigen Linien den Charakter des Wagens.

La structure est presque entièrement définie par le volume. Pour dessiner des objets rigides, non organiques, utilisez des règles et, pour réaliser une allure plus froide, des pochoirs à courbes. Ici, les lignes rondes caractériseront le style du véhicule.

De structuur wordt bijna geheel weergegeven door de ruimtelijke vorm. Gebruik voor stijve, niet-levende objecten linialen en sjablonen om ze een killere aanblik te geven. Hier geven de gebogen lijnen het karakter van de figuur weer.

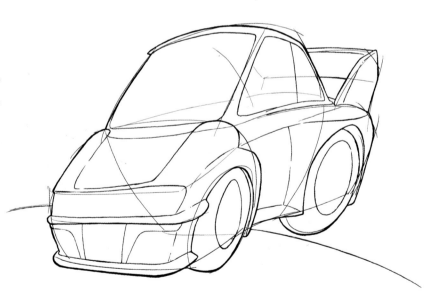

Anatomy_Anatomie_Anatomie_Anatomie

Focus on the more characteristic details. This is an SD version, so exaggerate the proportions with flattened shapes on the ends, giant wheels and a certain deformation of its structure.

Konzentriere Dich auf die charakteristischen Details. Wir haben hier eine SD-Version vor uns, bei der man die Proportionen übertreiben muss, und zwar mit abgeflachten Formen an den Enden, riesigen Rädern und durch Verziehen der gesamten Struktur.

Concentrez-vous sur les détails. Comme c'est une version SD, exagérez les proportions par des formes aplaties aux extrémités, des roues géantes et une certaine déformation de la carrosserie.

Richt je op de meer kenmerkende details. Dit is een SD-versie, dus overdrijf de proporties met afgeplatte vormen aan de uiteinden, reusachtige wielen en een bepaalde vervorming van de structuur.

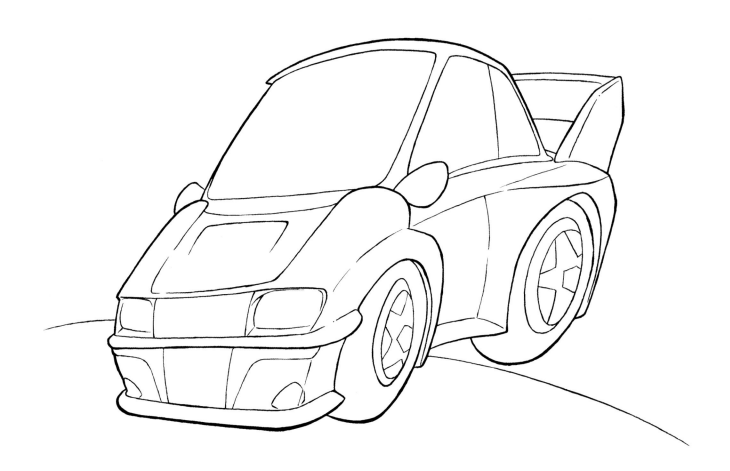

Final sketch_Endskizze_Esquisse définitive_Uiteindelijke schets

Draw a background that matches our illustration. Caricature the background elements by synthesizing shapes. Use simple, rounded shapes for the road and mountains.

Zeichne einen Hintergrund, der zur Illustration passt. Karikiere die Hintergrundelemente, indem Du die Formen stark simplifizierst. Verwende einfache runde Formen für die Straße und die Berge.

Dessinez un fond assorti à l'illustration. Caricaturez les éléments du fond en synthétisant les formes. Rue, nuages et montagnes seront arrondis.

Teken de achtergrond die past bij de illustratie. Maak er een karikatuur van door kunstmatige vormen te gebruiken. Gebruik eenvoudige, afgeronde vormen voor de weg en de bergen.

314

Lighting_Licht_Éclairage_Lichtval

Lighting is treated in a simple way. For vehicles use different tones; the greater the contrast, the more an object's texture will shine. The car's glass windows have the most contrast.

Der Lichteinfall wird ebenfalls sehr einfach gehalten. Benutze für die Autos verschiedene Tönungen; je stärker der Kontrast ist, umso mehr glänzt die Textur eines Objekts. Die Fensterscheiben des Autos bekommen die stärksten Kontraste.

Le traitement de la lumière est simple. Prenez différentes teintes pour les véhicules : plus le contraste sera grand, plus la texture de l'objet brillera, en particulier les vitres de la voiture.

De lichtval wordt op een simpele manier gebruikt. Gebruik voor voertuigen verschillende schakeringen; hoe groter het contrast, hoe meer het materiaal van het object zal glimmen. De ramen van de auto hebben het meeste contrast.

Flat colors_Basisfarben_Couleurs simples_Effen kleuren

Choose bright, contrasting colors. Red is connected with luxury and powerful sports cars and is also perfect to contrast with the chosen background; red and green are complementary colors.

Wähle leuchtende, kontrastreiche Farben. Rot assoziiert man mit luxuriösen und schnellen Sportwagen und eignet sich ideal, um die Objekte vom Hintergrund abzuheben; rot und grün sind Komplementärfarben.

Choisissez des couleurs claires et contrastées. On associe le rouge aux voitures de sports puissantes, il se démarquera de l'arrière-plan choisi. Le rouge et le vert sont des couleurs complémentaires.

Kies heldere, contrasterende kleuren. Rood doet denken aan luxe en krachtige sportwagens en is ook perfect als contrast met de gekozen achtergrond; rood en groen zijn complementaire kleuren.

Shading_Schatten_Ombres_Arcering

Shading gives the object texture. Use stripes and dots for the palm tree's trunk, and combine short, loose, quick strokes for the grass. The road is covered with smooth dots to resemble gravel.

Schatten verleihen einem Objekt Textur. Nimm Streifen und Punkte für den Palmenstamm und kombiniere kurze, lockere und schnelle Striche für das Gras. Die Straße wird mit kleinen Punkten versehen, die Kiesel simulieren sollen.

Le fait d'ombrer confère de la texture à l'objet. Tracez des bandes et des points pour le tronc du palmier, et associez des traits courts, rapides et espacés pour l'herbe. La route est couverte de légers points afin de caractériser le gravier.

Schaduwen geven het object textuur. Gebruik strepen en stippen voor de stam van de palmboom en combineer korte, losse, snelle penseelstreken voor hem gras. De weg is bezaaid met zachte stippen om het op grind te laten lijken.

1. Note the car's bodywork when placing the logotypes.

1. Achte auf die richtige Schrägung, wenn Du die Schriftzüge aufmalst.

1. Placez les logos sur la carrosserie.

1. Let goed op de carrosserie als je de emblemen plaatst.

2. Paint the background lines black to separate them from the foreground.

2. Male die Hintergrundlinien schwarz, um sie vom Vordergrund abzuheben.

2. Peignez les lignes de fond en noir pour les séparer du premier plan.

2. Kleur de lijnen van de achtergrond zwart om ze te scheiden van de voorgrond.

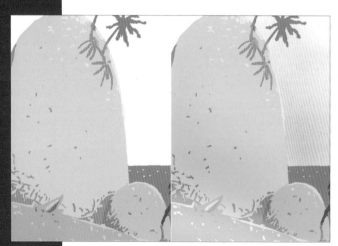

3. Softly fade color to complement the illustration's shape.

3. Stufe beim Vervollständigen der Illustration die Farben leicht ab.

3. Faites de légers dégradés de couleurs pour donner de la forme à l'illustration.

3. Laat de kleur zacht vervagen om de vorm van de illustratie af te maken.

4. Create a clipping mask.

4. Markiere einen Ausschnitt.

4. Réalisez un *clipping mask* (ou masque d'écrêtage).

4. Maak een passe-partout.

Finishing touches_Letzte Details_Touches finales_Afwerking

The illustration's finish should look something like a promotional logotype. A clipping mask will give the entire drawing shape, unifying the visual image.

Das Bild soll am Ende Ähnlichkeit mit einem Werbelogo haben. Eine Schnittmaske, die nur einen Ausschnitt zeigt, verleiht der Zeichnung Form und vereinheitlicht die Darstellung visuell.

La finition de l'illustration devrait ressembler à un logo publicitaire. Un *clipping mask* donne une forme à l'ensemble du dessin, unifiant l'image visuelle.

De afwerking van de illustratie moet er uitzien als een reclame. Een passe-partout geeft vorm aan de hele tekening en maakt het beeld tot een eenheid.

Fighter Plane

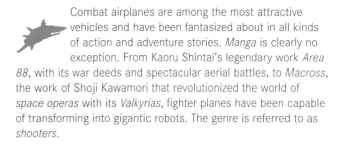

Combat airplanes are among the most attractive vehicles and have been fantasized about in all kinds of action and adventure stories. *Manga* is clearly no exception. From Kaoru Shintai's legendary work *Area 88*, with its war deeds and spectacular aerial battles, to *Macross*, the work of Shoji Kawamori that revolutionized the world of *space operas* with its *Valkyrias*, fighter planes have been capable of transforming into gigantic robots. The genre is referred to as *shooters*.

Kampfflugzeuge gehören zu den attraktivsten Fortbewegungsmitteln und sind ein Fantasieobjekt in jeder Art von Action- und Abenteuergeschichten. *Manga* ist dabei keine Ausnahme: man denke an Kaoru Shintais legendäres Werk *Area 88*, mit Kriegsschauplatz und spektakulären Luftkämpfen, oder an das Werk von Shoji Kawamori, der mit seinen *Valkyria*-Jagdflugzeugen, die sich in gigantische Roboter verwandeln können, die Welt der *Space operas* revolutionierte. Das Genre wird als *Shooter* bezeichnet.

Les avions de chasse ont toujours fasciné les hommes. Il est donc naturel de les retrouver dans de nombreuses histoires. Les mangas n'échappent pas à la règle. Le genre est classé sous le nom de *shooters*. L'éventail est large : depuis l'œuvre légendaire de Kru Shindi, *Area 88*, avec ses exploits de guerre et ses batailles aériennes spectaculaires, jusqu'à *Macross*, de Shoji Kawamori, qui a révolutionné le monde des « opéras de l'espace » avec ses *Valkyrias* – avions de chasse capables de se transformer en robots gigantesques.

Gevechtsvliegtuigen behoren tot de aantrekkelijkste vervoermiddelen, en in allerlei soorten actie- en avonturenverhalen wordt erover gefantaseerd. Manga vormt hierop geen uitzondering. Van Kaoru Shinta's legendarische werk *Area 88*, met spectaculaire oorlogsdaden en luchtgevechten, tot aan *Macross*, het werk van Shoji Kawamori dat de wereld van *space operas* op zijn kop zette met zijn *Vakyrias*-gevechtsvliegtuigen die konden transformeren tot reusachtige robots. Het genre wordt *shooters* genoemd.

Shape_Form_Forme_Vorm

For vehicles, first shape the areas that are essential for our machine: cabin, motor, wings and aerodynamic devices (if designed to be maneuvered within the atmosphere), etc.

Zeichne beim Flugzeug zuerst die Bereiche, die für unsere Maschine elementar sind: Kabine, Motor, Flügel und aerodynamische Vorrichtungen, (wenn das Flugzeug in der Atmosphäre fliegen soll) etc.

Pour l'avion, formez d'abord les zones essentielles de la machine : cabine, moteur, ailes et dispositifs aérodynamiques (s'il est destiné à parcourir l'atmosphère).

Bij vervoermiddelen geef je eerst vorm aan de gebieden die essentieel zijn voor de machine: cabine, motor, vleugels en aërodynamische hulpmiddelen (als ze ontworpen zijn om in de lucht te manoeuvreren), etc.

Volume_Volumen_Volume_Ruimtelijke vorm

This stage is crucial. Collect as many references as possible to help create the desired type of vehicle. First use simple shapes to make the use of perspective easier.

Diese Phase ist entscheidend. Nimm so viele Vorlagen zur Hand wie möglich, damit Du den gewünschten Flugzeugtyp richtig zu Papier bringst. Benutze zuerst einfache Formen, um den Einsatz von der Perspektive zu vereinfachen.

Cette étape est essentielle. Recueillez un maximum d'informations afin de créer le type de véhicule désiré. Optez d'abord pour des formes simples afin de faciliter l'emploi de la perspective.

Dit is de cruciale fase. Verzamel zoveel mogelijk voorbeelden om je te helpen bij het creëren van het gewenste vervoermiddel. Gebruik eerst eenvoudige vormen om het gebruik van perspectief makkelijker te maken.

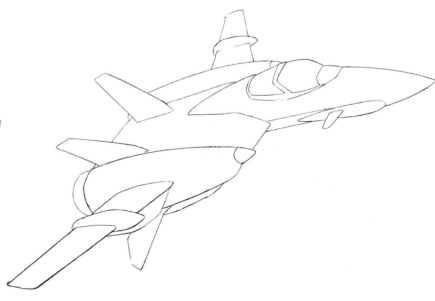

Anatomy_Anatomie_Anatomie_Anatomie

Draw the finer details. Begin by using a base of a
real combat fighter. Sometimes the simplest ideas
convey the most: bigger motors will make the
plane go further and move quicker.

Zeichne nun die feineren Details. Richte Dich nach
einer Vorlage eines echten Kampfflugzeugs.
Manchmal haben die einfachsten Ideen den
größten Effekt: Größere Motoren lassen das
Flugzeug weiter und schneller fliegen.

Représentez les détails subtils. Commencez par
vous baser sur un avion de chasse réel. Plus les
moteurs seront puissants et imposants, plus votre
avion donnera l'impression de pouvoir aller vite et
loin.

Teken de fijne details. Gebruik om te beginnen de
basis van een echt gevechtsvliegtuig. Soms bereik
je met de simpelste ideeën het meest: grotere
motoren laten het vliegtuig verder en sneller
vliegen.

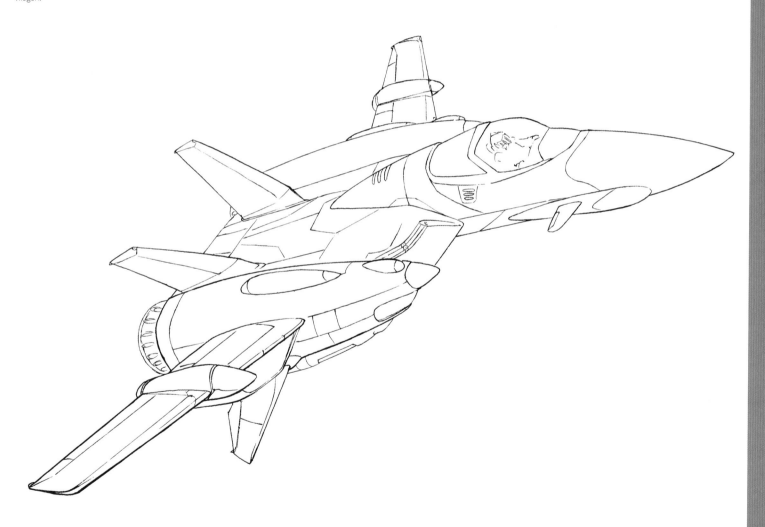

Final sketch_Endskizze_Esquisse définitive_Uiteindelijke schets

Be resourceful. Whenever we invent vehicles or mechanical elements, imagine that these must be able to function in the real world. This will help draw them more realistically.

Verwende viele Hilfsmittel. Wenn man sich Fahrzeuge oder mechanische Elemente ausdenkt, muss man sich diese so vorstellen, dass sie in der realen Welt funktionieren würden. Das hilft uns, sie realistischer darzustellen.

Faites appel à votre imagination. Les véhicules ou les éléments mécaniques doivent être crédibles afin de les dessiner avec le plus de réalisme possible.

Wees vindingrijk. Bedenk steeds wanneer je voertuigen of mechanische onderdelen ontwerpt dat ze in het echt zouden moeten kunnen functioneren. Dat zorgt ervoor dat je ze realistischer tekent.

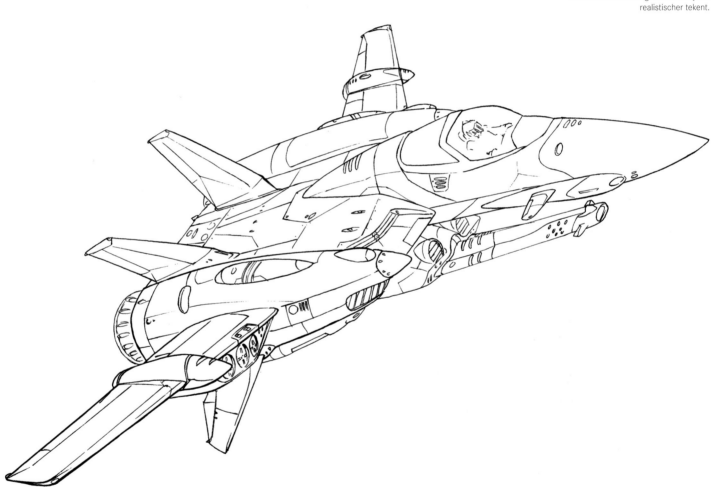

Lighting_Licht_Éclairage_Lichtval

To create a special lighting effect in the background, think how this might affect the figures. In this case prepare them to be seen against the light, with the sun in the background.

Um im Hintergrund besondere Lichteffekte erlangen, musst Du darauf achten, welche Wirkung diese auf das Objekt haben. Auf unserem Bild ist das Flugzeug im Gegenlicht zu sehen, mit der Sonne im Hintergrund.

Au moment de créer l'éclairage, pensez à son incidence sur les personnages. Dans ce cas précis, le soleil étant dans le fond, ils seront vus à contre-jour.

Bij het creëren van een speciaal lichtvaleffect in de achtergrond moet je bedenken hoe dit de figuren zal beïnvloeden. In dit geval treffen we voorbereidingen om de figuur met tegenlicht te laten zien, met de zon dus op de achtergrond.

Flat colors_Basisfarben_Couleurs simples_Effen kleuren

Because of their symbolic power, colors are fundamental in the identification of the characters and the main elements of a story. Vehicles should reflect a pilot's personality.

Aufgrund ihrer symbolischen Kraft sind Farben fundamental bei der Identifikation der Charaktere und der Hauptelemente der Geschichte. Fahrzeuge müssen auch die Persönlichkeit des Piloten widerspiegeln.

Grâce à leur pouvoir symbolique, les couleurs aident à identifier les personnages et les éléments principaux d'une histoire. Les véhicules doivent refléter la personnalité du pilote.

Vanwege hun symbolische betekenis zijn kleuren fundamenteel om de figuren en de hoofdelementen van het verhaal te herkennen. Voertuigen moeten de persoonlijkheid van de bestuurder weergeven.

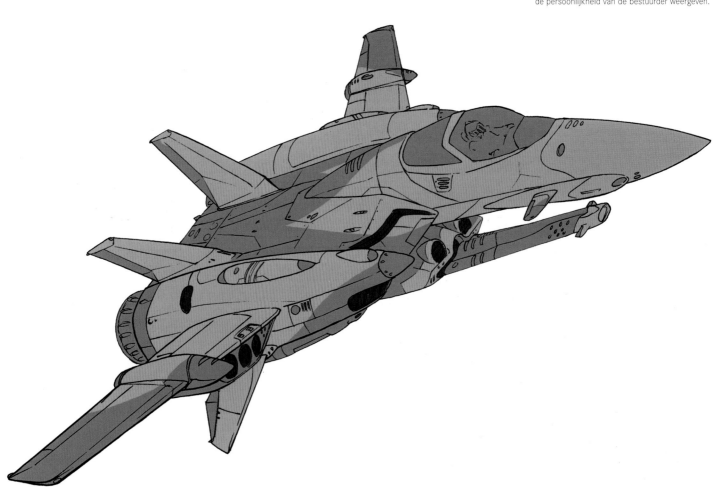

Shading_Schatten_Ombres_Arcering

Because of the chosen lighting, there will be a lot
of contrast between the colors used for shading
and lighting. Color is worked to accentuate the
smooth texture of metal.

Durch die gewählte Beleuchtung entstehen
zahlreiche Kontraste zwischen den Farben, die für
die Schatten und das Licht verwendet werden.
Farbe wird auch zum Hervorheben der glatten
Oberfläche von Metall eingesetzt.

Vu le choix du traitement de la lumière, les
contrastes seront importants entre les couleurs
utilisées pour l'application de l'ombre et de la
lumière. Travaillez la couleur pour accentuer la
texture douce du métal.

Door de gekozen lichtval zal er veel contrast zijn
tussen de kleuren gebruikt voor de schaduwen en
de kleuren van de oplichtende gebieden. Kleur
wordt gebruikt om de gladheid van metaal te
accentueren.

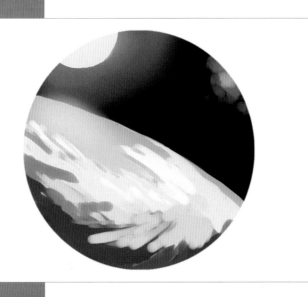

1. For a special space background, first spread color over the areas to be painted.

1. Bringe für den Weltraumhintergrund die Farben zuerst verwischt auf.

1. Pour créer un fond spatial spécial, étalez d'abord la couleur sur les zones à peindre.

1. Om een speciale ruimte-achtergrond te krijgen, verspreid je eerst kleur over de gebieden die ingekleurd moeten worden.

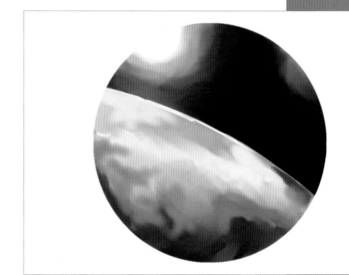

2. Shape color with shorter brushstrokes.

2. Verfeinere die Farbzonen mit kürzeren Pinselstrichen.

2. Formez la couleur en donnant de rapides coups de pinceaux.

2. Geef de kleuren vorm met kortere penseelstreken.

3. Clean and fade the sun so it looks really bright.

3. Helle die Sonne aus und verwische die Farben, um sie richtig leuchtend aussehen zu lassen.

3. Nettoyez et estompez le soleil pour le rendre plus lumineux.

3. Maak de zon schoon en wazig zodat die er zeer helder uitziet.

Finishing touches_Letzte Details_Touches finales_Afwerking

Integrate the fighter plane with the background and add small touches of light over the areas of the plane exposed to the sun. The arrangement gives this snapshot some movement.

Setze das Kampfflugzeug vor den Hintergrund und male kleine Lichtpunkte auf die Zonen des Flugzeugs, die von der Sonne beschienen werden. Sie lassen die Momentaufnahme dynamischer erscheinen.

Intégrez l'avion de chasse sur le fond et ajoutez de légères touches de lumière sur les zones exposées au soleil. Le décor exalte le mouvement de cet instantané.

Integreer het gevechtsvliegtuig met de achtergrond en voeg toefjes licht toe aan de gebieden die blootgesteld zijn aan de zon. De compositie geeft het plaatje wat beweging.

SD Robot

It's difficult to know if the Japanese's love for robots stems from *manga* or if *manga* is just a reflection of it. They are one of the most popular topics in both *manga* for children and adults. The myth of the iron man has been interpreted hundreds of times in all sorts of *manga* genres. In the West it is considered the *manga* genre par excellence. Robots have also been parodied and the robot genre happens to be where the superdeformed have made their greatest presence.

Schwierig zu sagen, ob die Vorliebe der Japaner für Roboter vom *Manga* stammt oder ob *Manga* ein Spiegelbild dafür ist. Roboter sind eins der populärsten Themen im *Manga* für Kinder und Erwachsene. Der Mythos vom eisernen Mann ist in allen *Manga*-Genres Hunderte von Malen interpretiert worden. In der westlichen Welt gilt er als das *Manga*-Genre schlechthin. Es gibt aber auch viele Parodien von Robotern und das Robotergenre ist dasjenige, in dem die meisten *Superdeformed*-Figuren ihren Auftritt haben.

Il est difficile de savoir si l'amour des Japonais pour les robots vient des mangas ou si les mangas en sont le reflet. Le mythe de l'homme de fer est un classique du genre. En Occident, il en est même l'incarnation. Souvent parodiés, les robots SD sont nombreux et bénéficient de la préférence des petits comme des grands.

Het is moeilijk te zeggen of de voorliefde van Japanners voor robots voortkomt uit *manga* of dat *manga* juist een afspiegeling van die voorliefde is. Robots vormen een van de populairste thema's in *manga* voor kinderen en voor volwassenen. De mythe van de ijzeren man is honderden keren vertolkt in allerlei *manga*-genres. In het Westen denkt men zelfs dat hij het ultieme *manga*-genre uitmaakt. Robots zijn ook geparodieerd en dat is het genre waarin de *superdeformed* robots aan bod komen.

Shape_Form_Forme_Vorm

Choose a dynamic action position. The lean of the body is important to show a character about to enter combat. When we incline the body forward we show they are anxious to enter into the action.

Wähle eine dynamische Angriffsposition. Die Körperhaltung ist wichtig, um zu zeigen, dass der Charakter gleich in Aktion tritt. Wenn wir den Körper nach vorne lehnen, zeigen wir damit, dass die Figur bereit für den Kampf ist.

Optez pour une position dynamique. Lorsque nous inclinons le corps en avant, nous montrons que le personnage est en passe de combattre et qu'il a hâte d'entrer en action.

Kies een dynamische, actieve houding. Door het lichaam te laten overhellen laat je zien dat het figuur op het punt staat te gaan vechten. Als we het lichaam naar voren laten hellen, laten we zien dat de robot graag in actie komt.

Volume_Volumen_Volume_Ruimtelijke vorm

Superdeformed versions of gigantic robots are a lot simpler and less baroque than their originals. With SD proportions sketch simple volumes for the mechanical parts of the torso and extremities.

Superdeformed-Versionen gigantischer Roboter sind wesentlich simpler und weniger barock als ihre Vorbilder. Skizziere einfache Volumen in SD-Proportionen für die mechanischen Teile des Oberkörpers und der Gliedmaßen.

Les versions SD de robots gigantesques sont moins fantaisistes que les originaux. En tenant compte des proportions SD, ébauchez des volumes simples pour les parties mécaniques du torse et des extrémités.

Superdeformed versies van reusachtige robots zijn een stuk eenvoudiger en minder grotesk dan de originelen. Bij *SD*-proporties schetsen we simpele volumes voor de mechanische onderdelen en de ledematen.

1. Use the initial shape as a base.
1. Benutze die Skizzen als Grundlage für die Volumen.
1. Utilisez la forme initiale comme base de dessin.
1. Gebruik de aanvankelijke vorm als basis.

2. Work from back to front, drawing simple geometric shapes.
2. Arbeite Dich von hinten nach vorne und zeichne simple geometrische Formen.
2. Travaillez d'arrière en avant, en dessinant de simples formes géométriques.
2. Werk van achteren naar voreb. Teken eenvoudige geometrische vormen.

3. Overlap volumes nearer the front.
3. Überlappe die vorderen Volumen über die anderen.
3. Superposez les volumes vers l'avant.
3. De ruimtelijke vormen aan de voorkant overlappen de andere.

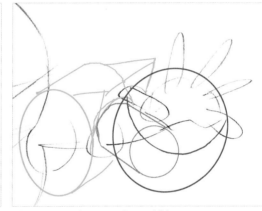

4. Draw complete shapes, even for non-visible areas.
4. Zeichne die Formen vollständig, auch die später verdeckten Zonen.
4. Dessinez les formes complètes, même dans les zones invisibles.
4. Teken de hele vorm, ook bij de niet-zichtbare delen.

5. Increase the size of a foreshortened part according to perspective.
5. Vergrößere die Elemente im Vordergrund perspektivisch richtig.
5. Amplifiez la taille d'une partie réduite selon la perspective.
5. Vergroot de dingen op de voorgrond volgens het juiste perspectief.

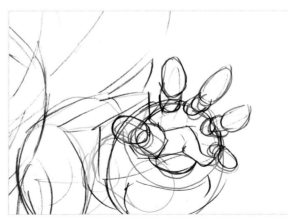

6. Define the visible parts of the arm.
6. Definiere die sichtbaren Teile des Arms.
6. Définissez les parties visibles du bras.
6. Geef de zichtbare delen van de arm weer.

Anatomy_Anatomie_Anatomie_Anatomie

This drawing is based on armor. To transmit the idea that we are dealing with an inorganic object, make sure soft and rounded shapes also contain more angular areas.

Die Basis dieser Zeichnung ist eine Rüstung. Um die Idee hervorzuheben, dass wir es mit einem unbelebten Objekt zu tun haben, beachte, dass sanfte, abgerundete Formen auch einige eckige Zonen haben.

Ce dessin se base sur l'armure. Pour transmettre l'idée qu'il s'agit d'un objet non organique, assurez-vous que les formes douces et arrondies contiennent également des zones plus anguleuses.

In deze tekening vormt de wapenuitrusting de basis. Om te laten zien dat het hier om een niet-levend object gaat, zorgen we ervoor dat zachte en ronde vormen ook hoekiger gebieden bevatten.

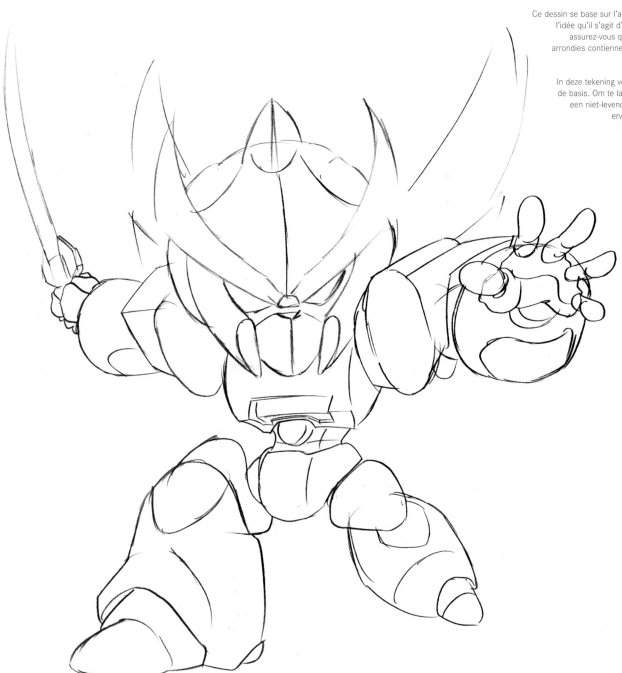

Final sketch_Endskizze_Esquisse définitive_Uiteindelijke schets

Add details to complement the robot's mechanics. Work on the joints and divide the units comprising each articulation. The lines shaping the character grow in accordance with the foreshortened areas.

Füge die Details hinzu, um die Mechanik des Roboters zu vervollständigen. Bearbeite die Gelenke und definiere die Einheiten, die von den Gelenken getrennt werden. Die Umrisslinien des Charakters werden entsprechend den perspektivisch verkürzten Bereichen dicker gezeichnet.

Ajoutez des détails pour souligner l'aspect mécanique du robot. Travaillez et divisez les unités comprises dans chaque articulation. Les lignes qui forment le personnage grandissent en fonction des zones raccourcies.

Voeg de details toe om de mechaniek van de robot te voltooien. Werk aan de gewrichten en verdeel deze in segmenten. De lijnen die het stripfiguur vormgeven, worden dikker naarmate ze meer op de voorgrond zijn.

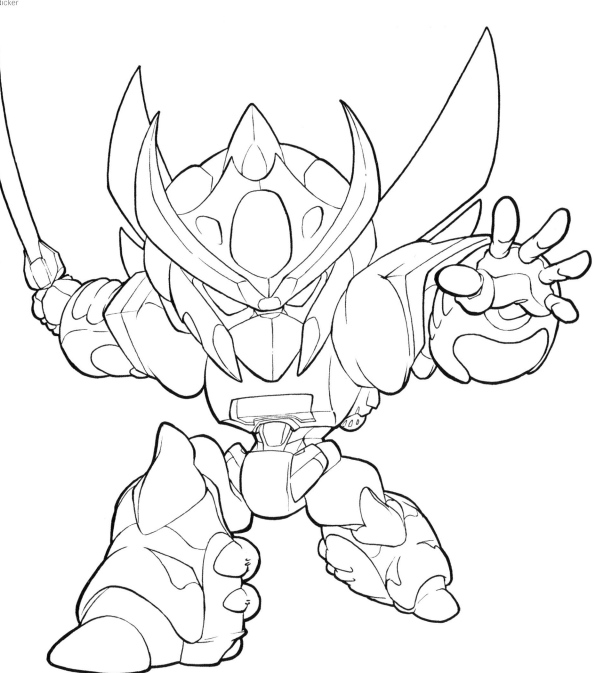

Lighting_Licht_Éclairage_Lichtval

Como los robots están compuestos de partes mecánicas metálicas, destaca el contraste de tonos en cada zona. Añade brillos que imiten las partes de metal, siempre presentes en este tipo de personajes.

Da Roboter aus mechanischen Metallteilen bestehen, muss der Kontrast bei den Farbtönen jeder Zone stark betont werden. Helle Stellen, die die Chromteile imitieren, sind bei diesen Charakteren unerlässlich.

Les robots étant constitués de pièces mécaniques en métal, accentuez les contrastes pour les teintes utilisées dans chaque zone. Les reflets des pièces en chrome sont récurrents pour ce type de personnage.

Omdat robots opgebouwd zijn uit metalen onderdelen, worden er in elk gebied scherpe contrasten in de schakering gebruikt. Lichtere gebieden die chromen delen voorstellen, zie je ook altijd terug in dit soort figuren.

Flat colors_Basisfarben_Couleurs simples_Effen kleuren

A robot's color is often related to its personality. Light colors tend to be chosen for robots with a kinder disposition, while dark colors are used for more aggressive robots.

Die Farbe eines Roboters ist oft charakteristisch für seine Persönlichkeit. Helle Farben werden meist für Roboter mit einem freundlichen Gemüt gewählt, während dunkle Farben für aggressivere Roboter stehen.

La couleur d'un robot dépend souvent de sa personnalité. Les couleurs claires sont l'apanage des robots sympathiques, les couleurs foncées étant choisies pour les plus agressifs.

De kleur van de robot heeft vaak te maken met zijn persoonlijkheid. Men is genegen om lichte kleuren te kiezen voor robots met een vriendelijke inborst, terwijl donkere kleuren gebruikt worden voor agressievere robots.

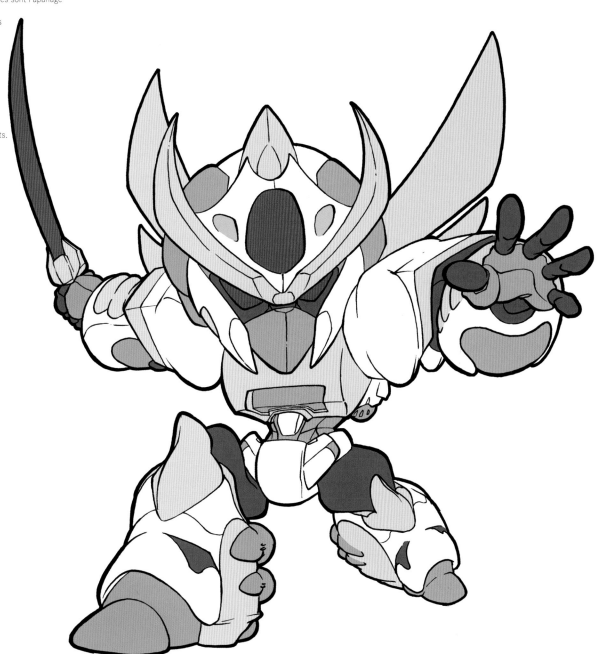

Shading_Schatten_Ombres_Arcering

Shape the character's volume with color but choose the correct color for shading. For metallic objects darken the color noticeably, and saturate them considerably.

Koloriere das Volumen des Charakters und wähle die passenden Farben für die Schatten. Metallobjekte haben wesentlich dunklere Farbtöne; auch müssen die Farben stark gesättigt sein.

Formez le volume du personnage à l'aide de la couleur. Attention, choisissez la bonne pour traiter l'ombre. Pour les objets en métal, n'hésitez pas à foncer et à saturer considérablement les couleurs.

Maak de ruimtelijke vorm van het stripfiguur met kleur, maar kies de juiste kleuren voor de schaduwen. Bij metalen objecten worden de kleuren opmerkelijk donker gemaakt en zijn ze flink verzadigd.

Finishing touches_Letzte Details_Touches finales_Afwerking

Add highlights to the areas where light is strongest and adjust the final contrast tones when shading. Saturate the colors of the shadows. The projected shadow helps define the floor.

Gib helle Stellen in die Zonen, in denen das Licht am stärksten ist und berichtige am Ende die Kontrasttönungen beim Schattieren. Sättige die Farben der Schatten. Durch den Schatten, den die Figur wirft, ist der Boden besser zu erkennen.

Ajoutez des reflets aux zones où la lumière est plus intense et peaufinez les tons contrastés lorsque vous ajoutez les ombres. Pour les reflets, vous pouvez aller jusqu'à blanchir certaines zones. L'ombre projetée permet de définir le sol.

Voeg lichtere delen toe aan de gebieden waar het licht het sterkst is en pas de laatste contrasterende schakeringen toe bij de schaduwen. De schaduw van de robot laat zien waar de vloer is.

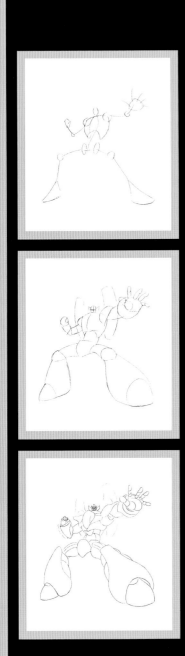

Giant Robot

The word *mecha* originally comes from *meka*, the Japanese abbreviation of the English word "mechanical" and is used for any mechanical figure or vehicle. The origin of the genre can be found in series like *Tetsujin 28*, also known as *Iron Man 28*, by Mitsuteru Yokoyama, the precursor to the giant robot genre. The other main pillar is the work of Go Nagai, creator of *Mazinger Z*, the series that laid the foundations and which has proved to be the most influential over time.

Das Wort *Mecha* stammt von *Meka*, der japanischen Abkürzung für das englische Wort *mechanical* und wird für alle mechanischen Figuren oder Fahrzeuge benutzt. Den Ursprung des Genres findet man in Serien wie *Tetsujin 28*, auch bekannt als *Iron Man 28*, von Mitsuteru Yokoyama, dem Vater des Riesenroboter-Genres. Ein weiterer wichtiger Grundstein ist das Werk von Go Nagai, dem Schöpfer von *Mazinger Z*, jener Serie, die das Fundament legte und über die Jahre hinweg die einflussreichste war.

Le mot *mecha* vient de *meka*, l'abréviation japonaise du mot anglais *mechanical* et désigne tout personnage ou véhicule mécanique. Mitsuteru Yokoyama est le précurseur du genre avec sa série *Tetsujin 28*, également connue sous le nom de *Iron Man 28*. L'autre œuvre incontournable est celle de Go Nagai, créateur du *Mazinger Z*, série fondatrice dont l'influence perdure.

Het woord *mecha* komt van *meka*, de Japanse afkorting van het Engelse woord *mechanical*, en wordt gebruikt voor elk mechanisch figuur of voertuig. De oorsprong van dit genre is te vinden in series zoals *Tetsujin* 28, ook bekend als *IronMan* 28, van Mitsuteru Yokoyama, de voorloper van het genre met gigantische robots. Een andere vertegenwoordiger van dit genre Go Nagai, de schepper van *Mazinger Z*. Hiermee legde hij de basis van dit genre en is hij van grote invloed op de verdere ontwikkeling ervan geweest.

Shape_Form_Forme_Vorm

To emphasize the giant robot's proportions lower the horizon to the level of the character's knees or feet. This will make it look like we are looking up at the robot from a position on the floor.

Um die Proportionen des Roboters zu verstärken, rücke den Horizont auf die Ebene der Knie oder Füße des Charakters. Dadurch wirkt er, als würden wir vom Fußboden zu ihm heraufschauen.

Pour accentuer les proportions du robot géant, ramenez la ligne d'horizon au niveau des genoux ou des pieds du personnage. Ce procédé donnera l'impression de regarder le robot à partir du sol.

Om de proporties van de *giant robot* te benadrukken verlagen we de horizon tot de hoogte van de knieën of de voeten van het stripfiguur. Zo is het alsof we tegen de robot opkijken vanaf een positie op de vloer.

Volume_Volumen_Volume_Ruimtelijke vorm

Enlarge the figure's proportions. The robot's legs and feet should look a lot bigger than the rest of the structure, exaggerating the low-angle perspective to the max.

Übertreibe die Proportionen der Figur. Ihre Beine und Füße müssen viel größer aussehen als der Rest der Struktur. Dazu wählen wir eine stark überzogene Froschperspektive.

Amplifiez ses proportions : ses jambes et ses pieds doivent paraître plus grands que le reste de son corps, exagérant le plus possible la perspective de contre-plongée.

Vergroot de proporties van het figuur. Zijn benen en voeten moeten er een stuk groter uitzien dan de rest van zijn bouw. Zo wordt het kikvorsperspectief maximaal overdreven.

Anatomy_Anatomie_Anatomie_Anatomie

Another trick is to alter proportions. Robots built using human anatomy as the foundation can be altered by reducing the size of their neck and head so the other body parts look all the more gigantic.

Ein weiterer Trick ist die Veränderung der Proportionen. Roboter, die auf der Grundlage menschlicher Anatomie konstruiert sind, können durch Verkleinern des Halses und Kopfes im Gegensatz zur restlichen Körperstruktur noch gigantischer wirken.

Une autre astuce consiste à modifier les proportions. On peut ainsi réduire la taille du cou et de la tête des robots construits sur le modèle du corps humain. On fait ainsi paraître le reste du corps plus imposant.

De proporties veranderen is ook een truc. Robots gebaseerd op de menselijke anatomie zien er nog reusachtiger uit als de nek en het hoofd verkleind worden.

Final sketch_Endskizze_Esquisse définitive_Uiteindelijke schets

Define the drawing. Use geometric shapes that emphasize the robot's mechanical nature. Finish by adding weapons, flying systems and all kinds of mechanical inventions.

Definiere die Zeichnung. Verwende geometrische Formen, die die mechanische Natur des Roboters betonen. Vervollständige die Illustration mit Waffen, Flugsystemen und jeder Art von mechanischen Erfindungen.

Définissez le dessin. Utilisez des formes géométriques pour accentuer l'aspect mécanique du robot. Terminez en ajoutant les armes, les systèmes volants et toutes sortes de détails mécaniques.

Na de schets, nu de tekening. Gebruik geometrische vormen die de mechanische aard van de robot benadrukken. Maak het geheel af door wapens, vliegende systemen en allerlei mechanische verzinsels toe te voegen.

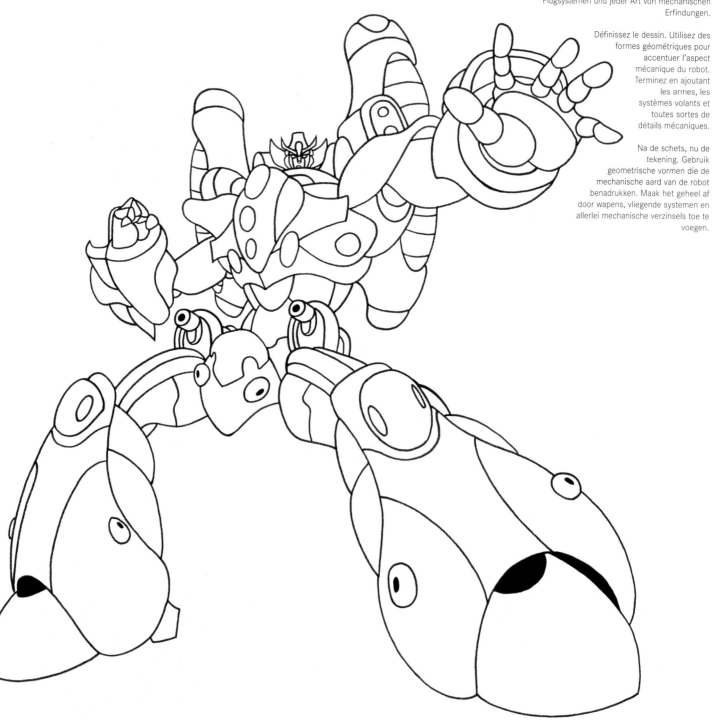

Lighting_Licht_Éclairage_Lichtval

Lighting effects emphasize the mechanical nature of the robot. Use contrasting shadows and add reflections as with conventional chrome. The maximum points of light are very bright.

Lichteffekte betonen die mechanische Struktur des Roboters. Verwende Schattenkontraste und gib Reflexe hinzu, die Chrom imitieren. Die hellsten Lichtstellen müssen am stärksten leuchten.

Les effets de lumière exaltent la nature mécanique du robot. Optez pour des ombres contrastées et des reflets imitant le chrome. Les points de lumière maximaux sont très clairs.

De effecten van de lichtval benadrukken de mechanische aard van de robot. Gebruik contrasterende schaduwen en reflecties zoals dat hoort bij ouderwets chroom. De sterkst belichte delen moeten erg helder zijn.

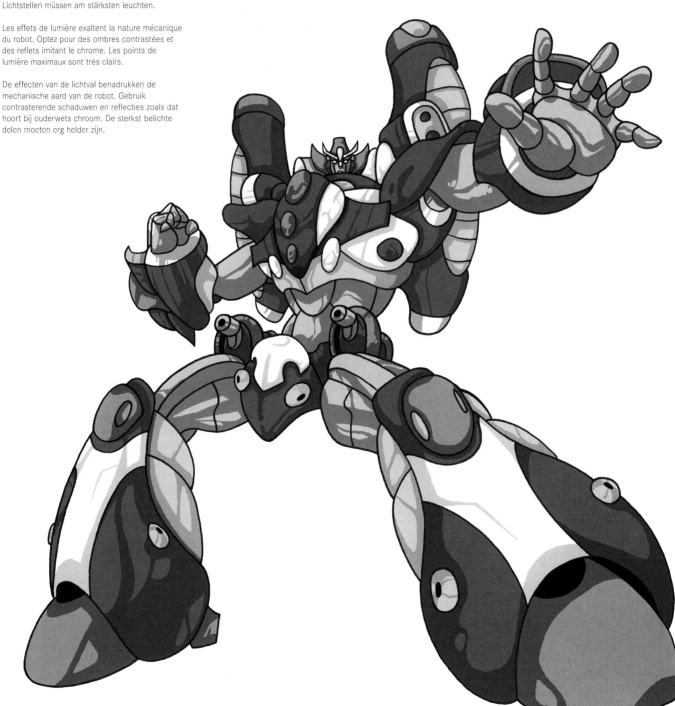

Flat colors_Basisfarben_Couleurs simples_Effen kleuren

Color selection is important as this is how readers identify a robot and its idiosyncrasies. Passionate colors are most often used, while cold colors transmit the sensation of cold metal.

Die Wahl der Farbe ist von großer Bedeutung, da der Leser damit die Persönlichkeit des Roboters identifiziert. Warme Farben werden öfter eingesetzt, während kalte Farben einen Eindruck von kaltem Metall schaffen.

Il est important de colorer la sélection, car cela permet au lecteur d'identifier le robot et son tempérament. Ici, on utilisera davantage de couleurs chaudes, alors que les couleurs froides seront employées pour imiter le métal.

De kleurkeuze is belangrijk, omdat die bepaalt hoe de lezers de robot en zijn eigenaardigheden zien. Warme kleuren worden het meest gebruikt, maar aan de andere kant laten koele kleuren de kilheid van metaal beter uitkomen.

Shading_Schatten_Ombres_Arcering

Add elements to round out the illustration, such as the secret flamboyant weapon in the robot's right hand. Some elements can serve as points of light that influence our highlighting.

Füge Elemente hinzu, um die Illustration abzurunden, z. B. eine Flammen werfende Geheimwaffe in der rechten Roboterhand. Einige Elemente können als Lichtpunkte, die Einfluss auf das Licht in der Zeichnung haben, nützlich sein.

Ajoutez des détails pour parachever l'illustration, comme l'arme flamboyante au poignet droit du robot. Certains peuvent servir de sources de lumière pour influencer notre traitement des reflets.

Voeg onderdelen toe om de illustratie af te ronden, zoals een geheim, opzichtig wapen in de rechterhand. Sommige toevoegingen kunnen dienen als lichtpunten om de lichte gebieden extra aan te zetten.

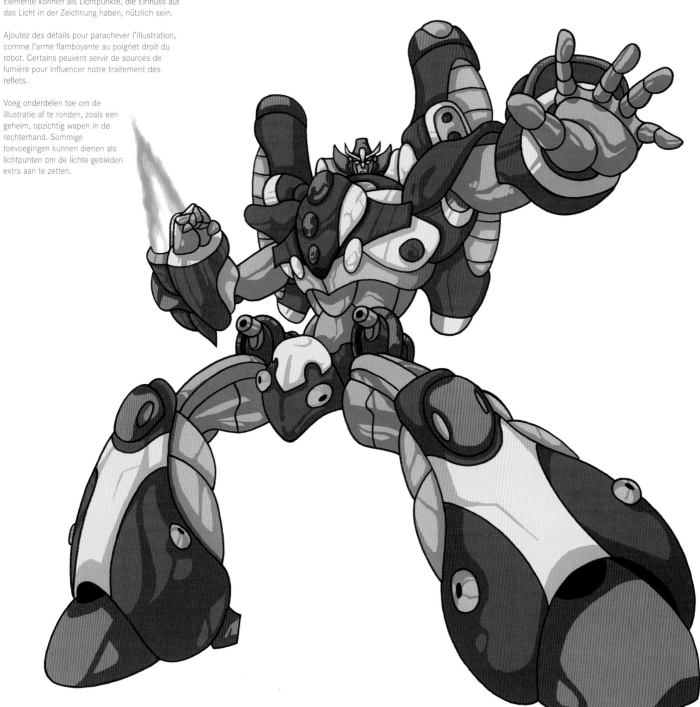

1. For a more ethereal sensation eliminate border lines.

1. Es ist ratsam, den Umriss nicht zu kennzeichnen, damit die Flamme dynamisch wirkt.

1. Éliminez les bordures pour une sensation plus éthérée.

1. Verwijder de omlijningen voor een luchtiger effect.

2. Paint the different areas. Use white for the white-hot parts.

2. Koloriere die verschiedenen Zonen. Nimm weiß für die heißeste Stelle im Zentrum.

2. Peignez les différentes zones. Utilisez du blanc pour le cœur de la flamme.

2. Kleur de verschillende gebieden in. Gebruik wit voor de withete gedeeltes.

3. Fade the flame to achieve a plasmatic texture.

3. Lass die Farben in der Flamme verschwimmen, damit sie gasförmig aussieht.

3. Estompez la flamme pour obtenir une texture fluide.

3. Maak de vlam wazig om een plasma-achtige textuur te verkrijgen.

Finishing touches_Letzte Details_Touches finales_Afwerking

Add maximum points of light in the areas that stick out the most. Fade the tones to further establish the metallic texture. Add a simple background that complements the robot's position.

Gib möglichst viele Lichtstellen in die Bereiche, die am weitesten vorstehen. Verwische die Farben, um die Oberfläche noch metallischer aussehen zu lassen. Zeichne einen einfachen Hintergrund, der die Pose des Roboters noch mehr heraushebt.

Ajoutez un maximum de points de lumière dans les zones protubérantes. Estompez les teintes pour accentuer la texture métallique. Finissez par un fond simple pour mettre en valeur la position du robot.

Voeg extra lichte delen toe aan de gebieden die het meest uitsteken. Maak de schakeringen waziger om het metalige van het materiaal nog meer te benadrukken. Voeg een eenvoudige achtergrond toe die de plek van de robot duidelijk maakt.

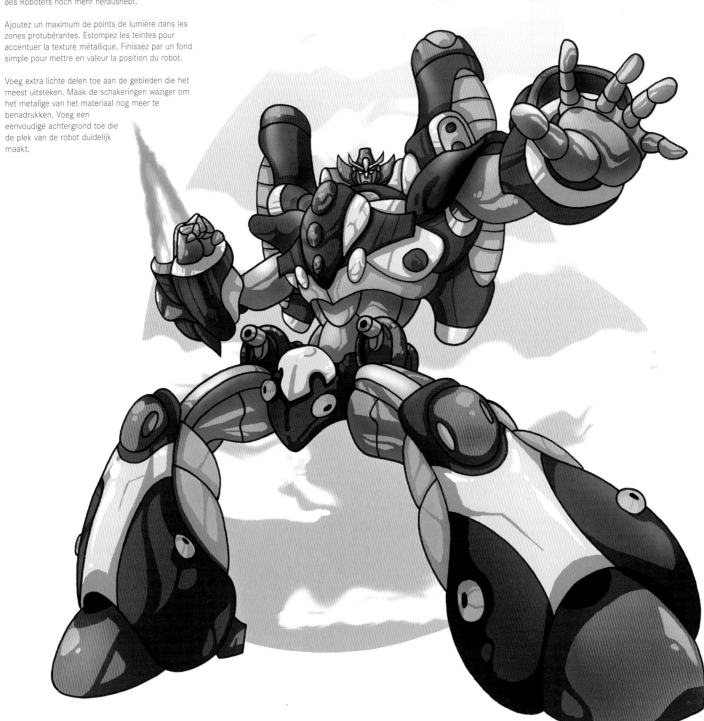

Robot Pilot

There's no doubt that within the *mecha* genre, robots play the leading roles. But it's also true that the soul behind a *mecha* is in fact its pilot. Hardened youngsters are in charge of getting behind the controls of these mechanical brutes, climbing inside their more or less modern, narrow cockpits. We can find as many different kinds of pilots as there are robots, but predominantly we'll find teenagers carrying the typical problems of adolescence all the way to their cockpits.

Es besteht kein Zweifel daran, dass Roboter im *Mecha*-Genre eine führende Rolle spielen. Aber klar ist auch, dass die Seele eines *Mecha* sein Pilot ist. Hartgesottene Jugendliche haben das Kommando über die Steuerung dieser brutalen Mechanik; sie steigen in die mehr oder weniger modernen, engen Cockpits. Es gibt zwar so viele unterschiedliche Piloten wie Roboter, aber meistens sind es Teenager, die ihre Pubertätsprobleme in die Cockpits tragen.

Il est indiscutable que dans le genre *mecha*, les robots jouent un rôle clé. Mais il s'avère que l'âme qui se cache derrière un *mecha* est celle d'un pilote. Il existe autant de types de pilotes que de robots. Mais ce sont surtout des jeunes endurcis par les problèmes liés à leur âge qui grimpent dans les étroits cockpits et sont chargés de contrôler ces brutes mécaniques.

Dat robots in het *mecha*-genre de hoofdrol spelen, daarover bestaat geen twijfel. Wat we echter niet mogen vergeten, is dat de drijvende kracht achter een *mecha* de piloot is. Geharde tieners hebben de leiding en zitten achter de knoppen van deze mechanische woestelingen, nadat ze in de min of meer moderne, smalle cockpits zijn geklommen. Er zijn net zo veel soorten piloten als soorten robots, maar het zijn overwegend tieners, die hun puberteitsproblemen meenemen in de cockpit.

Shape_Form_Forme_Vorm

For the cockpit choose a good point of view that maximizes the amount of information in a single frame. Use a distorted perspective, such as a wide-angle or fish-eye lens.

Wähle für das Cockpit einen günstigen Blickwinkel, damit so viel Information wie möglich in einem Einzelbild Platz hat. Verwende eine verzerrte Perspektive, wie mit einem Weitwinkelobjektiv oder einem Bullauge betrachtet.

Pour dessiner le cockpit, choisissez l'angle le plus propice, soit celui qui apportera le maximum d'informations. Optez pour une perspective déformée, un grand angle ou un objectif à 180 °.

Kies een goed gezichtspunt voor de cockpit, zodat de maximale hoeveelheid informatie in één plaatje past. Gebruik een vervormd perspectief zoals een groothoeklens of een visooglens.

Volume_Volumen_Volume_Ruimtelijke vorm

Slightly distort the image by lowering the point of view and the horizon. A shot from the pilot's left foot makes it proportionately bigger than the rest of her body.

Verzerre das Bild durch Herabsetzen des Blickpunkts und des Horizonts. Der Betrachter befindet sich in der Nähe des linken Fußes; deshalb muss dieser viel größer gezeichnet werden als der Rest des Pilotenkörpers.

Déformez légèrement l'image en abaissant le point de vue et la ligne d'horizon. Une vue du pied gauche du pilote l'agrandira par rapport au reste du corps.

Door het gezichtspunt en de horizon te verlagen, vervormen we het beeld enigszins. De linkervoet op de voorgrond maakt die voet aanzienlijk groter dan de rest van het lichaam.

Anatomy_Anatomie_Anatomie_Anatomie

This is a girl pilot, so accentuate her feminine curves. Shape her anatomy while thinking about the cockpit's design so her piloting position dictates the interior design.

Unser Pilot ist ein Mädchen, akzentuiere also seine weiblichen Kurven. Während wir die Anatomie skizzieren, überlegen wir uns die Ausstattung der Kabine, denn die Steuerungshaltung der Pilotin bestimmt die Gestaltung des Cockpits.

C'est une fille qui pilote : accentuez ses courbes féminines. Formez son anatomie tout en pensant au dessin du cockpit, afin que sa position de pilotage définisse le design intérieur.

De piloot is een meisje, dus accentueer de vrouwelijke vormen. Geef de bouw vorm met in het achterhoofd het ontwerp voor de cockpit, zodat de houding van het meisje het ontwerp van het interieur bepaalt.

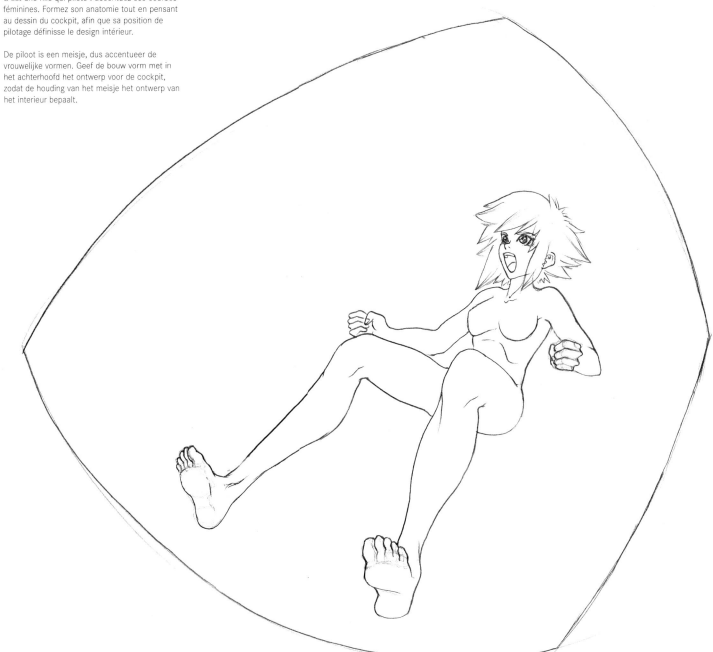

Final sketch_Endskizze_Esquisse définitive_Uiteindelijke schets

There are two basic types of technological finishes: rough and angular shapes for a more "retro" look and a more ergonomic design with rounded shapes and sober controls for a futuristic look.

Uns stehen zwei Grundtypen technologischer Designs zur Verfügung: derbe und eckige Formen für einen „Retrolook" und ergonomisches Design mit runden Formen und nüchternen Steuerungen für einen futuristischeren Look.

Il y a deux types de finitions : formes droites et anguleuses pour un style « rétro » ; formes arrondies, design ergonomique et tableau de bord simplifié pour un design futuriste.

Technisch gezien zijn er twee mogelijke afwerkingen: ruwe en hoekige vormen voor een look die wat meer retro is en een ergonomischer ontwerp met afgeronde vormen en simpele controleknoppen voor een meer futuristisch aanzien.

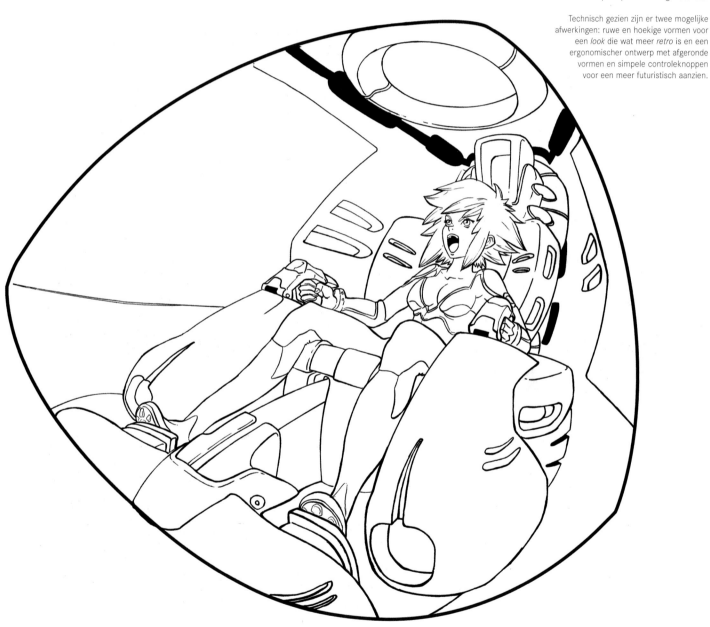

Lighting_Licht_Éclairage_Lichtval

The lighting inside a closed cockpit is totally
artificial, coming from various screens and lights
within. Mark these points of light and define the
general lighting, then shape the chair and
character.

Die Beleuchtung in einem geschlossenen Cockpit
ist künstlich und kommt von mehreren
Bildschirmen und Lampen. Markiere diese
Lichtquellen und definiere die allgemeine
Beleuchtung; dann skizziere den Stuhl und den
Charakter.

La lumière à l'intérieur d'un cockpit fermé est
entièrement artificielle, issue des divers écrans et
lampes du tableau de bord. Définissez ces points
de lumière et l'éclairage général, formez ensuite la
chaise et le personnage.

De lichtval binnen een cockpit komt volledig van
kunstlicht, zoals verschillende schermpjes en
lampen binnenin. Markeer deze lichtpunten en
bepaal de algemene lichtval en geef dan de stoel
en het figuur vorm.

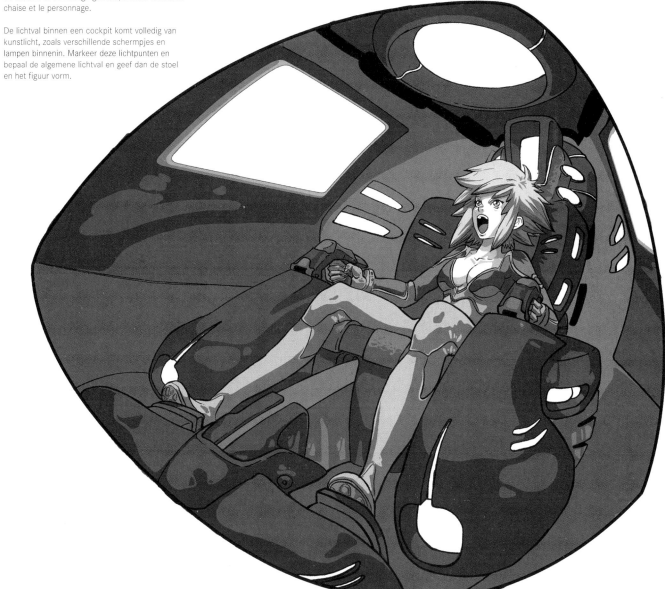

Flat colors_Basisfarben_Couleurs simples_Effen kleuren

There are two elements to color in: the *mecha* pilot, who usually wears a special tight and brightly-colored suit, and the cabin with a much colder esthetic.

Wir müssen zwei Elemente kolorieren: die *Mecha*-Pilotin, die normalerweise einen engen Spezialanzug trägt, den wir in lebendigen Farben malen, und die Kabine, die kalte, dunkle Farben bekommt.

Il y a deux éléments à colorier : le pilote *mecha*, qui porte généralement une tenue ajustée, aux couleurs vives, et la cabine à l'esthétique beaucoup plus froide.

Er zijn twee delen die ingekleurd moeten worden: de *mecha*-piloot, die gewoonlijk een speciaal strak en helder gekleurd pakje draagt, en de cockpit, die een veel koelere uitstraling krijgt.

Shading_Schatten_Ombres_Arcering

Shape each element in the illustration. The determining factor here is how to select the color of our shading. All colors should have the same tones: in this case, blue.

Gib jedem Element seine Formen und Schatten. Der entscheidende Faktor ist hierbei, welche Farbe wir für die Schatten wählen. Die Farben müssen alle aus derselben Skala stammen, in diesem Fall blau.

Formez chaque élément de l'illustration. Le facteur déterminant est le choix de la couleur de l'ombre. Toutes les couleurs doivent être de la même gamme, en l'occurrence bleu.

Geef vorm aan elk onderdeel in de illustratie. De bepalende factor is hier de kleur van de schaduwen. Alle kleuren moeten uit dezelfde kleurschakering komen: in dit geval blauw.

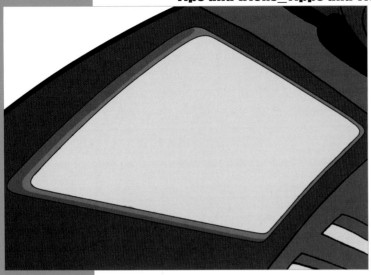

1. It's easy to show images on a screen and pretend they're totally integrated with it.

1. Es ist nicht schwer, Formen auf einem Bildschirm darzustellen und sie echt aussehen zu lassen.

1. Il est facile de montrer des images sur un écran et de prétendre qu'elles y sont complètement intégrées.

1. Het is makkelijk om beelden op een scherm te laten zien alsof ze daar een mee zijn.

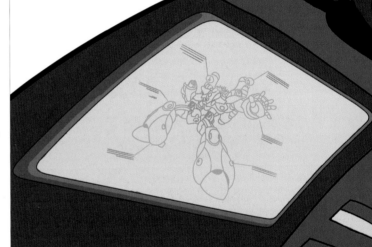

2. Superimpose the drawing using tones from the same range as the screen.

2. Zeichne das Bild in den Rahmen und benutze dabei die selben Farbtöne.

2. Superposez le dessin en utilisant des teintes dans les mêmes nuances que l'écran.

2. Leg de tekening met kleuren uit hetzelfde kleurgebied als het scherm over het scherm heen.

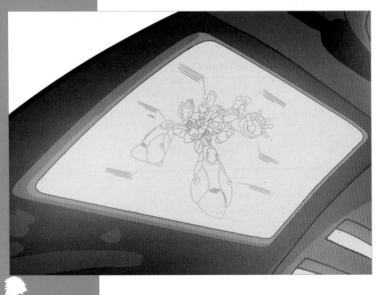

3. Add lighting effects specific to screens.

3. Füge die typischen Lichteffekte von Bildschirmen hinzu.

3. Ajoutez des effets de lumière spécifiques aux écrans.

3. Voeg het typische lichteffect dat een scherm geeft toe.

Finishing touches_Letzte Details_Touches finales_Afwerking

Emphasize the artificial lighting coming from the bright screens and the various points of light in the cabin, spreading it across the image as if it were a veil, a soft mix of white and blue.

Betone das künstliche Licht, das der helle Bildschirm ausstrahlt und die anderen Lichtquellen in der Kabine und verteile sie wie einen Schleier über das ganze Bild, so dass eine zarte Mischung aus weiß und blau entsteht.

Accentuez l'éclairage artificiel venant des larges écrans et des diverses fenêtres de la cabine, en balayant la lumière sur l'image, comme un voile, dans un doux mélange de blanc et de bleu.

Benadruk het kunstlicht dat van de heldere schermpjes en de verschillende lampjes in de cockpit komt. Verspreid het zachte mengsel van wit en blauw als een sluier over de tekening.

Combat Armor

Combat armor is incredibly sophisticated technology. Its main purpose is to protect those wearing it from attacks and provide resources and weapons, as well as communication and information systems concerning the areas they are moving about in. A prime example of a creator of this type of vehicle is Masamune Shirow, and the Landmates he designed for the *manga Appleseed*, a trendsetter in the development of these vehicles. The armor responds to the movements of the person wearing it.

Eine Kampfrüstung ist eine unglaublich komplexe Technologie. Ihr Hauptzweck besteht darin, die Person, die sie trägt, vor Angriffen zu schützen und sie mit Hilfsmitteln und Waffen zu versorgen, aber auch mit Kommunikationsmitteln und Informationen über die Umgebung, in der sie sich bewegt. Einer der wichtigsten Schöpfer dieser Art von Apparaten ist Masamune Shirow, der mit seinen *Landmates*, die er für den *Manga Appleseed* entwarf, einen Trend in der Entwicklung dieser Geräte setzte. Die Rüstung reagiert auf die Bewegungen der Person, die sie trägt.

L'armure de combat est d'une technologie incroyablement sophistiquée. Son objectif principal est de protéger des attaques ceux qui la portent, de leur fournir les moyens de contre-attaquer et des systèmes de communication performants dans les zones où ils évoluent. L'un des premiers créateurs de ce type de véhicules est Masamune Shirow, avec les *Landmates* qu'il a dessinées pour *Appleseed*. L'armure épouse les mouvements de celui qui la porte.

Een harnas zit technologisch heel verfijnd in elkaar. Het doel ervan is degene die het draagt tegen aanvallen te beschermen en te voorzien van hulpmiddelen en wapens. Daarnaast beschikt het over communicatie- en informatiesystemen over de omgeving die betreden wordt. Een belangrijke bedenker van dit soort creaties is Masamune Shirow, die zijn *Landmates* ontwierp voor de manga *Appleseed*, die de trend zou zetten in de ontwikkeling van dit soort voertuigen. Het harnas beweegt door te reageren op de bewegingen van de drager.

Shape_Form_Forme_Vorm

To shape the armor, we must also draw the person wearing it. The entire structure adapts to the user's anatomy. Joints respond directly to the movements made inside, so place them correctly.

Wenn wir die Rüstung zeichnen, müssen wir auch den Träger einbeziehen. Die gesamte Struktur passt sich der Anatomie des Trägers an. Die Gelenke reagieren direkt auf die in der Rüstung vorgenommenen Bewegungen; bringe sie also an der richtigen Stelle an.

Au moment de former l'armure, il convient aussi de dessiner celui qui la porte. Toute la structure s'adapte à l'anatomie de l'utilisateur. Les articulations répondent immédiatement aux mouvements à l'intérieur : il convient donc de les placer correctement.

Om het harnas vorm te geven, moeten we ook de persoon tekenen die het draagt. De hele structuur is aangepast aan de bouw van de drager. Gewrichten reageren direct op de bewegingen van binnenuit, dus plaats ze correct.

Volume_Volumen_Volume_Ruimtelijke vorm

The user is visible, peeping out of the opening in the armor's chest piece. To put the joints in their proper places all the volumes should be as simple as possible. Leave room for the mechanisms.

Man sieht die Rüstungsträgerin, wie sie aus der Brustöffnung lugt. Um die Gelenke richtig zu platzieren, sollten die Volumen so simpel wie möglich sein. Reserviere genügend Platz für die Mechanismen.

On voit le combattant surgir de l'ouverture faite au niveau de la poitrine de l'armure. Pour mettre les articulations au bon endroit, tous les volumes devront être aussi simples que possible. Laissez de la place pour les mécanismes.

De gebruiker is zichtbaar door de opening in het borststuk van het harnas. Om de gewrichten op de juiste plekken te krijgen, moeten alle ruimtelijke vormen zo eenvoudig mogelijk zijn. Laat ruimte over voor de mechanismen.

Anatomy_Anatomie_Anatomie_Anatomie

Designs of powered armor are usually much
smoother and more rounded than gigantic robots.
While the latter have a tendency for fantasy,
powered armor or landmates are usually more
realistic.

Die Designs von *Landmates* sind meistens viel
weicher und abgerundeter als die der gigantischen
Roboter. Diese haben gewöhnlich viel mehr
Fantasy-Elemente, während bewegliche Rüstungen
realistischer gezeichnet werden.

Les designs d'armures puissantes sont souvent
plus doux et plus arrondis que les robots géants.
Alors que ces derniers peuvent être fantaisistes,
les armures puissantes sont plus réalistes.

Ontwerpen voor strijdharnassen zijn gewoonlijk
veel gladder en ronder dan die voor reusachtige
robots. Terwijl de laatste neigen naar *fantasy*, zijn
strijdharnassen of *landmates* gewoonlijk veel
realistischer.

Final sketch_Endskizze_Esquisse définitive_Uiteindelijke schets

The smooth, compact structure will give the armor a solid, robust look and the wide arms and legs give the figure weight. Make it look more aggressive by giving his gigantic hands some claws.

Die weiche, kompakte Struktur lässt die Rüstung solide und robust aussehen; Arme und Beine geben der Figur Gewicht. Die Krallen an den riesigen Händen bewirken ein wesentlich aggressiveres Aussehen.

La douceur et l'aspect compact de la structure confère à l'armure un aspect solide et robuste : la largesse des bras et des jambes donneront du poids à notre personnage. Rendez-le plus agressif en ajoutant des griffes à ses mains gigantesques.

De gladde, compacte structuur geeft het harnas een solide, robuuste *look* en de brede armen en benen maken het figuur massief. Het gaat er agressiever uitzien als je de gigantische handen ook nog klauwen geeft.

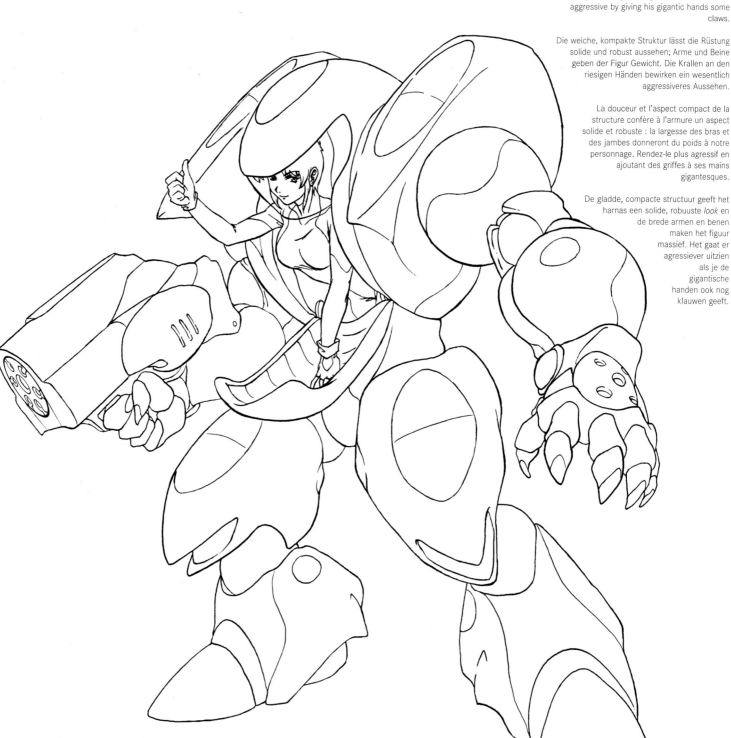

Lighting_Licht_Éclairage_Lichtval

Use the lighting stage to refer to texture. The bulk of the image consists of metallic materials. Draw more simple shading on matt surfaces and more complex color sections from brighter areas.

Der Lichteinfall bestimmt das Aussehen der Oberflächen. Der Großteil des Bildes besteht aus Metall. Zeichne einfachere Schatten auf den matten Oberflächen und komplexere Farbzonen auf den hellen Stellen.

Utilisez le traitement de la lumière pour traduire la texture. L'essentiel de l'image est composé de matériaux métalliques. Introduisez des ombres simples sur les surfaces mates et des ombres colorées plus complexes pour les zones lumineuses.

We gebruiken het lichtspel om de textuur weer te geven. Het grootste deel van het beeld bestaat uit metalen materialen. Teken simpelere schaduwen op de matte oppervlakken en complexere stukken kleur op de lichtere gebieden.

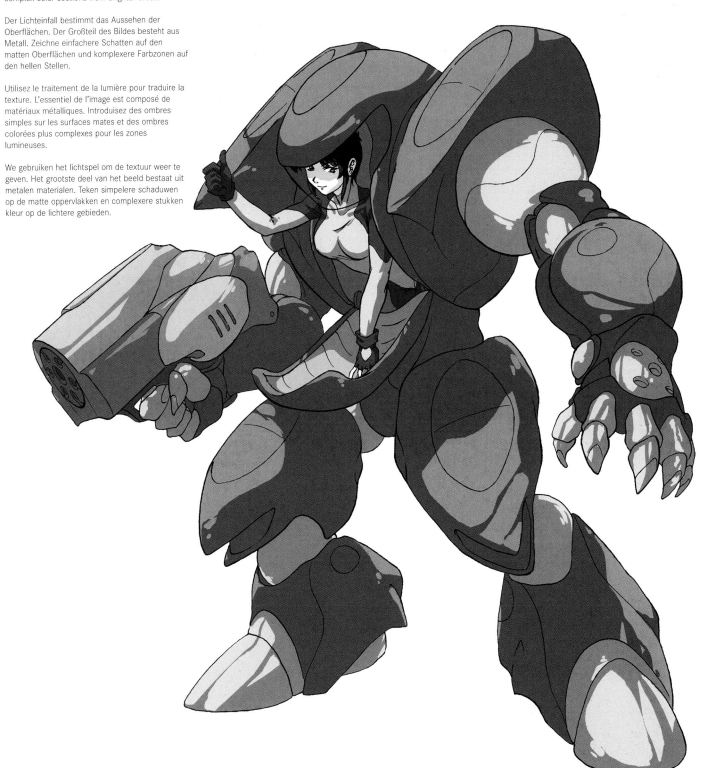

There's no written rule for selecting the colors of armor. However, it's typical to use a range of colors related to the military, such as those used in camouflage.

Es gibt keine vorgeschriebenen Farben für Rüstungen. Aber dennoch setzt man gewöhnlich Farben aus dem Militär ein, wie beispielsweise auch die von Tarnmustern.

Il n'y a pas de règle écrite pour choisir les couleurs de l'armure. Toutefois, il est habituel d'utiliser une gamme se rapprochant des tons militaires, comme ceux utilisés pour le camouflage.

Er zijn geen vaste kleurvoorschriften voor harnassen, hoewel het gebruikelijk is om militaire kleurschakeringen te gebruiken, zoals camouflagekleuren.

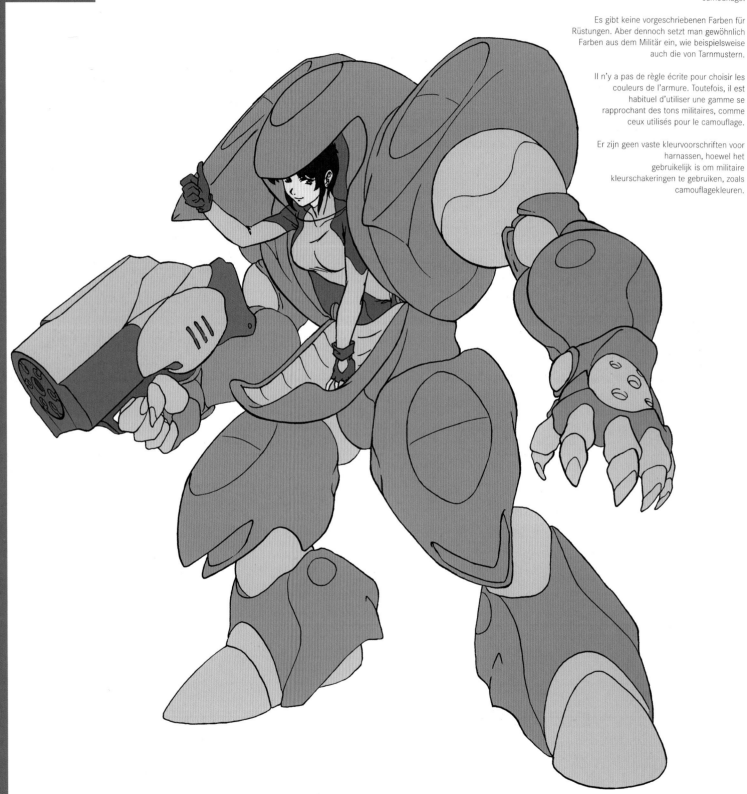

Shading_Schatten_Ombres_Arcering

When painting the armor, keep some of its original metallic color. This will make the reader unconsciously associate the characteristics of metal with the entire structure.

Wir zeichnen die Rüstung grün, behalten aber an einigen Stellen die Originalmetallfarbe bei. Damit wird dem Betrachter der Eindruck vermittelt, dass die gesamte Struktur aus Metall ist.

Lorsque vous peignez l'armure, conservez un peu de la couleur métallique d'origine. Le lecteur associera ainsi inconsciemment les caractéristiques du métal à la structure complète.

Behoud bij het inkleuren van het harnas wat van de originele metalige kleuren. Hierdoor zal de lezer de kenmerken van metaal onbewust associëren met de hele structuur.

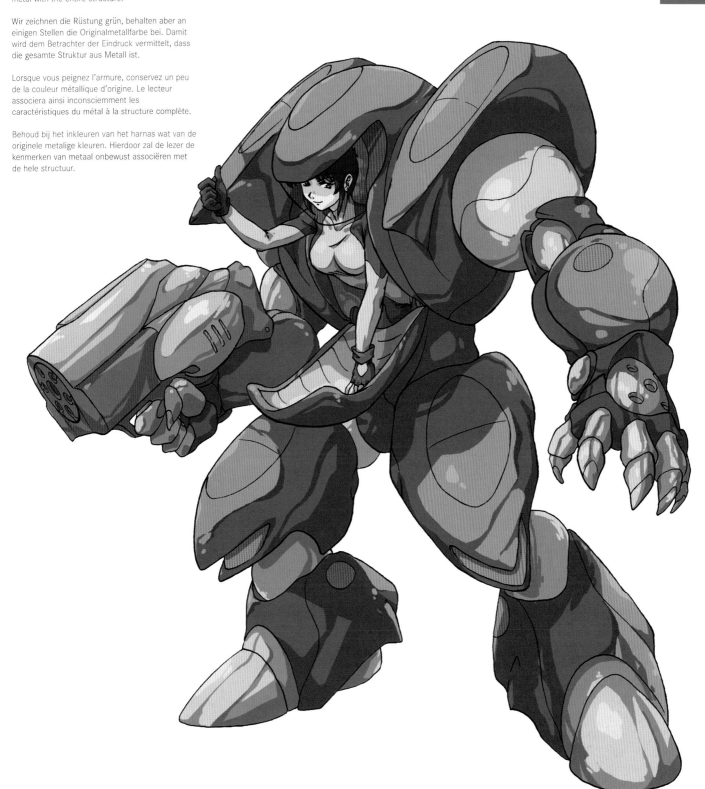

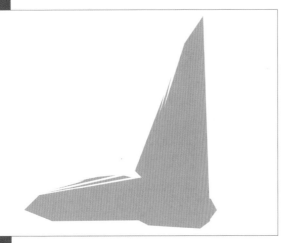

1. Prepare a base color for the general tone.

1. Wähle eine Basisfarbe für die allgemeine Tönung.

1. Pour le décor, préparez une couleur uniforme qui servira de base.

1. Kies een basiskleur voor de algemene schakering.

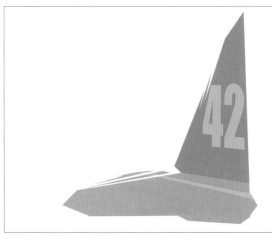

2. Use perspective to differentiate the floor from the sides.

2. Verwende Perspektive, um Boden und Wände zu differenzieren.

2. Utilisez la perspective pour différencier le sol des murs.

2. Maak gebruik van perspectief om de vloer van de muren te scheiden.

3. Shape the background elements. Mark the lighting's direction.

3. Skizziere die Hintergrundelemente und markiere die Lichtrichtung.

3. Ajoutez les détails (tuyaux et rivets au sol). Déterminez la direction de la lumière.

3. Geef onderdelen van de achtergrond vorm. Markeer de richting van de lichtval.

4. Add texture. Adjust the scene's lighting.

4. Gib Textur hinzu und passe den Lichteinfall an die Szene an.

4. Ajoutez de la texture. Ajustez l'éclairage de la scène.

4. Voeg structuur toe. Pas de lichtval van het tafereel aan.

Finishing touches_Letzte Details_Touches finales_Afwerking

To embellish the drawing, add details as final touches.
Add airbrushing effects to the areas of light, and
superimposed text to the armor and weapon to give
them more character.

Füge weitere Details in das Bild, um es zu bereichern.
Arbeite mit Airbrush-Effekten auf den Lichtstellen und
setze den Text auf die Rüstung und die Waffe, um
mehr Persönlichkeit zu schaffen.

Pour embellir le dessin, finissez par les détails.
Ajoutez des effets de dispersion de peinture pour les
zones de lumière et superposez les lettres sur
l'armure et l'arme pour plus d'effet.

Om de tekening te verfraaien voeg je nog wat laatste
details toe. Voeg airbrush-effecten toe aan de
lichtgebieden. Zet teksten op het wapen en het
harnas om het wat meer karakter te geven.

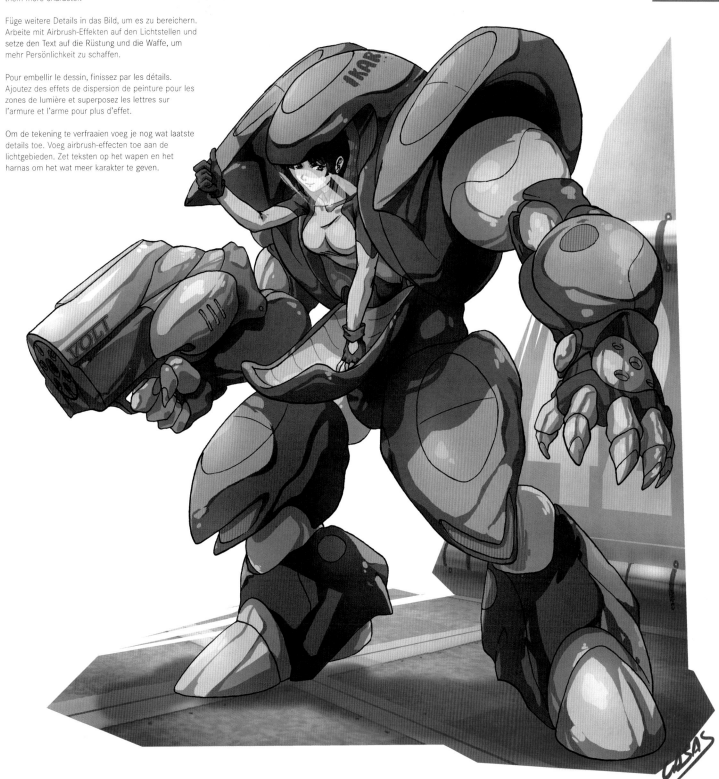

Futuristic_Futuristisch_
Futuriste_Futuristisch

SD Monster Duel
Bionic Girl
Space Adventurer
Cybercop
Bounty Hunter
Power Rangers

SD Monster Duel

Tokusatsu is a Japanese television genre of action series featuring fantastic heroes and monsters. There are various sub-genres such as *kaiju*, featuring gigantic monsters, *kyodai hero* in which gigantic fantastic heroes face the terrible destructive powers of monsters, and *henshin heroes* where groups of youngsters fight against evil and receive special powers.
We've adapted a SD style for our illustration, thus using humor to parody the battle between good and evil.

Tokusatsu ist in Japan ein eigenes Genre von TV-Action-Serien, in denen fantastische Helden und Monster auftreten. Es gibt diverse Subgenres, wie *kaiju*, mit gigantischen Monstern, *Kyodai hero*, mit riesigen Fantasiehelden, die mit der zerstörerischen Kraft von Monstern zu kämpfen haben, und *Heroes*, bei denen Gruppen von Teenagern, die über Spezialkräfte verfügen, das Böse bekämpfen.
Für unsere Illustration haben wir einen SD-Stil gewählt, um den Kampf zwischen Gut und Böse zu parodieren.

Le *Tokusatsu* désigne des séries d'action de la télévision japonaise, dont les protagonistes sont des héros et des monstres fantastiques. Il existe divers sous-genres, tels que le *kaiju*, qui met en scène des monstres géants, le *kyodai* dans lequel des héros fantastiques gigantesques font face aux terribles pouvoirs destructeurs de ces monstres, et les *henshin* où des groupes de jeunes combattent contre le mal et reçoivent des pouvoirs spéciaux.
Pour cette illustration, nous utiliserons un style SD, avec une touche d'humour pour parodier la bataille entre le bien et le mal.

Tokusatsu is een Japans televisiegenre van actieseries met fantastische helden en monsters. Er zijn verscheidene subgenres, zoals *kaiju*, met reusachtige monsters, *kyodai hero*, waarin gigantische, fantastische helden geconfronteerd worden met de verschrikkelijke destructieve krachten van monsters, en *henshin heroes*, waarin groepen tieners tegen het kwaad vechten en speciale krachten krijgen.
We hebben een *SD*-stijl gekozen voor deze illustratie, om met humor de strijd tussen goed en kwaad te parodiëren.

Shape_Form_Forme_Vorm

When two figures touch each other, begin with the ground they'll be standing on. Then shape the areas where the two bodies meet and continue adapting the rest of the elements to the position.

Wenn sich zwei Figuren berühren, beginne immer mit dem Boden, auf dem sie stehen. Zeichne dann die Zonen, in denen die beiden Körper aufeinandertreffen, und passe danach alle weiteren Elemente an diese Position an.

Lorsque deux personnages se touchent, commencez à dessiner le sol sous leurs pieds. Formez ensuite les zones où les deux corps se rejoignent et continuez à adapter le reste des éléments de la composition.

Als twee stripfiguren elkaar aanraken, begin je met het tekenen van de grond waarop ze staan. Daarna geef je vorm aan de gebieden waar de twee lichamen elkaar raken en pas je de rest van de elementen aan de gekozen positie aan.

Volume_Volumen_Volume_Ruimtelijke vorm

To make something look enormous, draw it from a low-angle point of view. Use simple rounded volumes for the monster since its arms and legs are short and funny.

Um etwas riesig aussehen zu lassen, zeichne es aus der Froschperspektive. Verwende einfache, rundliche Volumen für das Monster, da seine Arme und Beine kurz sind und witzig aussehen.

Pour faire paraître énorme quelque chose, représentez-le en contre-plongée. Les membres courts et ridicules du monstre seront dessinés avec des volumes simples et arrondis.

Om iets er heel groot uit te laten zien, teken je het vanuit kikvorsperspectief. Gebruik eenvoudige, ronde ruimtelijke vormen voor het monster, omdat zijn armen en benen kort en grappig zijn.

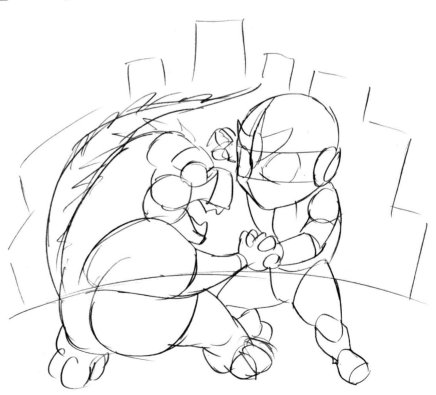

Anatomy_Anatomie_Anatomie_Anatomie

There are two characters: a humanoid wearing a fantastic tight suit, and a gigantic monster that looks like a reptile. The monster has enormous fangs and a ferocious threatening look.

Wir haben zwei Charaktere: eine menschenähnliche Figur mit einem hautengen Fantasieanzug und ein Riesenmonster, das an ein Reptil erinnert. Das Monster hat riesige Reißzähne und sieht grausam und bedrohlich aus.

Il y a deux types de personnages : un humanoïde portant un costume moulant, et un monstre ressemblant à un reptile, avec d'énormes crocs et un regard féroce et menaçant.

Er zijn twee stripfiguren: een menselijk figuur dat een strak fantasiepak draagt en een enorm monster dat er uitziet als een reptiel. Het monster heeft enorme slagtanden en een woeste, dreigende blik.

Final sketch_Endskizze_Esquisse définitive_Uiteindelijke schets

The hero is fitted with a tight suit. His helmet is the most important element. Complete the illustration by adding some more monsters and a simple city to serve as a background.

Der Held trägt einen engen Anzug. Sein Helm ist das wichtigste Element. Vervollständige die Illustration durch weitere Monster und die Skizze einer Stadt, die als Hintergrund dient.

Le héros porte une tenue près du corps. Son casque est l'élément principal. Complétez l'illustration en ajoutant d'autres monstres avec une ville en toile de fond.

De held draagt een nauwsluitend pakje. Zijn helm is het belangrijkste onderdeel. Maak de illustratie af door nog wat monsters en een eenvoudige stad toe te voegen op de achtergrond.

Lighting_Licht_Éclairage_Lichtval

Be concise and simplify shapes. Define each
volume in a simple and direct way. To highlight the
characters properly stick to the volumes used
when shaping. The background has no shadows.

Zeichne präzise und simplifiziere die Formen.
Definiere jedes Volumen auf einfache und direkte
Art. Um die Charaktere richtig hervorzuheben,
beschränke Dich auf die Volumen, die wir beim
Skizzieren geschaffen haben. Der Hintergrund
bekommt keine Schatten.

Il faut être concis et simplifier les formes.
Définissez chaque volume de manière simple et
directe. Pour bien mettre en valeur les
personnages, gardez les volumes utilisés lors de
l'ébauche. Le fond n'a pas d'ombres.

Houd het simpel en vereenvoudig de vormen. Geef
de volumes globaal en direct weer. Om de figuren
goed naar voren te laten komen, beperk je je tot
de ruimtelijke vormen bij het vormgeven. De
achtergrond heeft geen schaduwen.

Flat colors_Basisfarben_Couleurs simples_Effen kleuren

The background must be radically separated from the main characters. Give the background a neutral color and fill the foreground with bright, flashy colors.

Der Hintergrund muss klar von den Hauptfiguren getrennt werden. Gib dem Hintergrund eine neutrale Farbe und fülle den Vordergrund mit hellen, grellen Farben.

Le fond, de couleur neutre, doit être radicalement séparé des personnages principaux. Remplissez le premier plan de couleurs gaies et criardes.

De achtergrond moet radicaal gescheiden zijn van de hoofdfiguren. Geef de achtergrond een neutrale kleur en de voorgrond heldere, opzichtige kleuren.

Shading_Schatten_Ombres_Arcering

Note the different textures and effects. The helmet has a band that is darker in color, dividing light and shaded tones, which proves that the material is shinier than his clothes.

Achte auf die verschiedenen Oberflächen und Effekte. Der Helm hat ein Band mit einer dunkleren Farbe, die die Licht- und Schattentönungen voneinander trennt, so dass der Effekt entsteht, dass das Material glänzender ist als die Kleidung.

Notez les textures et effets de lumière différents. Le casque a une bande plus foncée, des reflets et tons qui prouvent que sa texture est plus brillante que celle des vêtements.

Besteed aandacht aan de verschillende materialen en effecten. De helm heeft een streep die donkerder van kleur is en de lichte en donkere
schakeringen verdeelt. Daardoor glimt de helm sterker dan de kleren van het figuur.

1. Paint outlines with darker, similar tones.

1. Zeichne die Umrisslinien in ähnlichen, aber dunkleren Tönen.

1. Peignez les contours avec des tons similaires mais plus foncés.

1. Teken de contouren met donkerdere, overeenkomstige tinten.

2. Break down colors by mixing successive color tones.

2. Um die Farben nach und nach abzuschwächen, kann man ähnliche Farbtöne miteinander kombinieren.

2. Formez un dégradé en intercalant des couleurs proches.

2. Verzacht de kleuren door het mengen van opeenvolgende kleurschakeringen.

3. The composition's background centers the image.

3. Der Hintergrund zentriert das Bild.

3. Le disque en arrière-plan valorise la composition principale.

3. De compositie van de achtergrond zet het beeld in het centrum.

Finishing touches_Letzte Details_Touches finales_Afwerking

Paint the lines of background elements with less saturated colors to create a false effect of aerial perspective that successfully separates the foreground from the background.

Male die Linien der Hintergrundelemente mit weniger gesättigten Farben, um den falschen Effekt einer Luftperspektive zu schaffen, die den Vordergrund perfekt vom Hintergrund abhebt.

Peignez les lignes des éléments du fond avec des couleurs moins saturées pour créer un faux effet de perspective aérienne qui sépare bien le premier plan du fond.

Kleur de lijnen van de onderdelen op de achtergrond met minder verzadigde kleuren om luchtfotoperspectief en de voorgrond te scheiden van de achtergrond.

Bionic Girl

Some of the most exploited combinations in *manga* are beauty and sweetness contrasted with brute force. Bionic beings have clearly set the standard in this area. *Gumn*, for example, is about a war robot with an angelic and childlike appearance, while *Saber Marionette J* is about the adventure of a group of robot dolls with enormous force but juvenile personalities. Bionic beings entertain every type of reader and fall somewhere between human beings and a clearly synthetic origin.

Zu den am meisten genutzten Kombinationen im *Manga* gehören Schönheit und Anmut, die im Kontrast stehen zu roher Gewalt. Bionische Wesen haben dabei den Standard gesetzt. *Gumn* handelt z. B. von einem Kriegsroboter mit engelhafter, kindlicher Erscheinung, während *Saber Marionette J* von den Abenteuern einer Gruppe von Roboterpuppen handelt, die eine enorme Kraft, aber auch jugendliche Charaktereigenschaften haben. Bionische Wesen sind für jeden Typ von Leser unterhaltsam und bewegen sich irgendwo zwischen menschlichen und eindeutig synthetischen Wesen.

Dans les mangas, le mariage de la beauté et de la douceur avec la force brute est souvent exploité. Les êtres bioniques en sont le parfait symbole. *Gumn*, par exemple, décrit l'histoire d'un robot de guerre à l'apparence angélique et enfantine, alors que *Saber Marionette J* relate les aventures d'un groupe de poupées robots d'une force extraordinaire conjuguée à une personnalité juvénile. Les êtres bioniques plaisent à tous les lecteurs et se débattent entre leur apparence humaine et leur origine « synthétique ».

In *manga* worden schoonheid en lieflijkheid gecomineerd met daarmee contrasterende brute kracht. Bionische wezens zijn daarbij duidelijk maatgevend. *Gumn* gaat bijvoorbeeld over een engelachtige en kinderlijke verschijning, terwijl Saber *Marionette J* de avonturen van een groep robotpoppen met enorme krachten, maar een jeugdige persoonlijkheid behandelt. Bionische wezens zitten ergens tussen het menselijke en het duidelijk kunstmatige in en bieden voor elk type lezer wat wils.

Shape_Form_Forme_Vorm

Choose a close-up of her face and trunk to give greater detail to formal elements such as the facial expressions. Arch the back far enough to create a counterweight to the mechanical arm.

Wir zeichnen eine Nahaufnahme des Gesichts und des Oberkörpers, um formellen Elementen wie dem Gesichtsausdruck mehr Aufmerksamkeit zu schenken. Zeichne den Rücken weit zurückgebogen, um einen Gegenpol zum mechanischen Arm herzustellen.

Faites un gros plan du visage et du tronc pour donner plus de détails aux éléments formels, comme les expressions du visage. Cambrez suffisamment le dos pour créer un contrepoids au bras mécanique.

Kies voor een close-up van het gezicht en de romp om de formele onderdelen, zoals de gezichtsuitdrukking, in meer detail te laten zien. Laat de rug naar achteren buigen om tegenwicht te bieden aan de stijve mechanische arm.

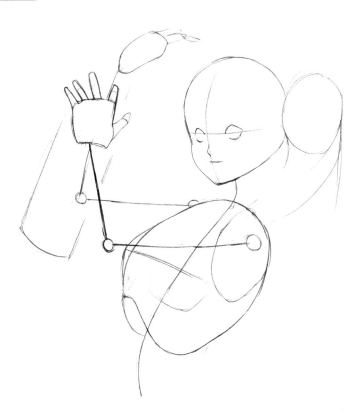

Volume_Volumen_Volume_Ruimtelijke vorm

The character's face will be one of the drawing's key elements. Define the volumes of the various parts of the mechanical arm and its articulations. Add the volume of her hair.

Das Gesicht der Figur ist eines der Schlüsselelemente dieser Illustration. Kennzeichne die Volumen der vielen Einzelteile des mechanischen Arms und seiner Gelenke. Füge Volumen in das Haar.

Le visage du personnage est l'un des éléments clés du dessin. Définissez les volumes des diverses parties du bras mécanique et de ses articulations. Ajoutez celui des cheveux.

Een van de sleutelelementen van de tekening is het gezicht van het stripfiguur. Geef de ruimtelijke vormen weer van de verschillende delen van de arm en de scharnierstukken. Voeg de ruimtelijke vorm van het haar toe.

Anatomy_Anatomie_Anatomie_Anatomie

To maintain the rigidity of the volume lines mark the metallic elements. Also make the skin that's visible look a bit more elastic. The mechanical arm's hand should show tension.

Um die Steifheit der Volumenlinien beizubehalten, markiere die Metallelemente. Lass die sichtbare Haut etwas elastischer aussehen. Die Hand des mechanischen Arms muss Anspannung zeigen.

Pour maintenir la tension des lignes du volume, déterminez les éléments métalliques. Rendez la peau un peu plus élastique. La main du bras mécanique doit montrer une certaine tension.

Om de starheid van de lijnen van de ruimtelijke vormen te behouden, markeer je de metalen onderdelen. Maak het zichtbare deel van de huid iets elastischer. De hand van de metalen arm moet spanning tonen.

Final sketch_Endskizze_Esquisse définitive_Uiteindelijke schets

Finish drawing the mechanical arm and use it as a reference to define the rest of the accessories in the drawing. Uncover more areas, as if the character were undergoing a check-up.

Beende die Zeichnung des mechanischen Arms und verwende ihn als Referenz zum Definieren der restlichen Extras der Zeichnung. Lass viele Zonen unbedeckt, als würde sich der Charakter einem Check-up unterziehen.

Terminez le dessin du bras mécanique et utilisez-le comme référence pour définir le reste des accessoires du dessin. Dévoilez de nouvelles zones, comme si l'androïde était en révision.

Teken de mechanische arm af en gebruik die als ijkpunt om de rest van de accessoires in de tekening te bepalen. Leg meer gebieden bloot alsof het stripfiguur een controle ondergaat.

Lighting_Licht_Éclairage_Lichtval

A single light source on the left is enough to illuminate the character properly. This is a synthetic being, so use bright highlights on her skin and hair to give her a "non-human" look.

Eine einzige Lichtquelle auf der linken Seite reicht aus, um die Figur richtig zu beleuchten. Es handelt sich hier um ein synthetisches Wesen; gib ihm sehr helle Stellen auf der Haut und dem Haar, um es „unmenschlich" aussehen zu lassen.

Une seule source de lumière sur la gauche suffit pour éclairer ce personnage. Comme c'est un être bionique, utilisez des reflets vifs pour sa peau et ses cheveux afin de renforcer l'impression de matière synthétique.

Om het figuur goed te belichten is één lichtbron vanaf links genoeg. Het is een kunstmatig wezen, dus gebruik helder oplichtende gebieden op de huid en het haar om het meisje een 'niet-menselijk' aanzien te geven.

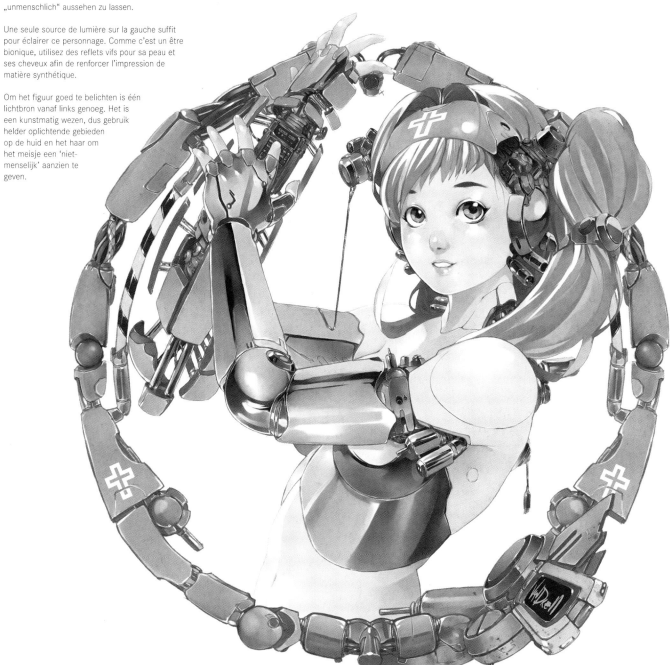

Flat colors_Basisfarben_Couleurs simples_Effen kleuren

Use pastel colors as a base and less contrast on the part that surrounds the figure. Make sure the decorative motif doesn't swallow our figure and take attention away from it.

Benutze Pastellfarben als Grundlage und wenige Kontraste in den Bereichen rund um die Figur. Das dekorative Motiv darf die Figur nicht verschlingen oder ihr die Aufmerksamkeit stehlen.

Utilisez des couleurs pastel comme base et moins de contrastes sur les parties qui entourent le personnage. Assurez-vous que les motifs décoratifs ne l'étouffent pas et n'en détournent pas l'attention.

Gebruik als basis pastelkleuren en weinig contrast op de decoratie rond het figuur. Zorg ervoor dat deze decoratie het figuur niet ondersneeuwt en de aandacht afleidt.

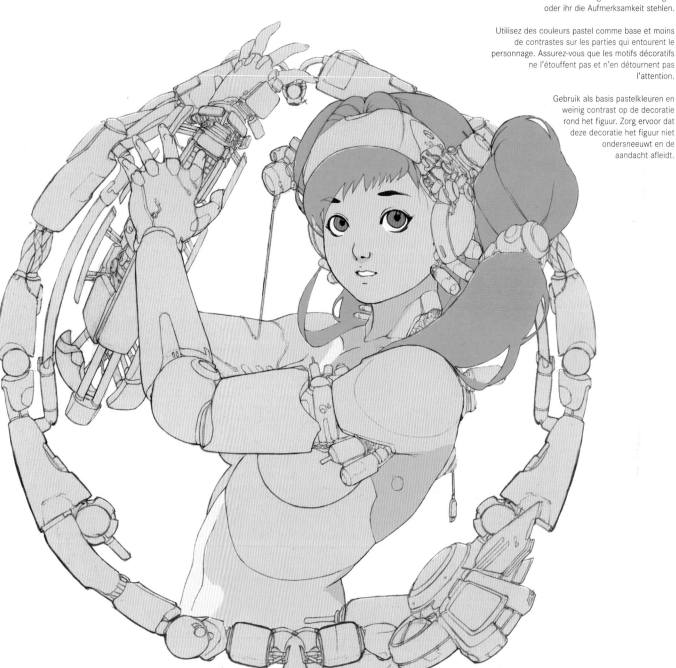

Tips and tricks_Tipps und Tricks_Conseils et astuces_Tips en trucs

1. Use shading to shape her hairstyle.

1. Setze zur Gestaltung der Frisur Schatten ein.

1. Utilisez les ombres pour façonner sa coiffure.

1. Gebruik schaduw om het haar vorm te geven.

2. Use fading to create volume and add the highlights.

2. Für mehr Volumen verwische die Farben und markiere Lichtstellen.

2. Estompez pour ajouter du volume et des reflets.

2. Door kleuren te vervagen voeg je ruimtelijkheid toe. Breng de oplichtende gebieden aan.

3. Finish her hair with darker shadow tones and bright highlights.

3. Die Haare werden mit dunkleren Schattentönen und hellen Stellen vervollständigt.

3. Terminez sa coiffure avec des ombres plus foncées et des reflets vifs.

3. Maak het haar af met donkerdere tinten voor de schaduwen en heldere oplichtende gebieden.

1. Create patches of color that follow the direction and volume of the metallic areas.

1. Gib Farbflecken auf die Metallteile, die der Richtung und dem Volumen folgen.

1. Créez des taches de couleur qui suivent la direction et le volume des zones métalliques.

1. Maak gekleurde stukjes die de richting en vorm volgen van de metalen stukken.

2. Shape the patches with the fade tool.

2. Verwische die Flecken mit dem Fade-Tool.

2. Formez les taches avec l'instrument à estomper.

2. Breng de gekleurde stukjes in vorm met de *fade tool*.

3. Repeat and add shadows to the chrome area.

3. Wiederhole den Schritt und gib dabei mehr Schatten auf die Chromstellen.

3. Répétez et ajoutez les ombres sur les zones chromées.

3. Herhaal dit en voeg schaduwen toe aan de chromen stukken.

4. Fade and add more shades on the plates covering the ribs.

4. Verwische die Farben und schattiere die Platten unter der Brust.

4. Estompez et mettez plus d'ombres sur les plaques qui recouvrent les côtes.

4. Maak de kleuren vager en voeg meer schaduw toe op de platen rond de borstkas.

Shading_Schatten_Ombres_Arcering

Use the same procedure as used in Combat Armor when painting the mechanical arm, but without putting too much emphasis on the chrome areas. The skin must also look tangible.

Geh genau wie bei unserem Beispiel *Combat Armor* vor, wenn Du den mechanischen Arm kolorierst, aber mit weniger Stärke auf den Chromteilen. Die Haut muss ebenfalls zum Greifen echt aussehen.

Au moment de peindre le bras mécanique, reproduisez la même technique que pour *Combat Armor* mais sans trop exagérer sur les parties chromées. On doit avoir l'impression de pouvoir toucher la peau.

Ga net zo te werk als bij het *Combat Armor* als je de metalen arm verft. Maar leg niet te veel nadruk op de chromen stukken. De huid moet er tastbaar uitzien.

1. The first base for patches of color.

1. Bring die ersten Farbflecken auf.

1. Appliquez une base pour les taches de couleur.

1. Breng de basis voor de gekleurde stukjes aan.

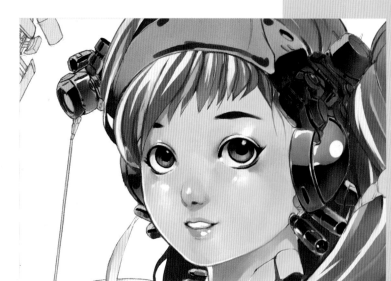

2. Use fading to shape the chrome of the headphones.

2. Benutze die Wischtechnik für das Chrom der Kopfhörer.

2. Estompez pour rendre le chrome des écouteurs.

2. Door te vervagen geef je het chroom van de koptelefoon vorm.

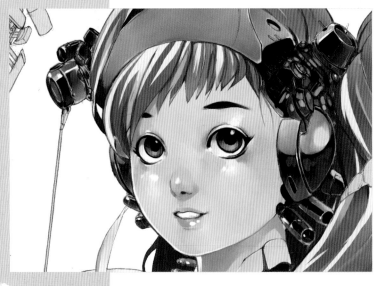

3. Add white lines to the contour lines to give the pieces more volume.

3. Male weiße Linien auf einige Umrisslinien, um mehr Volumen zu erzielen.

3. Tracez des lignes blanches aux contours pour accentuer le volume des pièces.

3. Voeg witte lijntjes toe aan de omlijningen om de onderdelen ruimtelijker te maken.

Finishing touches_Letzte Details_Touches finales_Afwerking

Add patches of colors and imperfections to visually age the decoration. Use the fine airbrush on some of the metallic pieces' brighter lights. For more personality, add decorative motifs.

Gib ein paar Farbflecken und Unreinheiten hinzu, damit die Dekoration gealtert aussieht. Benutze den feinen Airbrush an den hellsten Stellen der Metallteile. Um mehr Persönlichkeit zu erreichen, gib einige dekorative Motive dazu.

Ajoutez des taches de couleurs et des imperfections pour donner une impression d'usure. Prenez des pinceaux fins pour accentuer la lumière sur certaines pièces métalliques. Ajoutez des motifs décoratifs pour personnaliser votre androïde.

Voeg gekleurde stukjes en onvolmaaktheden toe, zodat de decoratie er gebruikt uitziet. Voeg met een fijne airbrush heldere lichtplekken toe op een paar metalen onderdelen. Voor een persoonlijke noot voeg je wat decoratieve motiefjes toe.

Space Adventurer

 In the world of *manga* and *anime*, the role of the space adventurer comes from classical literature sources: transferred from pirate tales and placed in a context of star-covered galaxies. The genre reached its apex during the late 70s and early 80s on the heels of the success of the first *Star Wars* trilogy. The pillars of this genre are found in the work of Leiji Matsumoto and his tortured *Captain Harlock*, navigating his *Arcadia* spaceship with the mysterious passenger 42.

Die Figur des Weltraumabenteurers stammt aus klassischen Literaturquellen wie Piratengeschichten und wird in der Welt des *Mangas* und *Animes* in die Umgebung sternenübersäter Galaxien gesetzt. Das Genre erreichte seinen Höhepunkt in den späten 70ern und frühen 80ern als Folge des Erfolgs der ersten *Star Wars*-Trilogie. Die Säulen dieses Genres finden sich im Werk von Leiji Matsumoto und seinem gebeutelten *Captain Harlock*, der sein *Arcadia*-Raumschiff steuert und den mysteriösen Passagier 42 an Bord hat.

Dans le monde des mangas et de l'*anime*, l'aventurier de l'espace est issu des classiques littéraires : il résulte de la transposition des histoires de pirates vers les galaxies interplanétaires. Le genre a atteint son apogée vers la fin des années 1970 et le début des années 1980 dans le sillage du succès de la saga de *La Guerre des étoiles*. On trouve les pièces maîtresses du genre dans l'œuvre de Leiji Matsumoto, avec notamment *Albator, Corsaire de l'espace*, aux commandes de son vaisseau spatial Arcadia avec le mystérieux passager 42.

In de wereld van *manga* en *anime* is de *space adventurer* ontsproten uit een klassieke literatuurbron: uit de piratenwereld gelicht en verplaatst naar de omgeving van de met sterren bezaaide sterrenstelsels. Het genre bereikte zijn hoogtepunt eind jaren zeventig, begin jaren tachtig in navolging van het succes van de eerste *Star Wars*-trilogie. De pijlers waarop dit genre steunt, zijn te vinden in het werk van Leiji Matsumoto en zijn gekwelde *Captain Harlock*, die zijn ruimteschip Arcadia bestuurt met aan boord de mysterieuze passagier 42.

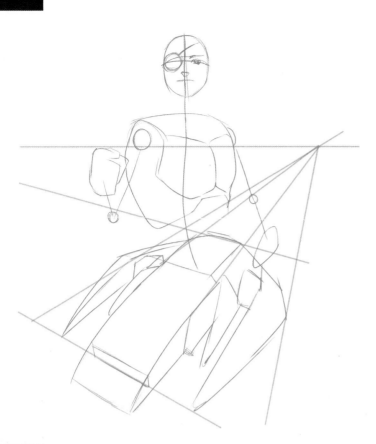

Shape_Form_Forme_Vorm

Set the scene placing an imaginary horizon over which we'll draw the base of the spaceship. Put the character in an arrogant pose. Lightly sketch his facial features.

Skizziere einen imaginären Horizont, auf den Du die Basis des Raumschiffs zeichnest. Stell den Charakter in eine arrogante Pose. Skizziere seine Gesichtszüge.

Placez la scène sur une ligne d'horizon imaginaire sur laquelle on dessinera la base du vaisseau spatial. Représentez le personnage dans une position arrogante. Dessinez légèrement les traits de son visage.

Zet het tafereel op met een denkbeeldige horizon, waar je de basis van het ruimteschip overheen tekent. Geef het stripfiguur een arrogante pose. Schets lichtjes de gezichtstrekken.

Volume_Volumen_Volume_Ruimtelijke vorm

Define the volume of the spaceship and erase the previous steps' reference lines. Use volume to give our hero an athletic build. Look for shapes that aren't too exaggerated.

Definiere das Volumen des Raumschiffs und lösche die Ansatzlinien des vorigen Schritts. Verwende Volumen, um unserem Helden eine athletische Statur zu geben. Verwende aber nicht zu übertriebene Formen.

Définissez le volume du vaisseau spatial et effacez les lignes de référence des étapes antérieures. Cherchez des formes qui ne sont pas trop exagérées.

Schets de ruimtelijke vorm van het ruimteschip en gum de perspectiefhulplijntjes uit. Gebruik ruimtelijke vorm om onze held een atletische bouw te geven. Zoek vormen die niet te overdreven zijn.

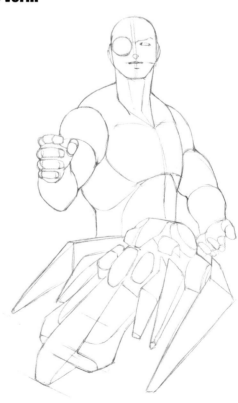

Anatomy_Anatomie_Anatomie_Anatomie

To capture the character's pulp-like nature, give his facial features a realistic treatment, with a defiant expression that seems to be teasing as well. Highlight his athletic nature.

Um das „Breiige" des Charakters auszudrücken, kann man die Gesichtszüge natürlich darstellen und ihm einen Gesichtsausdruck geben, der Herausforderung und gleichzeitig Spott herüberbringt. Unterstreiche seinen athletischen Körper.

Pour rendre l'esthétique *pulp* de notre personnage, traitez son physique de manière réaliste, avec une expression à la fois défiante et burlesque. Utilisez le volume pour donner à notre héros une constitution d'athlète.

Om van het figuur een B-filmkarakter te maken, tekenen we zijn gelaatstrekken realistisch. Het kijkt uitdagend en wat flirterig. Benadruk zijn atletische bouw.

Final sketch_Endskizze_Esquisse définitive_Uiteindelijke schets

Finish drawing the character in a simple manner, without overloading his clothing; a tight short-sleeved shirt and vest is all he needs. Keep the drawing clean. Add characteristic elements.

Vervollständige die Zeichnung des Charakters mit einfachen Details, ohne seiner Kleidung viel Aufmerksamkeit zu schenken; ein enges, kurzärmliges Hemd und eine Weste reichen aus. Überlade die Zeichnung nicht unnötig und gib charakteristische Elemente hinzu.

Achevez l'ébauche du personnage sans surcharger ses habits : un T-shirt moulant et un blouson sans manches, rien d'autre. Le dessin doit être net. Ajoutez quelques détails (revolver, bandeau, casque, vaisseaux).

Houd het stripfiguur eenvoudig en bedek hem niet met kleren; een strak shirt met korte mouwen en een vestje is alles wat hij nodig heeft. Houd de tekening leeg. Voeg wat kenmerkende accessoires toe.

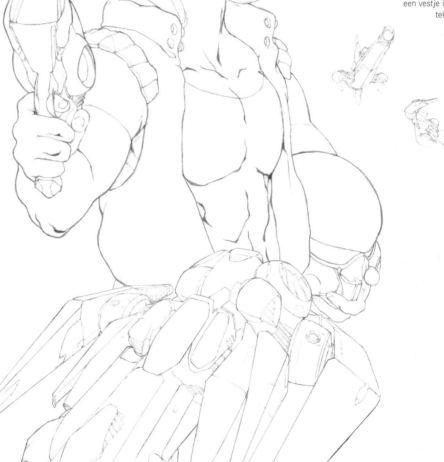

Lighting_Licht_Éclairage_Lichtval

A version of our final sketch in shades of gray shows how lighting will work. There are three main light sources: a beam of light from the spaceship, the supernova and an independent light.

Eine Version unserer Illustration in Grauschattierungen zeigt, wie die Lichtstellen gearbeitet werden müssen. Es gibt drei Hauptlichtquellen: einen Lichtstrahl vom Raumschiff, die Supernova und ein unabhängiges Licht.

Notre version finale utilise un dégradé de gris pour montrer le traitement de la lumière. Il y a trois sources principales de lumière : un faisceau venant du vaisseau spatial, la supernova et l'éclairage de face.

Een versie van de afgewerkte schets in grijstinten laat zien hoe de lichtval gaat werken. Er zijn drie hoofdlichtbronnen: een lichtstraal van het ruimteschip, een supernova en een afzonderlijk licht.

Flat colors_Basisfarben_Couleurs simples_Effen kleuren

Use a range of tones that go from less bright (background elements) to increasingly bright elements (the main spaceship). This will help you separate planes and create depth.

Verwende Farbtöne, die bei weniger leuchtend beginnen (Elemente im Hintergrund) und immer heller werden (das große Raumschiff). Dadurch kannst Du die Ebenen voneinander trennen und erreichst Tiefe.

Optez pour une gamme de teintes qui parte du plus obscur (éléments de fond) vers les éléments de plus en plus clairs (le vaisseau spatial principal). Cela vous permettra de séparer les plans et de créer de la profondeur.

Gebruik een scala van schakeringen die verlopen van minder helder (achtergrondelementen) tot helder (het voornaamste ruimteschip). Zo kun je de oppervlakken scheiden en diepte creëren.

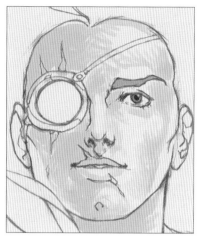

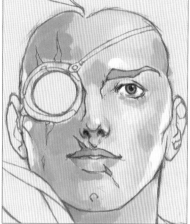

1. Create an initial color base with the face's two light sources in mind.

1. Wähle eine Basisfarbe gemäß den beiden Lichtquellen.

1. Créez une couleur de base en pensant aux deux sources de lumière sur le visage.

1. Maak een basis met een beginkleur. Houd hierbij rekening met de twee lichtbronnen.

2. Background colors cover the left part of his face.

2. Dunklere Farben bedecken die linke Gesichtsseite.

2. Les couleurs de fond recouvrent la partie gauche de son visage.

2. Bedek de linkerkant van zijn gezicht met achtergrondkleuren.

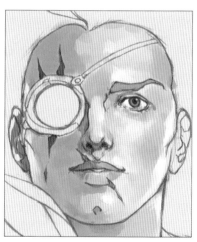

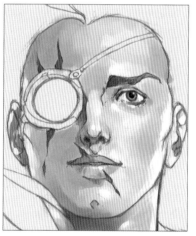

3. Use the fade tool to create color volumes.

3. Benutze das Fade-Tool für die Volumen.

3. Utilisez l'outil à estomper pour créer les volumes de couleurs.

3. Gebruik de *fade tool* om ruimtelijkheid in de kleur te krijgen.

4. Enrich the drawing with a third tone of shading.

4. Bereichere die Zeichnung mit einem dritten Schattenton.

4. Enrichissez le dessin avec une troisième teinte d'ombre.

4. Verrijk de tekening met een derde schaduwkleur.

Shading_Schatten_Ombres_Arcering

Add highlights to some of the jacket's seams to contrast with the dark color and reinforce the notion that it is plastic. Define the background with two patches of complementing colors.

Gib Lichtflecken auf einige Säume der Jacke, um sie von der dunkleren Umgebung abzuheben zu betonen, dass sie aus Kunststoff ist. Definiere den Hintergrund mit zwei sich gut ergänzenden Farben.

Ajoutez des reflets à certains plis de son blouson pour contraster avec la couleur foncée et rendre l'effet d'une matière plastique. Définissez le fond avec deux taches de couleurs assorties.

Voeg wat lichtpuntjes toe aan enkele naden van het vest als contrast met de donkere kleur en om de indruk van plastic te versterken. Geef de achtergrond weer met twee elkaar aanvullende kleuren.

Finishing touches_Letzte Details_Touches finales_Afwerking

Add the hero's symbol to his spaceship and enrich the illustration with lots of effects. Paint the gun the same way as the background and add highlights on the spaceships.

Setze das Symbol des Helden auf sein Raumschiff und geize nicht mit Effekten. Male die Schusswaffe genauso wie den Hintergrund und versieh die Raumschiffe mit Lichteffekten.

Ajoutez le symbole du héros au vaisseau spatial et enrichissez l'illustration par de nombreux effets. Peignez le revolver comme le fond, et ajoutez les reflets sur le vaisseau spatial.

Plaats het symbool van de held op zijn ruimteschip en verrijk de illustratie met veel effecten. Kleur het pistool op dezelfde manier als de achtergrond en voeg oplichtende stukjes toe aan de ruimteschepen.

Cybercop

In a not too distant future where urban guerillas rule the streets of the main megalopolises, only this cybercop will be able to deter and frighten away delinquents. This stereotype, often exploited in cinema and comics, is indebted to the world of *manga*. They are the subject of lots of *mangas* and contain a sociological background related to the fear of overcrowding and overpopulation, and how humanity will solve these kinds of problems in a not too distant future.

In einer nicht allzu fernen Zukunft, in der Stadtguerillas die Straßen der größten Megastädte beherrschen, ist nur diese Cyberpolizei in der Lage, Kriminelle abzuschrecken und im Zaum zu halten. Dieser so oft im Kinofilm und in Comics eingesetzte Stereotyp verdankt seine Existenz der Welt des *Mangas*. Sie sind Gegenstand zahlreicher *Manga* und enthalten einen soziologischen Hintergrund, der mit der Angst vor Überbevölkerung zu tun hat und damit, wie die Menschheit diese Probleme in der Zukunft meistern wird.

Dans un futur proche, les guérillas urbaines règnent sur les rues des mégapoles. Seul le cyberpolicier sait comment les arrêter. Ce stéréotype, souvent exploité au cinéma et dans les bandes dessinées, est issu du monde des mangas. Il résulte de la crainte d'une explosion démographique et d'un désordre mondial. Il incarne la figure du justicier du futur, entre super héros et homme bionique.

In de nabije toekomst, wanneer stadsguerrilla's heersen over de straten van wereldsteden, zal alleen deze *cybercop* in staat zijn om criminelen af te schrikken en weg te jagen. Dit stereotype, vaak gebruikt in films en strips, is dank verschuldigd aan de *manga*-wereld. *Cybercops* zijn het onderwerp van veel *manga's* en hebben een sociologische achtergrond die voortkomt uit de angst voor enorme drukte en overbevolking en de problemen waarmee de mensheid hierdoor in de nabije toekomst geconfronteerd zal worden.

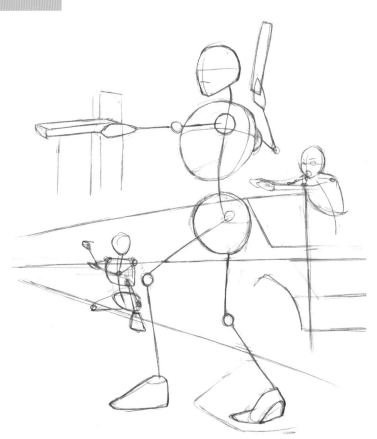

Shape_Form_Forme_Vorm

Sketch a complete scene, a shootout; the more elements, the better. Mark a horizon and use it as a reference. Give the character a determined pose, with certain rigidity to show his mechanical origin.

Skizziere eine vollständige Szene mit einer Schießerei; je mehr Elemente Du einbringst, umso besser. Kennzeichne einen Horizont und benutze ihn als Referenz. Gib dem Charakter eine entschlossene Pose mit einer gewissen Steife, um seine mechanische Herkunft zu zeigen.

Ébauchez une fusillade par exemple : plus il y a d'éléments, mieux c'est. Fixez une ligne d'horizon et utilisez-la comme référence. Donnez au personnage une pose fixe, avec une certaine rigidité pour en montrer l'origine mécanique.

Schets het hele tafereel van een vuurgevecht; hoe meer elementen, hoe beter. Markeer een horizon en gebruik die als ijkpunt. Geef het stripfiguur een vastberaden houding, met een zekere stijfheid om zijn mechanische aard te tonen.

Volume_Volumen_Volume_Ruimtelijke vorm

Sketch all the background elements in their basic shapes and outline the main figures. Give the cybercop robust volumes and lightly define his armor. Create the volumes of the buildings.

Zeichne alle Hintergrundelemente als Basisformen und die Hauptfiguren in Umrissen. Gib dem Cyberpolizisten ein robustes Volumen und skizziere seine Rüstung. Zeichne die Volumen der Gebäude.

Ébauchez tous les éléments de fond avec leur forme de base et esquissez les contours des personnages principaux. Créez les volumes corpulents du cyberpolicier et définissez légèrement son armure. Ébauchez les immeubles pour le fond.

Schets alle achtergrondelementen als basisvormen en omlijn de hoofdfiguren. Geef de *cybercop* een robuuste ruimtelijke vorm en geef lichtjes zijn harnas aan. Maak de ruimtelijke vormen van de gebouwen.

Anatomy_Anatomie_Anatomie_Anatomie

Anatomy is not a fundamental concern, but will help us understand proportions better. Foreshortening the front foot and creating tension in the shoulders can be used to build on armor afterwards.

Anatomie ist kein entscheidendes Thema in dieser Illustration, aber es hilft uns, die Proportionen besser zu verstehen. Ein perspektivisch verkürzter vorderer Fuß und Anspannung in den Schultern können als Grundlage für die Rüstung dienen, die wir dem Körper später anziehen werden.

Si l'anatomie n'est pas fondamentale, elle nous aidera à mieux comprendre les proportions. Raccourcissez le pied avant et créez une certaine tension au niveau de ses épaules, ce qui nous servira à construire ensuite son armure.

Anatomie heeft geen fundamenteel belang, maar helpt ons de proporties beter te begrijpen. Teken de voorste voet in perspectief en geef spanning in de schouders aan. Hierop kun je later het harnas aanbrengen.

Final sketch_Endskizze_Esquisse définitive_Uiteindelijke schets

Complete the drawing by detailing the armor as much as possible. Use common sense for this kind of illustration. Strive for balance between the beautiful and the practical.

Vervollständige die Zeichnung durch Detaillieren der Rüstung. Verwende Deinen gesunden Menschenverstand bei dieser Art von Illustration. Strebe das Gleichgewicht zwischen dem Schönen und dem Praktischen an.

Complétez le dessin en détaillant l'armure autant que possible. Utilisez votre bon sens pour ce genre d'illustration. Recherchez l'équilibre entre la beauté et l'aspect pratique.

Maak de schets af door het harnas zo gedetailleerd mogelijk weer te geven. Gebruik je gezonde verstand voor dit soort illustraties. Streef naar evenwicht tussen het mooie en het praktische.

Lighting_Licht_Éclairage_Lichtval

The evening light mixes with the light of the explosions. Don't complicate things too much: add chrome elements to the cybercop's armor, but don't abuse them.

Das Abendlicht vermischt sich mit dem Licht der Explosionen. Mach die Dinge nicht zu kompliziert: Versieh die Rüstung des Cyberpolizisten mit Chromteilen, aber übertreibe es nicht.

La lumière du soir se mêle à celle des explosions. Ne compliquez pas les motifs : ajoutez les éléments en chrome à l'armure du cyberpolicier, mais n'en abusez pas.

Het avondlicht mengt met het licht van de explosies. Maak het niet te ingewikkeld: voeg chromen delen toe aan het harnas, maar overdrijf het niet.

Use a flat color for the main characters and the body of the vehicles. Use bright, light colors for the cybercop, so it stands out against the baroque scene. Dot the sidewalk with cracks.

Verwende eine Basisfarbe für die Hauptfiguren und die Fahrzeuge. Verwende helle, leuchtende Farben für den Cyberpolizisten, sodass er sich von der barocken Szene abhebt. Male Risse und Löcher in den Straßenbelag.

Prenez une couleur dominante pour les personnages principaux et la carrosserie des véhicules et des couleurs lumineuses et légères pour le cyberpolicier, afin qu'il ressorte de la scène baroque. Dotez les bords de la chaussée de fissures.

Gebruik effen kleuren voor de hoofdfiguren en de carrosserie van de voertuigen. Gebruik heldere, lichte kleuren voor de *cybercop*, zodat hij er in dit barokke tafereel uitspringt. Bezaai de straat met scheuren.

1. Draw the first tone of shading.

1. Zeichne die ersten Schattentöne.

1. Dessinez la première teinte d'ombre.

1. Teken de eerste schaduwschakering.

2. Fade, shape, and add light and another tone of shading.

2. Verwische und, gestalte die Formen aus und gib Licht und einen weiteren Schattenton hinzu.

2. Estompez, formez et ajoutez la lumière et un ton d'ombre supplémentaire.

2. Vervaag, geef vorm, voeg licht toe en een andere schaduwschakering.

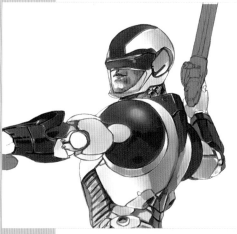

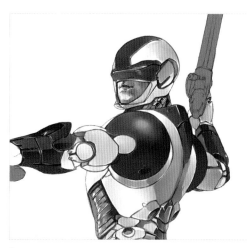

3. Repeat the previous step for the darker parts of the armor.

3. Wiederhole den vorigen Schritt für die dunkleren Teile der Rüstung.

3. Répétez l'étape précédente pour les parties plus foncées de l'armure.

3. Herhaal de vorige stap voor de donkerdere delen van het harnas.

4. Use shading to finish defining the character's face.

4. Verwende Schatten auch zum Definieren des Gesichts.

4. Utilisez des ombres pour terminer de définir le visage du personnage.

4. Gebruik schaduwwerking om de weergave van het gezicht af te ronden.

1. Use patches of color to suggest the vehicle's interior.

1. Trage zuerst Farbflecken für die Fahrzeuginnenräume auf.

1. Utilisez les taches de couleur pour suggérer l'intérieur du véhicule.

1. Gebruik gekleurde stukjes om het interieur van het voertuig te suggereren.

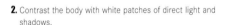

2. Contrast the body with white patches of direct light and shadows.

2. Kontrastiere den Körper mit weißen Flecken (direktes Licht) und Schatten.

2. Contrastez la carrosserie avec des taches blanches de lumière directe et d'ombres.

2. Contrasteer de carrosserie met witte stukjes direct licht en schaduwen.

3. Shape the patches and add lighter tones to the body.

3. Gestalte die Flecken aus und versieh den Körper mit helleren Tönen.

3. Formez les taches et ajoutez des teintes légères sur le corps.

3. Geef de stukjes vorm en voeg lichtere schakeringen toe aan de carrosserie.

The scene is defined: characters on the sidewalk and background decoration. Add some effects, like muddying various elements of the illustration with splashes of color and texture.

Die Szene ist fast fertig, es fehlen noch ein paar Details auf der Straße und im Hintergrund. Gib ein paar Effekte hinzu: Schmutzflecken, Farbspritzer usw.

Nous avons défini la scène : les personnages sur la chaussée et le décor de l'arrière-plan. Ajoutez certains effets, en fonçant divers éléments de l'illustration avec des taches de couleur et avec la texture.

Het tafereel is neergezet: de figuren op straat met achtergronddecoratie. Voeg wat effecten toe zoals het vertroebelen van verschillende delen van de tekening met spatten kleur en textuur.

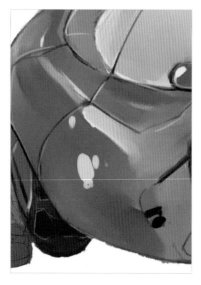

1. Create a simple, but effective, bullet hole.

1. Skizziere ein einfaches, aber effektvolles Einschussloch.

1. Créez un impact de balle sur la voiture, avec une tache claire.

1. Maak een eenvoudig, maar effectief kogelgat.

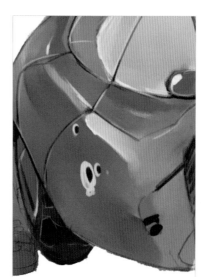

2. Time for the bullet hole.

2. Detailliere das Einschussloch.

2. Complétez avec un peu de noir.

2. Tijd voor het kogelgat.

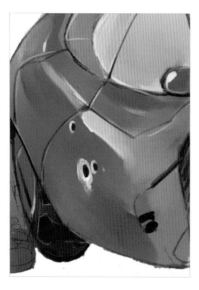

3. Use the fading tool so it doesn't just look like a patch of color.

3. Verwende das Fade-Tool, damit das Loch nicht wie ein Farbfleck aussieht.

3. Utilisez l'outil à estomper pour éviter l'effet « tache ».

3. Gebruik de *fade tool* zodat het er niet uitziet als zomaar een kleurvlekje.

Add a blue sky to make the reflections on the cybercop more coherent. The floor has different textures so it resembles asphalt. Add some splashes of color to create a sense of movement.

Füge einen blauen Himmel hinzu, um den Widerschein des Cyberpolizisten kohärenter erscheinen zu lassen. Der Boden bekommt unterschiedliche Texturen, damit er wie Asphalt aussieht. Gib einige Farbspritzer hinzu, um mehr Bewegung in das Bild zu bringen.

Ajoutez du bleu au ciel pour donner du sens aux reflets sur le cyberpolicier. Les différentes textures du sol ressemblent à l'asphalte. Ajoutez des fumées au sol pour renforcer l'aspect dramatique de la scène.

Voeg een blauwe lucht toe, zodat de weerspiegelingen op de *cybercop* meer samenhang vertonen. De grond heeft verschillende texturen zodat hij van asfalt lijkt. Voeg wat spatten kleur toe om beweging te suggereren.

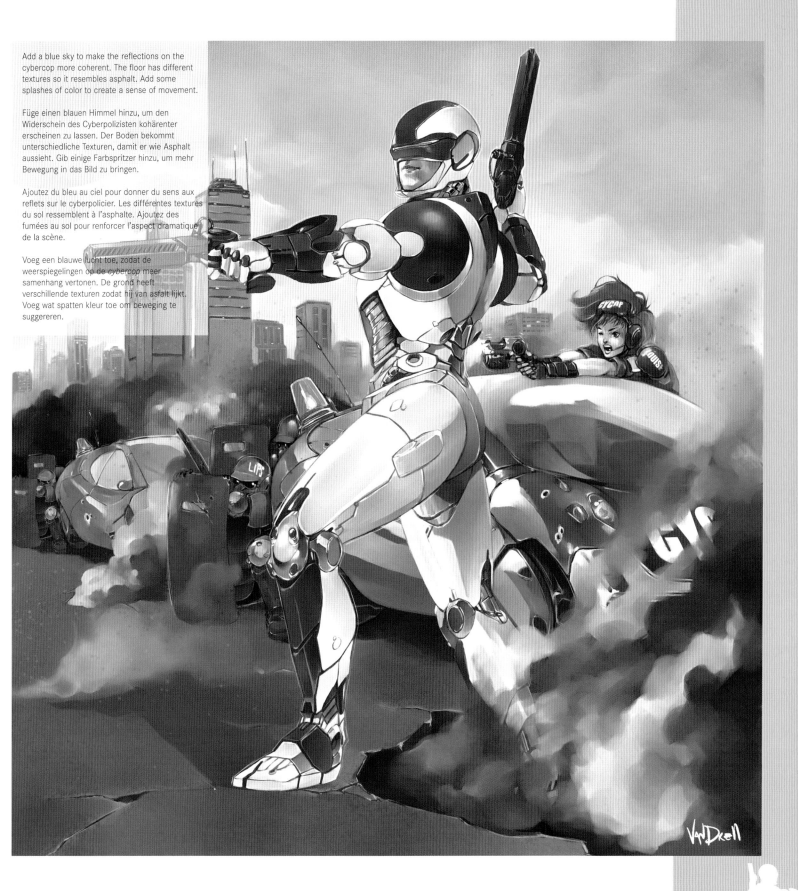

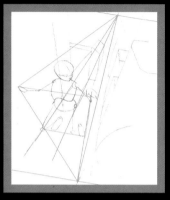

Bounty Hunter

The cyberpunk style in vogue in the mid-80s also became a common mode of expression in science fiction *manga*. Authors such as Otomo and Asamiya went on to construct post-apocalyptic cities where high technology contrasted with barbarity ruling the streets. Our bounty hunter, a beautiful woman loaded with weapons, is set in these surroundings. Good examples are Shirow, with *Dominion* and *Ghost In the Shell*, and Kenichi Sonoda and his designs for *Bubble Gum Crisis*.

Der Mitte der 80er Jahre in Mode gekommene Cyberpunkstil wurde auch im Science-Fiction-*Manga* zur verbreiteten Ausdrucksform. Autoren wie Otomo und Asamiya konstruierten post-apokalyptische Städte, in denen Hightech im Kontrast steht zu der in den Straßen herrschenden Barbarei. Unser Kopfgeldjäger, eine schöne, mit Waffen ausgestattete Frau, bewegt sich in dieser Umgebung. Gute Beispiele sind Shirow mit *Dominion* und *Ghost In the Shell* sowie Kenichi Sonoda und seine Designs für *Bubble Gum Crisis*.

Le *cyberpunk*, en vogue au milieu des années 1980, est un personnage récurrent dans le manga de science-fiction. Des auteurs, comme Otomo et Asamiya, ont construit des villes post-apocalyptiques, où la technologie de pointe contraste avec la barbarie qui règne dans les rues. Notre chasseuse de primes, une superbe femme surarmée, évolue dans ce décor. Nous citerons, à titre d'exemples, Shirow avec *Dominion* et *Ghost In the Shell*, et Kenichi Sonoda et ses dessins pour *Bubble Gum Crisis*.

De cyberpunkstijl die midden jaren tachtig in zwang was, werd ook algemeen in sciencefictionmanga. Schrijvers zoals Otomo en Asamiya begonnen met het construeren van postapocalyptische steden, waar *high-tech* contrasteert met de barbaarsheid die in de straten heerst. De premiejager, een mooie vrouw beladen met wapens, is in deze omgeving geplaatst. Goede voorbeelden van dit soort premiejagers zijn Shirow met *Dominion* en *Ghost In The Shell* en Kenichi Sonoda en zijn ontwerpen voor *Bubble Gum Crisis*.

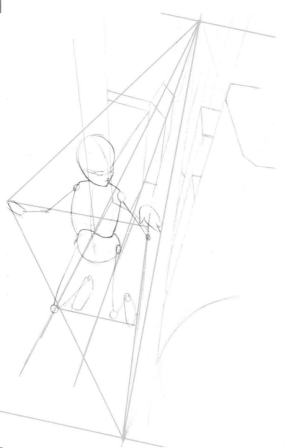

Shape_Form_Forme_Vorm

The setting will be rather complex. The bounty hunter is on a cornice from which we can see part of a busy avenue. Use two points for perspective, one for position and another for depth.

Das Gesamtbild ist sehr komplex. Unsere Kopfgeldjägerin steht auf einem Mauersims, von dem aus sie auf eine belebte Straße schaut. Wir nehmen zwei Blickwinkel: einen für die Position und einen zweiten für die Tiefe.

La mise en scène est assez complexe. La chasseuse de primes est sur une corniche surplombant une grande rue. Utilisez deux points de perspective, une pour la position et l'autre pour la profondeur.

Het tafereel is vrij ingewikkeld. De premiejager staat op een gevelrand en we kunnen een stuk van de drukke straat zien. Gebruik twee verdwijnpunten: een voor de houding en een voor de diepte.

Volume_Volumen_Volume_Ruimtelijte vorm

Mark the basic shapes of the main buildings to differentiate them from each other so they don't look like they all form part of the same volume. Define parts of the character's outfit.

Zeichne die Grundformen der wichtigsten Gebäude, um sie voneinander zu unterscheiden, denn sie sollen nicht so aussehen, als würden sie alle zum selben Volumen gehören. Definiere einen Teil des Outfits des Charakters.

Définissez les formes de base des édifices principaux pour les différencier les uns des autres afin qu'ils ne semblent pas appartenir à un même volume. Définissez des parties de la tenue du personnage.

Markeer de basisvormen van de belangrijkste gebouwen om ze van elkaar te scheiden, zodat het niet is alsof ze allemaal deel uit maken van dezelfde ruimtelijke vorm. Teken delen van de outfit van het stripfiguur.

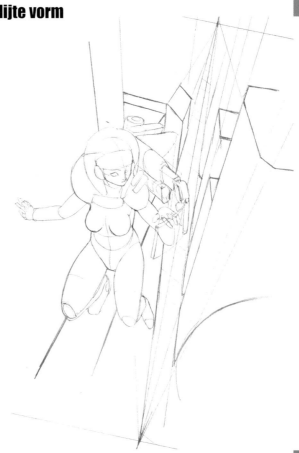

Anatomy_Anatomie_Anatomie_Anatomie

Take a good look at the pronounced effect the high-angle perspective has on the character. The pose must be calm; the bounty hunter is used to this kind of situation.

Sieh Dir genau an, welchen starken Effekt die Vogelperspektive auf den Charakter hat. Die Pose muss ruhig sein; ein Kopfgeldjäger ist an eine solche Situation gewöhnt.

Observez bien l'effet prononcé occasionné par la perspective de plongée sur le personnage. La pose doit dégager le calme : la chasseuse de primes est habituée à ce genre de situation.

Kijk goed naar het geprononceerde effect dat het vogelvluchtperspectief heeft op het figuur. De pose moet rust uitstralen; de premiejager is gewend aan dit soort situaties.

Completely define the elements of her outfit, keeping its functionality in mind. It's quite big, but it has to look light in order for her to carry it more or less comfortably.

Definiere die Elemente ihres Outfits, wobei Funktionalität eine große Rolle spielt. Der Jet-Pack ist ziemlich groß, muss aber recht leicht aussehen, so dass sie ihn einigermaßen komfortabel tragen kann.

Définissez tous les éléments de sa tenue, en gardant à l'esprit sa fonctionnalité. Elle est assez volumineuse, mais doit sembler légère pour que la chasseuse puisse la porter sans effort.

Teken alle onderdelen van haar outfit en bedenk dat ze functioneel moeten zijn. Het is vrij groot, maar het moet licht lijken, want ze moet het redelijk comfortabel kunnen dragen.

Lighting_Licht_Éclairage_Lichtval

The illustration is conditioned by the light coming from the main street, but the *jetpack* tactile screen and the tallest buildings that are nearest our character will help us tone the illustration.

Die Illustration wird von der Straße beleuchtet, aber der Touch-Screen des Jet-Packs und die höchsten Häuser, die unserem Charakter am nächsten sind, helfen ebenfalls bei der Tönung der Illustration.

L'illustration est conditionnée par la lumière qui vient de la rue principale, mais l'écran tactile du *jetpack* et les plus grands immeubles situés près du personnage nous permettront de trouver le ton de l'illustration.

De illustratie wordt bepaald door het licht dat van de straat komt, maar het *touchscreen* van het *jetpack* en de grootste gebouwen het dichtst bij haar in de buurt helpen om de illustratie te schakeren.

Use an off-tone as a base that contrasts with her skin and hair colors. First use the base color to paint the background then shape the elements little by little.

Verwende eine gedämpfte Grundfarbe, die einen Gegenpol zu den Farben der Haare und der Haut darstellen. Koloriere zuerst den Hintergrund und gib ihm nach und nach mehr Form.

Prenez un ton dégradé comme base qui contraste avec sa peau et la couleur de ses cheveux. Utilisez d'abord la couleur de base pour peindre le fond et formez peu à peu les éléments.

Gebruik als basis een afwijkende kleur die contrasteert met de huid en haarkleur. Gebruik de basiskleur eerst voor het kleuren van de achtergrond en geef dan de onderdelen stapje voor stapje vorm.

Tips and tricks_Tipps und Tricks_Conseils et astuces_Tips en trucs

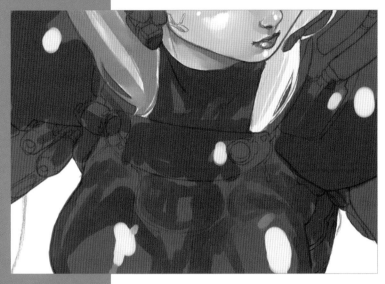

1. Add shadows to her outfit. Mark points of light on the smoothest surface areas.

1. Bereichere das Outfit mit Schatten. Kennzeichne Lichtstellen auf den glattesten Oberflächen.

1. Ajoutez les ombres à sa tenue. Définissez les points lumineux sur les surfaces les plus douces.

1. Voeg schaduw toe aan haar outfit. Markeer lichtpunten op de gebieden met de gladste oppervlakken.

2. Go over the darker areas with another tone of shading.

2. Zieh die dunkleren Stellen mit einem weiteren Schattenton nach.

2. Repassez sur les zones plus sombres avec une autre nuance d'ombre.

2. Met een andere kleurschakering gaan we nog een keer over de donkerdere gebieden.

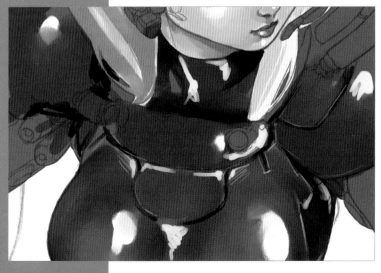

3. The tone of the tactile screen illuminates the rest of her outfit.

3. Die Tönung des Touch-Screens erleuchtet den Rest ihres Anzugs.

3. L'écran tactile éclaire le reste de sa tenue.

3. De schakering van het *touchscreen* verlicht de rest van haar outfit.

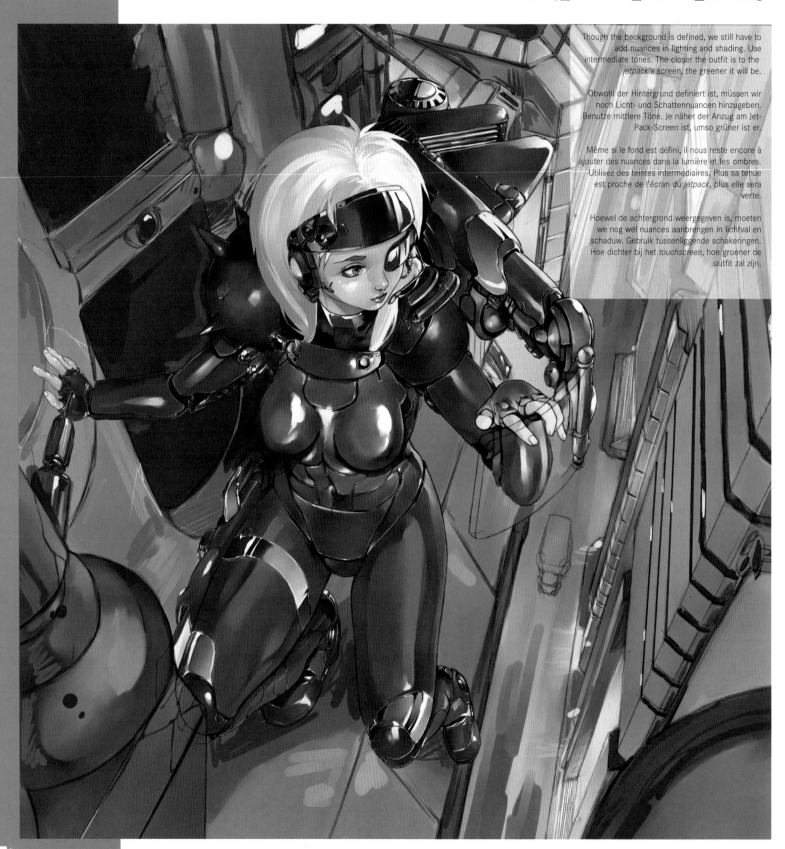

Though the background is defined, we still have to add nuances in lighting and shading. Use intermediate tones. The closer the outfit is to the *jetpack*'s screen, the greener it will be.

Obwohl der Hintergrund definiert ist, müssen wir noch Licht- und Schattennuancen hinzugeben. Benutze mittlere Töne. Je näher der Anzug am Jet-Pack-Screen ist, umso grüner ist er.

Même si le fond est défini, il nous reste encore à ajouter des nuances dans la lumière et les ombres. Utilisez des teintes intermédiaires. Plus sa tenue est proche de l'écran du *jetpack*, plus elle sera verte.

Hoewel de achtergrond weergegeven is, moeten we nog wel nuances aanbrengen in lichtval en schaduw. Gebruik tussenliggende schakeringen. Hoe dichter bij het *touchscreen*, hoe groener de outfit zal zijn.

Finishing touches_Letzte Details_Touches finales_Afwerking

Go over the lights of the buildings surrounding our
bounty hunter by using the fine airbrush, an
essential tool for achieving more realistic drawings.

Überarbeite die Lichtstellen der Gebäude rund um
die Kopfgeldjägerin mithilfe des feinen Airbrushs,
einem Basismittel, um realistischere Zeichnungen
anzufertigen.

Repassez les lumières des édifices autour de notre
chasseuse de primes en utilisant le pinceau fin,
instrument essentiel pour achever des dessins plus
réalistes.

Ga met de fijne airbrush, een essentieel
gereedschap voor realistischere tekeningen, over
de lichtjes van de gebouwen rond onze
premiejager heen.

Power Rangers

*Power Rangers* is a United States television series based on the *Tokusatsu Super Sentai* series, a Japanese television science-fiction genre. Although there are different types of characters, the most famous in the United States is one which depicts a group of youngsters chosen to defend world peace, controlling giant toy robots. This idea has been exploited in countless *animes* which combine everyday affairs with repetitive fight situations against the bad guy of the moment.

Power Rangers ist eine US-amerikanische Fernsehserie, die auf der Grundlage der Serien *Tokusatsu Super Sentai*, welche zum japanischen TV-Science-Fiction-Genre gehören, entstanden sind. Obwohl es verschiedene Charaktere gibt, ist die bekannteste in den USA eine, in der eine Gruppe von riesige Spielroboter steuernden Jugendlichen den Weltfrieden verteidigen soll. Diese Idee ist in unzähligen *Anime* verwendet worden, in denen Alltagssituationen mit Kämpfen gegen den jeweiligen Bösewicht kombiniert werden.

Les *Power Rangers* sont les personnages d'une série télévisée américaine, basée sur la série de science-fiction de la télé japonaise, *Tokusatsu Super Sentai*. Dans la majorité des cas, les personnages principaux sont des adolescents élus pour défendre la paix dans le monde, en contrôlant des robots jouets géants. Cette idée est exploitée dans d'innombrables *anime* qui conjuguent vie quotidienne et combats répétitifs.

Power Rangers is een Amerikaanse televisieserie gebaseerd op de serie *Tokusatsu Super Sentai*, een Japans sciencefictiongenre op televisie. Hoewel er verschillende series zijn, is in Amerika de beroemdste die met een groep tieners die reusachtige robots besturen en uitverkoren zijn om de wereldvrede te verdedigen. Dit idee wordt in een ontelbaar aantal *animes* gebruikt, waarin alledaagse zaken gecombineerd worden met een opeenvolging van gevechtssituaties tegen de slechterik van dat moment.

Shape_Form_Forme_Vorm

The main idea is a core composition showing the protagonists backed by their vehicles. Position the horizon to visually compensate the depth established by the characters.

Die Hauptidee besteht in einer zentralen Komposition, die die Protagonisten vor ihren Fahrzeugen zeigt. Positioniere den Horizont, um die von den Figuren hervorgerufene Tiefe visuell auszugleichen.

L'idée essentielle est une composition centrale montrant les protagonistes avec leurs véhicules en arrière-plan. Tracez la ligne d'horizon pour compenser visuellement la profondeur créée par les personnages.

Belangrijk is een compositie waarin de essentie naar voren komt: de hoofdpersonen tegen de achtergrond van hun voertuigen. Plaats de horizon zo dat de diepte, die door de figuren wordt bepaald, wordt gecompenseerd.

Volume_Volumen_Volume_Ruimtelijke vorm

Begin defining the vehicles' shapes and sketch their animal features. Because there isn't a clear horizon line in aerial space, combine different vanishing points for different objects.

Beginne mit den Formen der Fahrzeuge und skizziere ihre tierähnlichen Eigenschaften. Da es hier keinen eindeutigen Horizont gibt, kann man verschiedene Fluchtpunkte für unterschiedliche Objekte miteinander kombinieren.

Commencez par définir les formes des véhicules et esquissez leurs ressemblances animales. Puisqu'il n'y a pas une ligne d'horizon nette dans l'espace aérien, combinez différents points de fuite pour les différents objets.

Begin met het weergeven van de vormen van de voertuigen en schets hun de dierlijke trekken daarvan. Omdat er geen duidelijke horizonlijn in het luchtruim is, combineer je verschillende verdwijnpunten voor verschillende objecten.

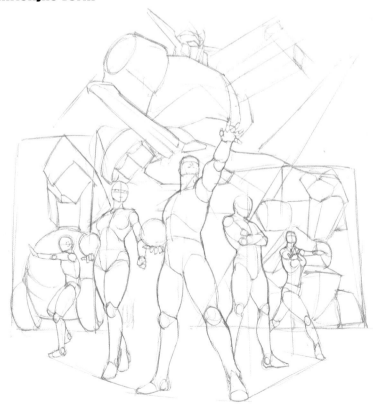

Anatomy_Anatomie_Anatomie_Anatomie

Give the rangers an athletic look. Part of their
anatomy will be visible in the end so don't overuse
the lines. Bear in mind how the slightly low-angle
view will affect perspective.

Lass die Rangers athletisch aussehen. Ein Teil ihrer
Anatomie wird am Ende sichtbar sein, setze also
nicht zu viele Linien ein. Achte darauf, wie die
leichte Froschperspektive den Blickwinkel
beeinflusst.

Conférez aux *rangers* une allure d'athlète. Ne
repassez pas trop les lignes. Étudiez la manière
dont la contre-plongée modifiera la perspective.

Laat de *rangers* er atletisch uitzien. Een deel van
hun bouw zal op het einde zichtbaar zijn, dus zet
de lijnen niet te dik aan. Houd in gedachten dat de
enigszins lage gezichtshoek het perspectief
beïnvloedt.

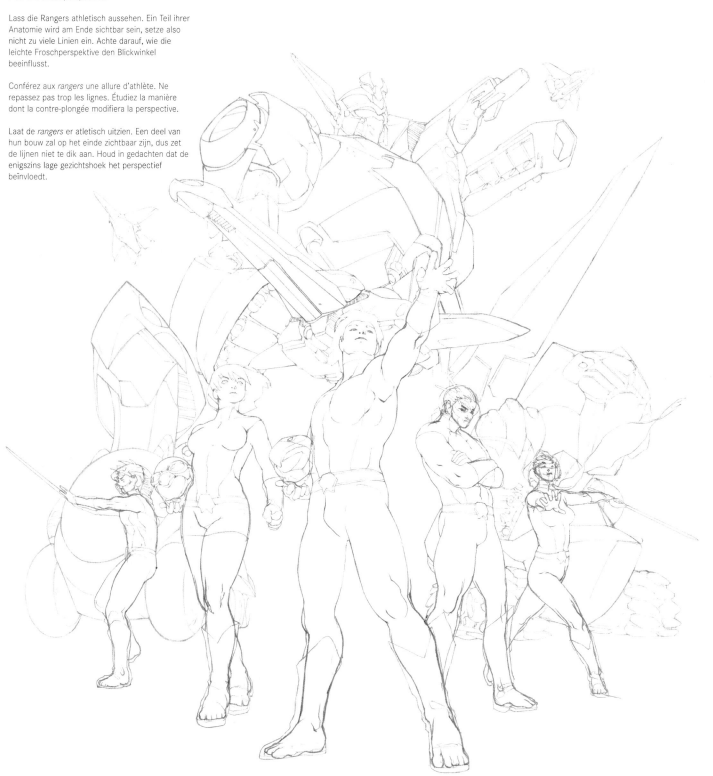

Each vehicle has its own function. Look for combinations that match the pilot's character or the animal they represent. Do the same for the helmets and draw the wrinkles in their boots and gloves.

Jedes Fahrzeug hat seine eigene Funktion. Suche nach Kombinationen, die zum jeweiligen Piloten passen oder zu den Tieren, die die Fahrzeuge repräsentieren. Gehe bei den Helmen genauso vor und markiere die Falten in ihren Stiefeln und Handschuhen.

Chaque véhicule a sa propre fonction. Cherchez des associations assorties au personnage du pilote ou à l'animal qu'ils représentent. Procédez de même pour les casques et dessinez les plis sur les bottes et les gants.

Elk voertuig heeft zijn eigen functie. Zoek combinaties die kloppen met het karakter van de piloot of het dier dat een voertuig vertegenwoordigt. Doe hetzelfde bij de helmen en teken de plooien in de laarzen en handschoenen.

Lighting_Licht_Éclairage_Lichtval

To best transmit the naive spirit of this kind of series, use bright colors and resort to spectacular visual elements (explosions and fire). Use a daylight ambience and a second light source.

Um die naive Art dieser Serien am besten zu auszudrücken, empfiehlt sich die Verwendung leuchtender Farben und spektakulärer visueller Elemente (Explosionen und Feuer). Verwende ein Tageslichtambiente und eine zweite Lichtquelle.

Pour mieux transmettre l'esprit naïf de ce genre de séries, utilisez des couleurs vives et exaltez les éléments visuels spectaculaires (explosions et feu). Optez pour une ambiance de lumière naturelle et une deuxième source de lumière.

Om de naïeve geest van dit soort series het best over te brengen, gebruik je heldere kleuren en zoek je je toevlucht tot spectaculaire visuele elementen (explosies en vuur). Gebruik een ambiance van daglicht met een tweede lichtbron.

Lightly color the pavement to position the characters better, and begin defining the explosion and the clouds in the sky. Use bright colors, but save white for finishes.

Koloriere den Asphalt ein wenig, um die Figuren besser zu positionieren, und beginne mit dem Zeichnen der Explosion und den Wolken am Himmel. Benutze helle Farben, aber bewahre weiß für den Schluss auf.

Coloriez légèrement le trottoir pour mieux situer les personnages, et commencez à définir l'explosion et les nuages dans le ciel. Prenez des couleurs vives, mais réservez les blancs pour la touche finale.

Kleur het plaveisel lichtjes om de figuren beter te positioneren en begin met het weergeven van de explosies en de wolken in de lucht. Gebruik heldere kleuren, maar bewaar wit voor het afwerken.

Tips and tricks_Tipps und Tricks_Conseils et astuces_Tips en trucs

1. Create a base of hues with light and shade in the robot's elements.

1. Schaffe Farbgrundlagen mit Licht- und Schattentönen bei den Roboterelementen.

1. Créez une base de nuances en utilisant la lumière et les ombres sur les éléments du robot.

1. Maak een basis van schakeringen met licht en schaduw op de robotonderdelen.

2. Solid volumes are created when we fade. Use light colors for lighting.

2. Mit der Wischtechnik erreicht man große Volumeneffekte. Verwende für die leuchtenden Stellen helle Töne.

2. Les volumes solides seront créés au moment de l'estompage. Utilisez des couleurs claires pour illuminer le décor.

2. Massieve ruimtelijke vormen ontstaan als we gaan vervagen. Gebruik lichte kleuren voor de lichtpunten.

3. Go over shaded areas.

3. Bearbeite die schattierten Zonen.

3. Repassez les zones ombrées.

3. Ga over de schaduwgebieden.

The characters' colors must differentiate them as the explosion and daylight will make the objects project intense shadows over them. Mark definitive shadows on the pavement.

Die Farben der einzelnen Charaktere müssen sich stark unterscheiden, da die Explosion und das Tageslicht die Intensität der Schatten und der Farben verändert. Markiere auf dem Asphalt die definitiven Schatten.

Les couleurs des personnages doivent les différencier puisque avec l'explosion et la lumière du jour, les objets projetteront des ombres intenses au-dessus d'eux. Marquez les ombres définitives sur le trottoir.

De kleuren moeten de stripfiguren onderscheiden van elkaar, omdat de objecten door de explosie en het daglicht zware schaduwen over hen heen werpen.

Finishing touches_Letzte Details_Touches finales_Afwerking

Define the background and floor with finishing touches. Finally add the trail behind the main vehicle and light splashes of color and logotypes for each of the characters.

Gib dem Hintergrund und dem Boden die letzten Nuancen. Ergänze die Umgebung der Fahrzeuge und Flugzeuge mit Kondensstreifen und ein paar Funken und male Embleme auf die Anzüge der Figuren.

Définissez les fonds et le sol avec des touches finales. Ajoutez enfin le rail derrière le véhicule principal et les légères taches de couleur sur les emblèmes de chaque personnage.

Leg de laatste hand aan de achtergrond en de bodem. Voeg ten slotte het spoor dat het rode voertuig in de lucht achterlaat en wat lichte kleurspetters toe en geef elk figuur zijn embleem.

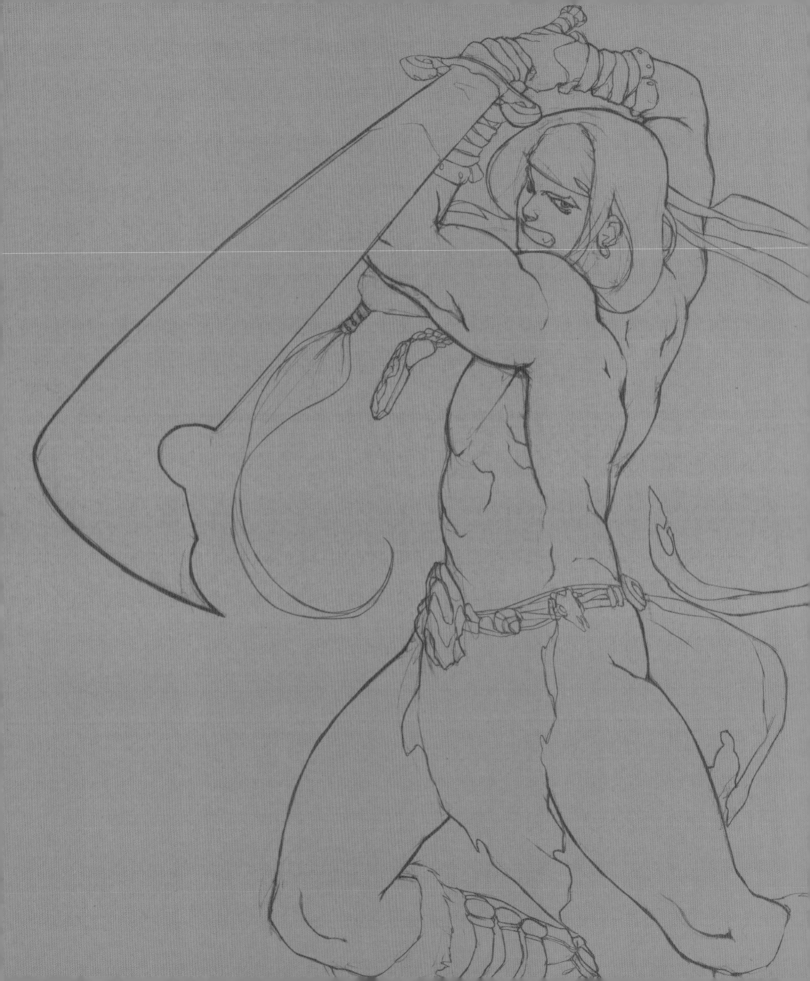

Heroic Fantasy_Fantastische Helden_Héros fantastiques_ Heldhaftige fantasy

SD Swordmaster

Barbarian

Butcher

Sorceress

SD Swordmaster

Fantasy has more SD parodies than any other genre. For the most part, the explanation for their popularity lies in the fact that the origin of many of these fantasy stories can be found in the world of role-playing games which in Japan are closely connected to the world of videogames. Some legendary works of the genre are the animated parodies of the *Record of Lodoss War* series, made in the short-film format, and versions of classic role-playing games such as Falcom's *Y's*.

Im Fantasy-Genre gibt es mehr SD-Parodien als in anderen Genres. Die Ausdehnung ihrer Popularität liegt überwiegend darin begründet, dass der Ursprung zahlreicher Fantasy-Stories in der Welt der Rollenspiele zu finden ist, die in Japan stark mit Videospielen verknüpft sind. Einige legendäre Werke des Genres sind die als Kurzfilme gedrehten animierten Parodien der *Record of Lodoss Wa*-Serien und die Versionen der klassischen Rollenspiele wie Falcoms *Y's* .

Les histoires fantastiques regorgent de caricatures SD. Leur popularité réside principalement dans le fait qu'elles sont issues des jeux de rôle qui, au Japon, sont étroitement liés au monde des jeux vidéo. Certaines œuvres légendaires sont les parodies animées des séries *Record of Lodoss War*, en court-métrage, et les versions de jeux de rôles classiques, comme le *Y* de Falcom.

Fantasy bevat meer *SD*-parodieën dan enig ander genre. De populariteit is grotendeels te verklaren uit het feit dat de oorsprong van de meeste van deze *fantasy*-verhalen ligt in de wereld van de *role-playing games*, die in Japan nauw verbonden zijn met de wereld van de *video games*. Enkele legendarische werken van dit genre zijn de als korte film gemaakte tekenfilmparodieën van de serie *Record of Lodoss War* en versies van klassieke *role-playing games* zoals *Y's* van Falcom.

Shape_Form_Forme_Vorm

The basis of this illustration is the stereotype of a knight with pets such as fairies and goblins. The knight must show movement as if coming toward the reader.

Das Motiv dieser Illustration ist ein stereotypisierter Ritter mit Maskottchen wie Feen und Kobolden. Der Ritter muss in Bewegung sein, als würde er sich dem Betrachter nähern.

Cette illustration représente un chevalier, accompagné d'une petite fée. On doit avoir l'impression qu'il se dirige vers le lecteur.

De basis van deze illustratie is de stereotype ridder, die bevriend is met feeën en kobolds. De ridder moet qua beweging op de lezer afkomen.

Volume_Volumen_Volume_Ruimtelijke vorm

Sketch the main parts of his armor, especially his sword. Locate and draw bits of the characters' hair, with movement in mind. To successfully compose the composition, draw the fairy's wings.

Skizziere die Hauptelemente der Rüstung, besonders das Schwert. Zeichne Haarsträhnen, die Bewegung vermitteln. Um die Skizze zu vervollständigen, zeichne auch die Flügel der Fee.

Esquissez les parties principales de son armure, en particulier son épée. Esquissez une partie des cheveux du personnage, en gardant le mouvement à l'esprit. Pour réussir la composition, dessinez les ailes de la fée.

Schets de belangrijkste delen van het harnas en het zwaard. Bepaal de plaats van het haar en teken een paar stukjes. Vergeet hierbij niet dat de ridder beweegt. Teken de vleugels van de fee om de compositie goed te krijgen.

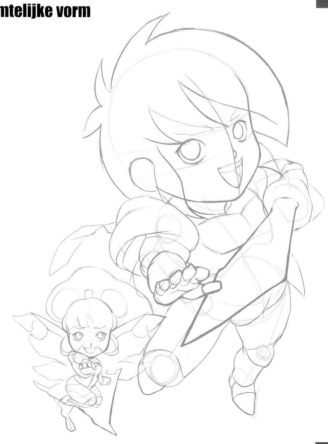

Anatomy_Anatomie_Anatomie_Anatomie

Finish defining the faces. Use clear and clean lines to perfectly define the lines of their eyes. The knight's anatomy helps us understand how to foreshorten his arm better.

Definiere die Gesichter. Verwende klare und saubere Linien, um die Augen hervorzuheben. Die gesamte Anatomie des Ritters bestimmt den perspektivisch verkürzten Arm.

Finalisez les visages. Utilisez des lignes claires et sobres pour définir parfaitement les lignes des yeux. L'anatomie du chevalier nous permet de savoir comment dessiner son bras.

Maak de gezichten af. Gebruik heldere en strakke lijnen om de ooglijnen perfect weer te geven. De bouw van de ridder helpt ons om het perspectief van zijn arm beter te begrijpen.

Final sketch_Endskizze_Esquisse définitive_Uiteindelijke schets

Play with the movement of the knight's cape and the leaf the fairy is on top of. Remember that SD drawings often stand out for their apparent simplicity. Use a line hierarchy for greater depth.

Spiele mit der Bewegung des Umhangs, den der Ritter trägt, und des Blattes, auf dem die Fee sitzt. Beachte, dass das Besondere an SD-Zeichnungen ihre scheinbare Einfachheit ist. Zeichne die Linien im Vordergrund dicker, um mehr Tiefe zu erreichen.

Jouez avec le mouvement de la cape du chevalier et de la feuille sur laquelle la fée est posée. Il faut se souvenir que les dessins SD se caractérisent par leur apparente simplicité. Utilisez une hiérarchie de lignes pour accentuer la profondeur.

Er zijn twee verschillende lichtbronnen: het omgevingslicht dat van achter onze stripfiguren komt en een lichtbron van voren. Maak de oplichtende gebieden op het harnas en de kleren van de held zeer uitgesproken.

Lighting_Licht_Éclairage_Lichtval

There are two different light sources: the ambient light that comes from behind our characters and a frontal light source. Make the highlights on the hero's clothes and armor very pronounced.

Wir haben zwei Lichtquellen: das Umgebungslicht, das sich hinter den Figuren befindet, und eine frontale Lichtquelle. Betone die Lichtstellen auf Kleidung und Rüstung.

Il y a deux sources de lumière : celle du jour et un faisceau dirigé vers le visage du chevalier. Placez des reflets très prononcés sur les habits du héros et de son armure.

Er zijn twee verschillende lichtbronnen: Het omgevingslicht dat van achter onze stripfiguren komt en een lichtbron van voren. Maak de oplichtende gebieden op het harnas en de kleren van de held zeer uitgesproken.

Flat colors_Basisfarben_Couleurs simples_Effen kleuren

Paint the characters in different, but matching, colors. Tone down the knight's colors to place him physically behind the fairy and give the image greater depth. Use brighter colors for the fairy.

Male die Charaktere in unterschiedlichen, aber zueinander passenden Farben. Stelle den Ritter in abgeschwächten Tönen dar, um mehr Tiefe zu erreichen und damit es aussieht, als stände er hinter der Fee. Verwende leuchtendere Farben für die Fee.

Peignez les personnages dans des couleurs différentes mais assorties. Estompez les couleurs du chevalier pour le décaler par rapport à la fée et accentuer la profondeur de champ. Prenez des couleurs plus vives pour la fée.

Kleur de figuren in verschillende, maar samengaande kleuren. Zwak de kleuren van de ridder af, zodat hij achter de fee staat en het beeld meer diepte krijgt. Gebruik helderdere kleuren voor de fee.

Tips and tricks_Tipps und Tricks_Conseils et astuces_Tips en trucs

1. Use large patches of shadow to shape the hair.

1. Bring große Schattenflecken auf die Haare auf.

1. Pour les reflets dans les cheveux, peignez à grands traits, avec du sombre.

1. Gebruik grote schaduwvlekken om het haar vorm te geven.

2. Use simple volumes and add the lighting characteristic of *anime*.

2. Benutze simple Volumen. Füge ein Licht im *Anime*-Stil hinzu.

2. Optez pour des volumes simples. Ajoutez le style de lumière de l'*anime*.

2. Gebruik simpele ruimtelijke vormen. Voeg het type licht uit een *anime* toe.

3. Repeat the previous steps for his face. Go over the lines of his eyes to give him a more powerful gaze.

3. Wiederhole die vorigen Schritte bei seinem Gesicht. Ziehe die Augenlinien nach, um den Blick des Ritters ausdrucksvoller erscheinen zu lassen.

3. Répétez les étapes précédentes pour son visage. Repassez les lignes de ses yeux pour lui donner un regard plus puissant.

3. Herhaal de vorige stappen voor zijn gezicht. Ga nog een keer over zijn ooglijnen om hem een krachtige blik te geven.

Tips and tricks_Tipps und Tricks_Conseils et astuces_Tips en trucs

1. When painting armor, look at the way the light falls.

1. Achte beim Kolorieren der Rüstung darauf, von wo das Licht darauf fällt.

1. Pour l'armure, soyez attentif aux ombres et à la lumière venant de la droite.

1. Als je het harnas inkleurt, houd dan rekening met de lichtval.

2. Use the fade tool to construct his armor. Separate decoration with shinier tones.

2. Benutze das Fade-Tool zum Perfektionieren der Rüstung. Trenne die Dekoration anhand von glänzenderen Tönen ab.

2. Utilisez l'outil à estomper pour son armure. Mettez en valeur les éléments décoratifs avec des teintes plus claires.

2. Gebruik de *fade tool* om het harnas op te bouwen. Scheid de decoratie met glimmender schakeringen.

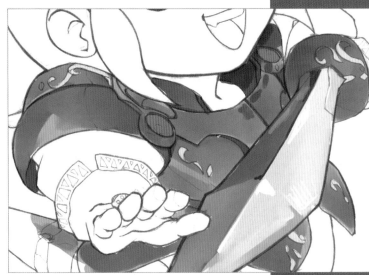

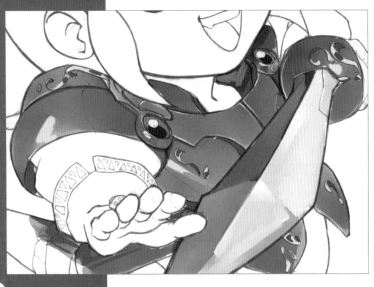

3. Add lights and shadows.

3. Gib Licht und Schatten dazu.

3. Ajoutez les reflets et les dernières ombres.

3. Voeg licht en schaduwen toe.

Shading_Schatten_Ombres_Arcering

Follow the same process for the fairy. Make sure the colors of the wing and hair look lively enough. Convey greater movement by using fading on the pompoms of her hair as if it were a comb.

Geh bei der Fee genauso vor. Achte darauf, dass die Farben der Flügel und der Haare lebendig wirken. Bring mehr Bewegung in das Bild, indem Du ihre Haartroddeln verwischt, so dass sie wie ein Kamm wirken.

Procédez de même pour la fée. Assurez-vous que les couleurs des ailes et des cheveux soient assez vives. Accentuez le mouvement en plaçant des zones sombres sur ses couettes, comme un peigne.

Doorloop dezelfde stappen bij de fee. Zorg dat de kleuren van de vleugels en het haar er levendig genoeg uitzien. Maak de beweging groter door de versiersels in haar haar vager te maken, zodat ze er als kammetjes uitzien.

1. Use not too-saturated colors. Repeat from greater to lesser intensity.

1. Verwende nicht zu gesättigte Farben. Wiederhole die Schritte und lass dabei die Intensität abklingen.

1. Utilisez des couleurs pas trop saturées. Répétez en allant de la plus grande à la plus faible intensité.

1. De kleuren mogen niet te verzadigd zijn. Werk weer van intensere naar minder intense kleuren.

2. Shape all the elements and add tones of shading.

2. Zeichne alle Elemente und bring noch mehr Schattentöne ein.

2. Formez tous les éléments et ajoutez les tonalités d'ombre.

2. Geef alle onderdelen vorm en voeg de schaduwarceringen toe.

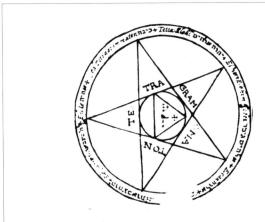

3. Repeat step 2. Give greater detail to nearest elements.

3. Wiederhole den 2. Schritt. Male die näheren Elemente detaillierter.

3. Répétez l'étape 2. Accentuez les détails des éléments les plus proches.

3. Herhaal stap 2. Maak de onderdelen op de voorgrond gedetailleerder.

4. The end effect should be casual and youthful. Add a magical motif to help separate the characters.

4. Das Bild muss am Ende locker und jugendlich wirken. Füge ein magisches Symbol als Hintergrund ein, um die Charaktere besser zu trennen.

4. L'effet final devra être décontracté et jeune. Ajoutez un motif ésotérique pour détacher les personnages du fond.

4. Het uiteindelijke effect moet losjes en jeugdig zijn. Voeg een magisch motiefje toe. Dat helpt om de figuren te scheiden.

Finishing touches_Letzte Details_Touches finales_Afwerking

Powder some light dots behind the fairy. This trick helps bring the character closer to the reader and gives the illustration depth, making it a 3D illustration.

Lichtpunkte hinter der Fee bringen die Figur näher zum Leser, verleihen der Illustration Tiefe und vermitteln den Eindruck einer 3D-Illustration.

Saupoudrez des étincelles de lumière derrière la fée. Cette astuce permet de rapprocher le personnage du lecteur et donne de la profondeur à l'illustration.

Strooi wat lichte stipjes achter de fee. Deze truc helpt om de fee dichter bij de lezer te brengen en geeft de illustratie diepte. Het wordt als het ware een 3D-tekening.

Barbarian

The adventures and misfortunes of this classic and arrogant character with his own peculiar code of ethics have monopolized the vignettes of some of the famous *mangas*. Stories featuring barbarians usually take place in settings devastated by evil forces. These atypical heroes prefer to look for a good fight before they think about goodness or justice. The tireless Hagaiwara gave us a wild, and at the same time, fun glimpse of the sword and sorcery genre in his *manga*.

Die Abenteuer und Missgeschicke dieses klassischen und gleichzeitig arroganten Charakters, der seinen eigenen Ethikcode besitzt, haben Comics der bekanntesten *Manga* monopolisiert. Märchen mit Barbaren spielen gewöhnlich in Welten, die von bösen Mächten beherrscht werden. Diese atypischen Helden streben eher einen guten Kampf und weniger Güte und Gerechtigkeit an. Der unermüdliche Hagaiwara schuf mit seinem *Manga* eine wilde und gleichzeitig witzige Sichtweise des Schwert- und Zaubergenres.

Les péripéties du barbare arrogant doté d'une éthique assez particulière ont envahi les mangas les plus célèbres. Ces histoires se déroulent le plus souvent dans des sites dévastés par les forces du mal. Ces héros atypiques sont en quête de combat, sans se soucier ni de la bonté ni de la justice. Dans ses mangas, l'infatigable Hagaiwara a su mêler, de façon violente et amusante à la fois, film de cape et d'épée et histoires de sorcellerie.

De avonturen en het ongeluk van deze klassieke en arrogante stripfiguur met zijn merkwaardige ethische normen zijn karakteristiek geworden voor enkele beroemde *manga's*. Verhalen met barbaren erin vinden gewoonlijk plaats in werelden die zijn verwoest door kwade krachten. Deze afwijkende helden prefereren een goed gevecht boven het goede of het rechtvaardige. De onvermoeibare *Hagaiwara* gaf ons in zijn *manga* een wilde en tegelijkertijd grappige blik op het zwaard- en tovenaarsgenre.

Shape_Form_Forme_Vorm

Barbarians have their own method of attack. To capture this moment and emphasize the violence, choose a pose with lots of movement. Arrows indicate the exaggerated twisting of his body.

Barbaren haben ihre eigene Angriffstaktik. Um diesen Moment einzufangen und die Gewalt zu verdeutlichen, wählen wir eine Pose mit sehr viel Bewegung. Die eingezeichneten Pfeile veranschaulichen die übertriebene Drehung seines Körpers.

Les barbares ont leur propre méthode d'attaque. Pour capter ce moment et exalter la violence, choisissez une pose très dynamique. Les flèches indiquent la torsion exagérée de son corps.

Barbaren hebben een eigen manier van aanvallen. Kies een houding met veel beweging om dit moment vast te leggen en het geweld te benadrukken. Pijlen geven de overdreven draaiing van het lichaam aan.

Volume_Volumen_Volume_Ruimtelijke vorm

The volumes give a better understanding of his torso's movement. Define the muscles and maintain as much of the gestures as possible. Avoid rigid volumes. Lightly sketch the face's hard features.

Durch Zugabe von Volumen verstärken wir den Effekt der Rumpfdrehung. Definiere die Muskeln, beachte dabei aber, möglichst viel von seiner Geste beizubehalten. Verhindere steife Volumen. Skizziere die strengen Gesichtszüge.

Les volumes permettent de mieux comprendre le mouvement de son torse. Définissez les muscles sans entraver le mouvement. Évitez les volumes rigides. Esquissez légèrement les traits durs du visage.

De ruimtelijke vormen zorgen voor een beter begrip van de beweging van de romp. Teken de spieren en handhaaf de beweging zoveel als mogelijk. Vermijd starre ruimtelijke vormen. Schets lichtjes de harde gelaatstrekken.

Anatomy_Anatomie_Anatomie_Anatomie

Define the main muscle groups of his arms and back. Finish his facial expression to convey the effort and fury behind his attack. His entire anatomy must show toughness, strength and tension.

Definiere die wichtigsten Muskelpartien der Arme und des Rückens. Kennzeichne seinen Gesichtsausdruck, so dass die Anstrengung und Wut, die hinter dem Angriff stecken, zum Ausdruck kommen. Seine ganze Anatomie muss Kühnheit, Mut und Anspannung zeigen.

Dessinez les principaux muscles de son bras et de son dos. Peaufinez l'expression du visage pour transmettre l'effort et la fureur lors de l'attaque. Son anatomie entière doit refléter l'endurance, la force et la tension.

Teken de belangrijkste spiergroepen van de armen en rug. Maak de gelaatstrekken zo af dat ze de kracht en woede in de aanval laten zien. De hele bouw moet taaiheid, kracht en spanning uitstralen.

Final sketch_Endskizze_Esquisse définitive_Uiteindelijke schets

Give the attack more movement. The loincloth and the ribbon in his hair move in the opposite direction to where he's jumping, while his hair and the talisman around his neck are suspended in the air.

Gib der Attacke mehr Bewegung. Der Lendenschurz und das Haarband bewegen sich in die entgegengesetzte Richtung zu seinem Sprung, während sein Haar und der Talisman um seinen Hals durch die Luft fliegen.

Donnez plus de mouvement à l'attaque. Le pagne et le ruban dans les cheveux bougent dans la direction opposée de l'endroit où il saute, tandis que les cheveux et le talisman autour de son cou flottent dans l'air.

Geef de aanval meer beweging. De lendendoek en de haarband bewegen in tegengestelde richting van de sprong, terwijl het haar en de talisman om de nek van de barbaar in de lucht hangen.

Lighting_Licht_Éclairage_Lichtval

Digital color creates results that are similar to classical illustrations. Forget inking and go straight to color. In lighting use a low saturation version of the final sketch.

Digitale Farben ergeben Resultate, die große Ähnlichkeit mit klassischen Illustrationen haben. Vergiss die Tinte und geh direkt zum Kolorieren über. Berücksichtige beim Aufhellen, dass das Endbild eine geringe Sättigung haben soll.

Les couleurs numériques donnent des résultats semblables aux illustrations classiques. Oubliez l'encrage et passez directement à la couleur. Dans le traitement de la lumière, utilisez une version à faible saturation de l'esquisse définitive.

Het digitaal kleuren geeft dezelfde resultaten als bij klassieke illustraties. Vergeet het inkten en begin meteen met inkleuren. Gebruik bij de lichtval een minder verzadigde versie van de uiteindelijke schets.

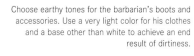

Choose earthy tones for the barbarian's boots and accessories. Use a very light color for his clothes and a base other than white to achieve an end result of dirtiness.

Wähle Erdfarben für die Stiefel und die anderen Accessoires des Barbaren. Nimm eine sehr helle Farbe für seine Kleidung, aber nicht weiß, um den Eindruck von Schmutz zu bewirken.

Optez pour des tons terreux pour les bottes et les accessoires. Utilisez une couleur très claire pour le pagne mais pas du blanc car il doit être sale.

Kies aardkleuren voor de laarzen en de accessoires van de barbaar. Gebruik een zeer lichte kleur voor zijn kleren en een andere basis dan wit om een eindresultaat van smoezeligheid te bereiken.

Shading_Schatten_Ombres_Arcering

The sword's shininess grabs the reader's attention. Use two tones of shading to define the clothes' wrinkles. To finish the outfit's ornamental aspects go over the contour lines with a light color.

Das glänzende Schwert zieht die Aufmerksamkeit des Lesers auf sich. Verwende zwei Schattentöne für die Kennzeichnung der Falten. Um das Ornamentale seines Outfits zu unterstreichen, kannst Du die Konturen mit einer hellen Farbe nachziehen.

L'éclat de l'épée capte l'attention du lecteur. Prenez deux tons plus sombres pour définir les plis du vêtement. Pour fignoler les ornements de la tenue, repassez les contours avec une couleur claire.

De schittering van het zwaard trekt de aandacht van de lezer. Gebruik twee schaduwschakeringen om de plooien van de kleren weer te geven. Ga met een lichte kleur over de contourlijnen om de laatste hand te leggen aan alle decoratieve onderdelen van de kleren.

457

1. Use the paintbrush to create a tonal base and the fade tool to shape his muscles.

1. Benutze den Pinsel, um eine Farbtonbasis zu schaffen und das Fade-Tool zum Betonen seiner Muskeln.

1. Utilisez le pinceau pour créer un ton de base ainsi que l'instrument d'estompage pour former les muscles.

1. Gebruik de paintbrush om een basisschakering te maken en de *fade tool* om de spieren vorm te geven.

2. Add shade to the main light points and use patches of white for the light itself.

2. Helle die Lichtzonen auf und nimm Weiß für die hellsten Stellen.

2. Ajoutez de l'ombre aux principaux points de lumière et des taches de blanc pour la lumière elle-même.

2. Voeg schaduw toe aan de belangrijkste oplichtende gebieden en gebruik witte stukjes voor het licht zelf.

3. Note the patches of color and give them volume.

3. Modelliere die Farbflecken und gib ihm so Volumen.

3. Donnez du volume aux taches de couleur.

3. Zie hoe de witte stukjes ruimtelijk zijn geworden.

4. Finish with lighter shades of light.

4. Beende die Zeichnung mit helleren Lichtabstufungen.

4. Terminez avec des dégradés de lumière plus clairs.

4. Maak het af met de lichtere schakeringen van het licht.

Finishing touches_Letzte Details_Touches finales_Afwerking

The correct use of layering is important to add
elements such as typographies, textures and
decorative motifs. These always help give an
illustration a more elaborate and realistic finish.

Es ist wichtig, die Schichten richtig einzusetzen, um
Elemente wie Typographien, Texturen und dekorative
Motive einzufügen. Sie sind immer nützlich, um eine
Illustration am Ende sorgfältig gearbeitet und
realistisch aussehen zu lassen.

La bonne utilisation de dégradés est importante pour
ajouter des éléments tels que typographies, textures
et motifs décoratifs. Ils permettent toujours de donner
à une illustration une finition réaliste plus élaborée.

Het is belangrijk om op de juiste manier lagen te
gebruiken om onderdelen toe te voegen zoals
typografie, textuur en decoratieve patronen.
Patroontjes geven de tekening altijd een meer
uitgewerkte en realistischere afwerking.

Butcher

Bloodthirsty, merciless and visually excessive, the butcher plays a similar role in the fantasy genre as the gang member in the post-apocalyptic genre. He's a brainless enemy feared by innocent people and manipulated by the wicked. Usually of disproportionate size, he is capable of brandishing gigantic weapons and often has serious deformations. He is shown at his craziest in *Berserk* by Kentaro Miura, which depicts the freakiest and most spectacular beasts in medieval fantasy.

Mit seiner Blutrünstigkeit und Gnadenlosigkeit und optisch überzogen spielt der Scherge im Fantasy-Genre eine ähnliche Rolle wie das Bandenmitglied im post-apokalyptischen Genre. Er ist ein hirnloser Feind, der von unschuldigen Menschen gefürchtet und vom Bösen manipuliert wird. Mit seiner für gewöhnlich unproportionierten Gestalt ist er in der Lage, gigantische Waffen zu schwingen. Oft ist er schwer verunstaltet. Am extremsten wird er in *Berserk* von Kentaro Miura dargestellt, der das grotesketeste und spektakulärste Biest der mittelalterlichen Fantasy-Geschichten geschaffen hat.

Sanguinaire, impitoyable et repoussant, le bourreau du genre fantastique joue un rôle similaire à celui du membre d'un gang dans le genre post-apocalyptique. C'est un ennemi sans cervelle, craint par les innocents et manipulé par les méchants. Doté de membres disproportionnés, capable de brandir des armes gigantesques, il est souvent affublé de malformations. La représentation la plus folle de ce personnage se trouve dans *Berserk* de Kentaro Miura, qui dépeint la bête la plus bizarre et spectaculaire de tout l'imaginaire médiéval.

Bloeddorstig, genadeloos en visueel overdadig, de slachter speelt in het *fantasy*-genre een vergelijkbare rol als het bendelid in het postapocalyptische genre. Hij is een domme vijand die gevreesd wordt door onschuldige mensen en gemanipuleerd wordt door kwaadaardige wezens. Gewoonlijk is hij buitensporig groot en in staat om met reusachtige wapens te zwaaien. Vaak is hij ernstig misvormd. Op zijn krankzinnigst is hij te zien in *Berserk* van Kentaro Miura. Hierin worden de meest abnormale en spectaculairste beesten uit de middeleeuwse *fantasy* afgebeeld.

Shape_Form_Forme_Vorm

Try to capture the moment when this maniac leaves his den in search of prey. Position him so it looks like he's going to take someone by surprise. Think about his enormous body proportions.

Versuche, den Moment einzufangen, in dem dieser Dämon seinen Verschlag auf der Suche nach Beute verlässt. Positioniere ihn so, dass es aussieht, als wolle er sich gleich jemanden schnappen. Achte auf seine riesigen Körperproportionen.

Essayez de capter le moment où ce maniaque sort de son terrier afin de chercher une proie. Placez-le comme s'il était sur le point de prendre quelqu'un par surprise. Pensez aux proportions démesurées de son corps énorme.

Probeer het moment te vangen waarop deze maniak, op zoek naar een prooi, zijn hol verlaat. Plaats hem zo dat het lijkt alsof hij iemand bij verrassing te grazen gaat nemen. Denk aan zijn enorme lichaamsbouw.

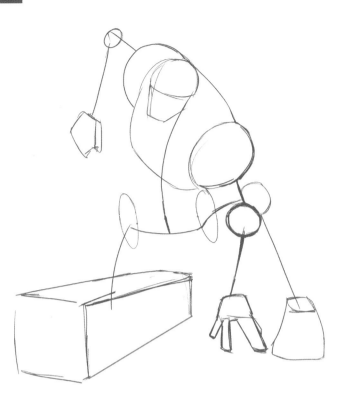

Volume_Volumen_Volume_Ruimtelijke vorm

Be very careful when shaping his body. Use more marked volumes for his arms and legs, so they look hard. Study the position of his face and hair and position the hammer in the scene.

Geh beim Skizzieren seines Körpers gründlich vor und verwende stärker angedeutete Volumen für seine Arme und Beine, damit sie hart wirken. Studiere die Haltung seines Gesichtes und des Zopfes und platziere den Hammer in seine Hand.

Faites très attention en dessinant son corps. Utilisez des volumes plus marqués pour ses bras et ses jambes, pour qu'ils aient l'air très musclés. Étudiez la position du visage et des cheveux et installez le marteau dans la scène.

Wees erg zorgvuldig bij het ruimtelijk maken van het lichaam. Gebruik dikkere lijnen voor de volumes van armen en benen, zodat ze er massief uitzien. Bestudeer de houding van het gezicht en haar en plaats de hamer in het tafereel.

Anatomy_Anatomie_Anatomie_Anatomie

Make him look wicked and grotesque. Exaggerate
his shoulders and arms. Bear in mind the
malleability of his enormous stomach and the
creases that form where his figure flexes.

Lass ihn bösartig und grotesk aussehen.
Stelle seine Schultern und Arme
übertrieben dar. Berücksichtige die
Flexibilität seines enormen Bauches und die
Falten, die sich dort bilden, wo sich der
Körper beugt.

Donnez-lui l'air méchant et grotesque.
Exagérez ses épaules et ses bras. Gardez à
l'esprit la malléabilité de son énorme estomac et
les plis formés par la flexion de son corps.

Laat hem er kwaadaardig en grotesk uitzien.
Overdrijf zijn schouders en armen. Houd in
gedachten dat zijn enorme buik blubberig is en dat
er plooien ontstaan waar zijn lichaam gebogen is.

Final sketch_Endskizze_Esquisse définitive_Uiteindelijke schets

His armor must look worn, so add some cracks and imperfections to it. Give his mask a fierce look to highlight the character's personality. Use macabre elements to decorate.

Seine Rüstung muss getragen aussehen: Versieh sie mit Kratzern und Rissen. Lass seine Maske unheimlich wirken, damit die Persönlichkeit des Charakters zum Vorschein kommt. Verwende auch makabere Elemente zur Verzierung.

Son armure doit avoir un aspect usé : ajoutez-lui des fissures et des imperfections. Donnez à son masque une allure féroce pour exalter la personnalité du personnage. Utilisez les éléments macabres pour le décor.

De been- en armplaten moeten er gebruikt uitzien. Voeg dus wat scheurtjes en onvolkomenheden toe. Geef het masker een woeste *look* om de aard van dit stripfiguur te onderstrepen. Geef het macabere accessoires.

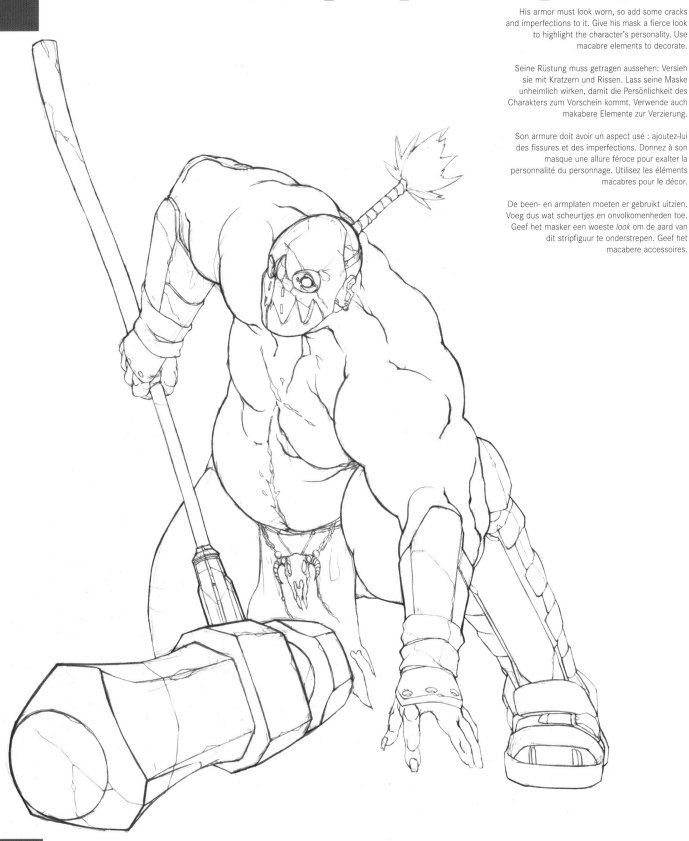

Lighting_Licht_Éclairage_Lichtval

Intense light comes from the upper left part of the
illustration creating a big contrast between the
shaded areas. See how the different
body parts overlap and create shaded
areas.

Benutze eine komplette Frontlichtquelle
ohne starkes Umgebungslicht. Achte
darauf, wie das Licht sich auf dem
eingekerbten Metall der Rüstung spiegelt.

Optez pour une source de lumière frontale,
sans trop d'excès de lumière ambiante. Soyez
très attentif lors du traitement des reflets de
lumière sur le métal cabossé de l'armure.

De lichtbron komt recht van voren en er is geen
overdreven omgevingslicht. Schenk extra aandacht
aan de manier waarop het licht weerkaatst op het
gekerfde metaal van de been- en armplaten.

Flat colors_Basisfarben_Couleurs simples_Effen kleuren

Paint the butcher's armor using colors with a dark base. Use an intermediate color for his skin. Make him look quite sickly by using a lighter tone than the one normally used for a person's skin.

Verwende zum Kolorieren der Rüstung Farben mit einer dunklen Basis und für die Haut einen mittleren Ton. Lass ihn durch eine helle Hautfarbe ungesund aussehen.

Peignez l'armure du bourreau en utilisant des couleurs avec une base foncée. Son armure, usée et dégoûtante, est dépourvue de chrome.

Kleur de been- en armplaten van de slachter met donkere kleuren. Gebruik een tussenliggende kleur voor zijn huid. Laat hem er vrij ziekelijk uitzien door een schakering te kiezen die lichter is dan normaal gebruikt wordt voor de huid.

Shading_Schatten_Ombres_Arcering

Think about his lifestyle: confined in places with barely any light. Paint his skin a pale, almost ghostly color. His armor, worn and filthy, shouldn't have any chrome showing on it.

Er verbringt sein Leben überwiegend in dunklen Verliesen; zeichne seine Haut blass, fast leichenhaft. Seine abgenutzte und schmuddelige Rüstung darf keinen Chrom bekommen.

Pensez à son style de vie : le bourreau est confiné dans des endroits peu ou pas éclairés. Peignez sa peau d'une couleur pâle, cadavérique, mais pas trop claire quand même car il est d'une saleté repoussante.

Denk na over het feit dat de slachter zich vooral ophoudt op plekken zonder zonlicht. Kleur zijn huid met een bleke, bijna doodsbleke, kleur. De versleten en smoezelige been- en armplaten mogen niets van chroom tonen.

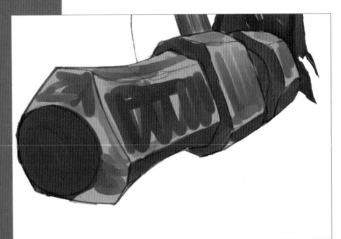

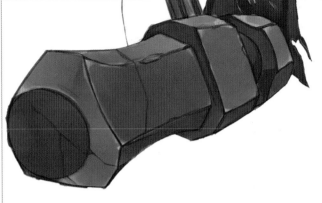

1. Create a base with a tone of shading.

1. Schaffe eine Basis mit einem Schattenton.

1. Créez une base avec une teinte ombrée.

1. Maak een basis met een schaduwschakering.

2. Fade the patches of color. Put the first red blotches on the hammer.

2. Verwische die Farbflecken. Bringe rote Flecken auf dem Hammer auf.

2. Estompez les taches de couleur. Mettez les premières taches rouges sur son marteau.

2. Vervaag de kleurstroken. Zet de eerste rode vlekken op de hamer.

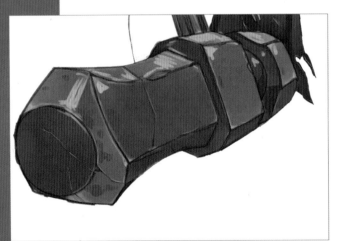

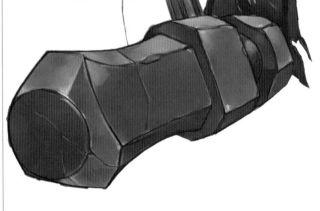

3. Use a lighter tone for lighting. Don't overuse the highlights as it's a stone hammer.

3. Definiere die Lichtstellen mit einem helleren Ton, übertreibe aber nicht, denn es handelt sich ja um einen Steinhammer.

3. Utilisez un ton plus clair pour illuminer. N'abusez pas des reflets, puisque c'est un marteau en pierre.

3. Gebruik een lichtere tint voor de lichtval. Gebruik niet te veel oplichten-de plekjes, want het is een stenen hamer.

4. Repeat step two. His armor has to look worn.

4. Wiederhole den 2. Schritt. Die Rüstung muss abgewetzt wirken.

4. Répétez l'étape 2. Son armure doit avoir l'air usée.

4. Herhaal stap twee. De been- en armplaten moeten er versleten uitzien.

Finishing touches_Letzte Details_Touches finales_Afwerking

Use brushstrokes imitating stains and splashes to make his armor and hammer look more battered. For the ground, follow the same steps as for the hammer, but begin with lighter tones.

Imitiere mit dem Pinsel Flecken und Spritzer, um die Rüstung und den Hammer noch abgeschlagener aussehen zu lassen. Geh beim Boden genauso vor wie beim Hammer, beginne aber mit helleren Farben.

Donnez des coups de pinceau imitant les taches et les éclaboussures pour que son armure et le marteau paraissent plus abîmés. Pour le sol, suivez les mêmes étapes que pour le marteau, mais commencez avec des tons plus clairs.

Gebruik penseelstreken voor de vlekken en spatten om zijn been- en armplaten en hamer er meer gehavend uit te laten zien. Begin echter met de lichtere schakeringen.

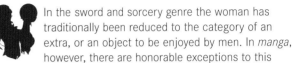

Sorceress

In the sword and sorcery genre the woman has traditionally been reduced to the category of an extra, or an object to be enjoyed by men. In *manga*, however, there are honorable exceptions to this unwritten genre rule. In Japanese stories, the witch is usually placed in an ambiguous position with respect to the main hero; they may end up helping or leading him into a trap. Some examples of this character can be found in *Dragon Quest*, *Record of Lodoss War*, and *Jester and Orphen*.

Im Schwert- und Zaubergenre wurden Frauen traditionell auf die Kategorie einer Statistin oder eines Lustobjekts reduziert. Beim *Manga* gibt es allerdings bemerkenswerte Ausnahmen zu diesem ungeschriebenen Genregesetz. In japanischen Geschichten hat die Hexe gewöhnlich eine zweideutige Position in Bezug zum Helden; sie kann ihm helfen oder aber in eine Falle locken. Einige Beispiele für diesen Charakter findet man in *Dragon Quest*, *Record of Lodoss War Jester and Orphen*.

Dans les histoires d'épées et de sorcières, la femme est cantonnée aux rôles de complice, au mieux, ou de femme-objet. Dans les mangas, toutefois, il y a des exceptions honorables à cette règle non écrite du genre. Dans les contes japonais, la sorcière se trouve souvent dans une situation ambiguë face au héros : soit la sorcière l'aide, soit elle lui tend un piège. On trouve des exemples de cette figure dans *Dragon Quest*, *Record of Lodoss War* et *Jester and Orphen*.

In het zwaard- en tovenaarsgenre zijn de vrouwen traditioneel verlaagd tot figuranten of objecten ter vermaak van de man. In *manga* zijn er echter prijzenswaardige uitzonderingen op deze ongeschreven regel van het genre. In Japanse verhalen speelt de heks in relatie tot de held meestal een dubbelzinnige rol. Die kan ertoe leiden dat ze de held helpt of in de val lokt. Enkele voorbeelden van dit type stripfiguren zijn terug te vinden in *Dragon Quest, Record of Lodoss War* en *Jester and Orphen*.

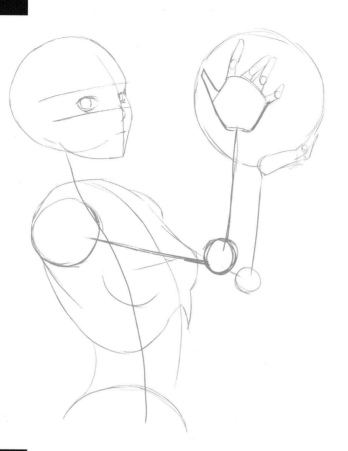

Shape_Form_Forme_Vorm

Focus on a plane nearer the character to help put greater detail on the element of clothing. Position the character holding a glass ball and observing the reader out of the corner of her eye.

Platziere Dich auf einer Ebene nahe des Charakters, um die Kleidung besser im Detail darstellen zu können. Lege dem Charakter eine Glaskugel in die Hand und lass sie den Betrachter aus dem Augenwinkel ansehen.

Nous choisissons un plan rapproché pour détailler les détails des vêtements et du visage. Le personnage tient une boule de cristal et observe le lecteur du coin de l'œil.

Richt je op een oppervlak dichter bij het stripfiguur. Zo kun je meer detaila aanbrengen op de kleren. Geef het stripfiguur een kristallen bol in handen en laat haar de lezer observeren vanuit haar ooghoeken.

Volume_Volumen_Volume_Ruimtelijke vorm

Mark the basic shapes of her body and show basic details of her anatomy. Sketch her stern and mysterious expression, which will help give the reader an idea of the character's personality.

Markiere die Grundformen ihres Körpers und kennzeichne einige Details ihrer Anatomie. Fang ihren ernsten und mysteriösen Gesichtsausdruck auf, denn er gibt Aufschluss über die Persönlichkeit des Charakters.

Esquissez les formes basiques du corps et ébauchez quelques détails supplémentaires. Donnez-lui une expression à la fois sévère et mystérieuse, qui renseignera le lecteur sur son caractère.

Markeer de basisvormen van het lichaam en laat basisdetails zien van de bouw. Schets de strenge en mysterieuze uitdrukking. Die geeft de lezer een idee van haar persoonlijkheid.

Anatomy_Anatomie_Anatomie_Anatomie

Her clothing is the drawing's most visible part. Finish defining her expression and hands. Carefully outline the look in her eyes and the expression of her lips. Highlight tension in the wrist.

Ihre Kleidung ist der wichtigste Teil der Zeichnung. Definiere die Gesichtszüge und Hände mit besonderem Schwerpunkt auf ihren Blick und die Form ihrer Lippen. Hebe die Anspannung in ihrem Handgelenk hervor.

Son costume est la partie du dessin la plus visible. Définissez son expression et ses mains. Soulignez prudemment le regard de ses yeux et l'expression de ses lèvres, ainsi que la tension de son poignet.

Het meest zichtbare deel van de tekening is de kleding. Maak de gezichtsuitdrukking en handen af. Omlijn zorgvuldig de blik in de ogen en de uitdrukking op de lippen. Laat de spanning in de pols naar voren komen.

Final sketch_Endskizze_Esquisse définitive_Uiteindelijke schets

Add decorative elements of a magical nature. Give her a classical look, like that of a gypsy. Draw the cloth lying over her arm. Focus on the wrinkles that form in the areas where her arm bends.

Füge dekorative Elemente magischer Natur hinzu. Gib ihr einen klassischen Look, z. B. den einer Wahrsagerin. Zeichne die über den Arm gehängte Kleidung. Beachte die Falten in der Armbeuge.

Ajoutez des éléments décoratifs de style ésotérique. Donnez-lui un style proche de celui d'une gitane. Dessinez le tissu reposant sur son bras. Concentrez-vous sur les plis formés dans la zone du coude.

Voeg decoratieve accessoires van magische aard toe. Geef haar een klassieke *look*, zoals die van een zigeunerin. Teken de doek die over haar armen hangt. Richt je op de plooien die gevormd worden in de gebieden waar haar arm buigt.

Lighting_Licht_Éclairage_Lichtval

Weak zenithal lighting marks the main points of light. Focus on the way light reflects over the crystal ball, the shiny parts of her hair and the shadows projected over her clothes' lightest areas.

Wir beleuchten das Bild mit schwachem Oberlicht. Konzentriere Dich darauf, wie sich das Licht in der Glaskugel und in den glänzenden Stellen auf ihren Haaren widerspiegelt und welche Schatten auf die hellsten Stellen der Kleidung geworfen werden.

Un faible éclairage zénithal marque les principaux points de lumière. Concentrez-vous sur les reflets sur la boule de cristal, les parties brillantes des cheveux et les ombres projetées sur les zones les plus légères des vêtements.

Een zachte lichtval van boven markeert de belangrijkste lichtpunten. Richt je op de manier waarop het licht weerkaatst op de kristallen bol, de glanzende delen van het haar en de schaduwen geworpen over de lichtste gebieden van haar kleren.

Flat colors_Basisfarben_Couleurs simples_Effen kleuren

A palette of shades of brown gives a more ethnic look. This drawing requires various stages of color treatment so emphasize the base of some elements, such as her face and shoulder pad.

Eine Braunpalette gibt der Zauberin einen stärker ethnisch geprägten Look. In dieser Zeichnung muss die Farbbearbeitung aus mehreren Schritten bestehen; betone also die Basis einiger Elemente wie ihr Gesicht und ihre Schulterpolster.

Une gamme de nuances de brun donnera un aspect plus ethnique. Ce dessin demande diverses étapes de traitement de couleur. Il convient d'accentuer la base de certains éléments, comme son visage et son omoplate.

Een kleurenmengsel van bruinschakeringen zorgt voor een etnische *look*. Deze tekening vergt verschillende stadia van kleurbehandeling. Benadruk dus de basis van sommige onderdelen, zoals haar gezicht en schouderstuk.

Tips and tricks_Tipps und Tricks_Conseils et astuces_Tips en trucs

1. Fade the base colors. Add shading to the lower eyelid.

1. Verwische die Basisfarben. Gib Schatten unter die Augenlider.

1. Estompez les couleurs élémentaires. Ajoutez de l'ombre sur les cils du bas.

1. Vervaag de basiskleuren. Voeg schaduw toe aan haar onderste ooglid.

2. Fade again. Add lighter shades to her face.

2. Verwische noch einmal. Gib hellere Schatten auf das Gesicht.

2. Estompez à nouveau. Ajoutez des ombres légères à son visage.

2. Vervaag opnieuw. Voeg lichtere schaduwen toe aan haar gezicht.

3. Define her eyes as done with SD characters. Use light lines to define her lips and detail her nose.

3. Zeichne ihre Augen genauso wie die der SD-Charaktere. Verwende helle Linien, um ihre Lippen zu definieren und detailliere ihre Nase.

3. Définissez ses yeux comme pour les personnages SD. Tracez de fines lignes claires pour définir ses lèvres et les détails de son nez.

3. Geef haar ogen weer zoals we deden bij de SD-figuren. Gebruik lichte lijntjes om haar lippen te omlijnen en haar neus te detailleren.

Shading_Schatten_Ombres_Arcering

Combine shades of gray on her bodice and darker shadows for a satin look. Her arms and shoulders will have a slightly creamy color. The crystal ball is still in its early stages.

Kombiniere auf dem Mieder Grautönungen und dunklere Schatten miteinander, um es satinartig aussehen zu lassen. Ihre Arme und Schultern erhalten eine leicht cremefarbene Tönung. Die Glaskugel ist noch in der Anfangsphase.

Combinez les nuances de gris sur son corsage et des ombres plus foncées pour une apparence satinée. Ses bras et son torse seront d'une couleur légèrement crème. La boule de cristal est toujours au premier plan.

Combineer op haar keurslijfje grijsschakeringen en donkerdere schaduwen om de indruk van satijn te wekken. Haar armen en schouders zullen een lichtelijk crèmeachtige kleur krijgen. De kristallen bol zit nog in de beginfase.

Finishing touches_Letzte Details_Touches finales_Afwerking

For the metallic ring around the illustration create a base on the computer and paint it as if it were a metal object, using splashes of color to emphasize the object's used and worn look.

Schaffe für den Metallring, der die Illustration einrahmt, eine Basis am Computer und male ihn so aus, dass er nach echtem Metall aussieht. Verwende dazu Farbspritzer, die den Ring alt und abgenutzt wirken lassen.

Pour réaliser l'anneau métallique autour du personnage, créez une base à l'ordinateur et peignez-la comme si c'était un objet métallique, en utilisant des taches de couleur pour accentuer l'aspect ancien de l'objet.

Een basis voor de metalen ring rond de illustratie maak je op de computer. Kleur hem alsof hij van metaal is. Gebruik spetters kleur om te benadrukken dat de ring gebruikt en versleten is.

THANKS:

This book was a joint project between Ikari Studio and Estudio Joso. Coordinated by Ikari, a new wave of *manga* illustrators who studied at the Joso School of Comics were given the opportunity to show what good work they're capable of – a similar opportunity to that which Estudio Joso once gave to the members of Ikari Studio.

Ikari would like to thank all the illustrators for their efforts. In addition, we are especially grateful to Estudio Joso for wanting us to continue sharing their dream.

So, to all of you who collaborated with us, many, many thanks!

DANKSAGUNG:

Dieses Buch ist in einem Gemeinschaftsprojekt des Ikari Studio und des Estudio Joso entstanden. Unter der Leitung von Ikari wurde einer Gruppe von Studenten der Joso School of Comics, die man als „neue Welle von *Manga*-Illustratoren" bezeichnen könnte, die Chance gegeben, zu zeigen, welche gute Arbeit sie leisten können; eine ähnliche Chance gab einst das Estudio Joso den Mitgliedern des Ikari Studio.

Ikari möchte allen Illustratoren für deren Mühe danken. Ganz besonders danken möchten wir dem Estudio Joso dafür, dass es seinen Traum weiter mit uns teilen möchte.

Vielen, vielen Dank allen, die mit uns zusammengearbeitet haben!

REMERCIEMENTS :

Cet ouvrage est le fruit d'une collaboration entre Ikari Studio et Estudio Joso. Sous la direction d'Ikari, une nouvelle vague d'illustrateurs manga, ayant fait leurs classes à la Escola de Comic Joso (Barcelone), ont eu la possibilité de montrer leurs talents.

Ikari tient à remercier les illustrateurs pour tous leurs efforts. Nous sommes également particulièrement reconnaissants au Estudio Joso de continuer à rêver avec nous.

Enfin, un très grand merci à tous ceux qui ont coopéré à ce projet !

DANK:

Dit boek was een gezamelijk project van Ikari Studio en Estudio Joso. Onder coördinatie van Ikari heeft een nieuwe stroming *manga*-illustratoren die aan de Joso School of Comics studeerden de kans gekregen om te tonen tot welk goed werk zij in staat zijn, vergelijkbaar met de kans die Estudio Joso eens heeft gegeven aan de leden van Ikari Studio.

Ikari wil graag alle illustratoren bedanken voor hun inzet. Bovendien zijn we Estudio Joso in het bijzonder dankbaar voor het feit dat zij willen dat wij hun droom blijven delen.